DE LAATSTE VOORSTELLING

SUE MILLER BIJ UITGEVERIJ CARGO

De vrouw van de senator

Sue Miller

De laatste voorstelling

Vertaald door Guus Houtzager

2011
DE BEZIGE BIJ
AMSTERDAM

Cargo is een imprint van uitgeverij De Bezige Bij, Amsterdam

Copyright © 2010 Sue Miller
Copyright Nederlandse vertaling © 2011 Guus Houtzager
Oorspronkelijke titel *The Lake Shore Limited*
Oorspronkelijke uitgever Knopf, New York
Omslagontwerp Studio Jan de Boer
Omslagillustratie Clayton Bastiani/Arcangel Images/Hollandse Hoogte
Foto auteur Elena Seibert
Vormgeving binnenwerk Peter Verwey, Heemstede
Druk Bariet, Ruinen
ISBN 978 90 234 6400 6
NUR 302

www.uitgeverijcargo.nl

Voor Zoe

Leslie

Omdat het nog middag was, omdat ze in een vreemde kamer verbleef, omdat ze niet sliep maar doezelde ('Ik ga gewoon even liggen, en dan merk ik wel wat er gebeurt,' had ze tegen Pierce gezegd) – vanwege dat alles was ze zich al dromend van zichzelf bewust, en besefte ze op een bepaald niveau dat ze bezig was de droom die ze had te ondermijnen, hem een andere uitkomst te geven, die verschilde van de kant die hij leek uit te gaan.

Ze probeerde Gus te bereiken, dat was het idee. Op de een of andere manier wist ze dat hij ver weg en alleen was, dat hij in de nesten zat. Het was zo'n droom waarin je de verkeerde straten in slaat, in nachtmerrieachtige buurten of kronkelige lege gangen belandt en vergeefs op zoek bent. Een droom waarin je ook haast hebt. Ja, ze begreep nu dat ze te laat was, vreselijk te laat. Ze probeerde te rennen, maar haar benen waren dik en zwaar, en lieten zich moeilijk verzetten.

O, dit is typisch, dacht ze, terwijl ze boven alle ellende zweefde. Dit is zo voorspelbaar.

Laten we er niet in vliegen, dacht ze.

En dat werkte. Want daar was Gus, opeens, door haar opgeroepen, de droom *in geduwd* waar hij nog niet hoorde te zijn – ze had nog kilometers te gaan. Hij oogde jonger dan de laatste keer dat ze hem levend had gezien. Hij glimlachte haar liefdevol toe.

'Sorry dat ik te laat ben,' zei ze. Dat kwam er raar uit, want zoals ze opeens besefte, huilde ze.

'O, je bent altijd te laat,' zei hij luchthartig en teder. Toen werd ze wakker.

Wat hij had gezegd was simpelweg niet waar – ze was nooit te laat –, en die beschuldiging, hoe luchtig ook uitgesproken, was het onderdeel van de droom dat haar het meest van haar stuk bracht. Ze lag in het brede bed met het gevoel van het huilen nog in haar lijf – het zat nog in haar keel en haar borst – en liet haar blik door de kamer gaan. De hotelkamer.

Ze waren in Boston, in een duur hotel met uitzicht op de Public Garden. Ze had zelfs precies gezegd welke etage ze wilde – hoog genoeg om in de bomen aan de overkant te kunnen kijken. Het moest halfvijf of later zijn, dacht ze. Buiten was het schemerig en de kamer was diep in schaduw gedompeld. Ze hoorde stemmen op de gang, hoogstwaarschijnlijk van de vrouwen die de bedden opensloegen. Ze deden het kalm aan en stonden daar te kletsen. Het was een taal die ze niet verstond, vol keelklanken. Misschien Portugees. Onder de deur prijkte een lichtstreep zo fel als een edelsteen. Een van de vrouwen lachte.

Ze was alleen op de kamer. Pierce was naar het Museum of Fine Arts gegaan, naar een expositie waarover zij in de krant had gelezen en waarop ze hem had gewezen – ze wilde dat hij in de stad waarvan hij genoot ook iets te doen had. De expositie heette *De zwevende wereld*, en er waren Japanse prenten te zien, gewijd aan het theater en de wereld van courtisanes uit de achttiende en negentiende eeuw. Kennelijk maakten van de expositie ook nooit eerder vertoonde erotica deel uit, die als uiterst vindingrijk werden beschreven. Vanwege die erotica had ze de expositie aan Pierce aanbevolen. Het was echt iets voor hem, had ze tegen hem gezegd.

'Weet je zeker dat jij er niet naartoe wilt?' had hij gevraagd toen hij op het punt stond te vertrekken. 'Word je niet aangetrokken door het vooruitzicht van die enorme mannelijke delen waarmee wordt rondgezwaaid?' Hij maakte een weidse armzwaai. 'Waarmee wordt rondgeneukt?'

'Ik krijg thuis mijn portie enorme mannelijke delen al. Daarvoor hoef ik niet naar het Museum of Fine Arts.'

Verwonderd over haar had hij geglimlacht en vervolgens, voordat hij de deur uitging, een formele buiging gemaakt. Hij had zijn oude tweed overjas aan. Ze had hem kortgeleden gezegd dat hij er daarin als een bedelaar uitzag – en dat was ook zo, zelfs als hij zoals vandaag de chique leren handschoenen aanhad die zij hem voor zijn verjaardag had gegeven.

Het kon hem niet schelen, had hij gezegd. 'En het geld komt altijd van pas.'

Ze veronderstelde dat hij gauw terug zou komen. Ze moest opstaan en proberen er toonbaarder uit te zien.

Maar ze stond niet meteen op. Met gesloten ogen lag ze te denken aan de versie van Gus die ze in de droom had bedacht. Waarom veranderen we hen op die manier? Waarom heb ik hem zo jong en zo gelukkig gemaakt?

Een kwestie van uitwissen, veronderstelde ze. Van de manier waarop hij was doodgegaan. In alle afschuwelijkheid. In alle eenzaamheid, zoals zij het zag, al was hij niet bepaald alleen geweest.

Gus was haar broer, veertien jaar jonger dan zij. Als hij nog in leven was, zou hij nu vijfenveertig zijn. Hij was zes jaar geleden gestorven. Ze dacht vrijwel niet meer aan het moment van zijn dood en de precieze toedracht ervan, ze droomde er zelfs niet meer over, en daar was ze dankbaar voor. Maar ze droomde nog altijd van hem, en daar was ze ook dankbaar voor. In de droom van vanmiddag had hij eruitgezien als begin twintig – knap, glimlachend, plagerig jegens haar. Zo oud was hij geweest toen hun band het nauwst was. Voor die tijd had ze hem niet veel aandacht geschonken. Hij was zo veel jonger – vier toen ze ging studeren en elf toen ze trouwde.

Maar een paar jaar later, toen Gus nog op de *high school* zat en Pierce en zij pas in New Hampshire woonden, waren hun ouders gescheiden en was alles anders geworden. Hun vader verhuisde naar Californië en verdween, hoewel hij haar enkele jaren weleens laat in de avond belde – halverwege de avond in zijn tijdzone –, stomdronken en huilerig, vol van nutteloze en tijdelijk gevoelde liefde. De eerste keren dat hij belde was ze net zo lang met hem aan de telefoon gebleven als hij wilde praten. Ze had zich voorgesteld zo de genegenheid te kunnen terugvinden die tussen hen had bestaan toen zij een meisje was.

Maar er gebeurde niets als gevolg van de telefoontjes, er veranderde niets. Elke keer begon en eindigde hun gesprek op dezelfde manier, alsof hij zich niets van het vorige gesprek herinnerde. En waarschijnlijk was dat ook het geval. Waarschijnlijk had hij als hij de volgende dag wakker werd een vage notie dat hij met iemand die hij kende had gesproken. Misschien herinnerde hij zich zelfs nog dat het Leslie was geweest. Hij herinnerde zich echter duidelijk niets specifieks meer – zijn beloften om op bezoek te zullen komen niet, zijn smeekbeden om vergiffenis niet. Uiteindelijk schakelde ze de telefoon uit als Pierce en zij naar bed gingen.

Hun moeder trok na de scheiding in een appartement met één slaapkamer, en Gus sliep op de zit-slaapbank in de woonkamer. Toen hij ging studeren, gaf ze het bed aan het Leger des Heils en kocht een echte bank – ze had er genoeg van om in haar woorden 'geen fatsoenlijke plek om te ontspannen' te hebben – en die werd Gus' bed als hij thuis was. Ze maakte in die tijd afspraakjes met mannen en kwam 's avonds vaak helemaal niet meer thuis in het appartement, zodat Gus 's ochtends alleen wakker werd, zelf zijn ontbijt klaarmaakte en oude vrienden van de high school belde om hem gezelschap te houden.

Al vrij snel ging hij in de schoolvakanties niet meer naar huis, maar kwam hij in plaats daarvan bij háár logeren, in het huis dat net aan de overkant van de rivier in Vermont lag en dat Pierce en zij een paar jaar nadat hij zijn baan bij Dartmouth-Hitchcock had gekregen, hadden gekocht. Ze reserveerden een kamer voor hem, en hij vulde die geleidelijk met spullen – boeken, sportartikelen, platen, bandjes en posters. Na zijn studie ging hij in Boston werken, maar nog altijd kwam hij regelmatig thuis – naar het huis van Pierce en Leslie.

In de loop van die jaren leerde Leslie hem kennen en van hem houden als mens, niet alleen als schattig klein broertje. Ze begreep dat dat deels te maken had met het feit dat ze niet zwanger kon worden, want het waren ook de jaren waarin Pierce en zij probeerden kinderen te krijgen en daarin niet slaagden. Ze veronderstelde dat ze toen meestal gedeprimeerd was. Ze had in elk geval het idee dat ze erachter kwam hoe diep het leven je kan teleurstellen, en hoe alles wat goed was zich ten kwade kan keren – want Pierce en zij hadden zich toen van elkaar afgekeerd. En hoe kon het anders, wanneer de vreugdevolste, intiemste band tussen hen een gedwongen karakter had gekregen en een min of meer openlijk gespreksonderwerp met dokters en verpleegkundigen was geworden – eenvoudigweg een kwestie van iets wat wel of niet goed werkte.

Van iets wat niet goed werkte, zo bleek.

En daar was Gus, zo vrolijk, zo vol jongensachtige levenslust, zo vol zekerheid dat alles voor hem altijd goed zou uitpakken, dat het geluk hem overal zou volgen. Peter, een studievriend van hem, werkte ook in Boston en kwam soms in het weekend of in de vakantie met Gus mee. Ze noemden zichzelf de *'fun boys'*, en ze waren inderdaad een genot. Ze hadden plezier in de kleinste dingen. In haar moederlijke betutteling, waaraan Gus ooit een einde had gemaakt door tegen haar het gekakel van een kip na te doen. De reactie van een keurige, voorzichtige vriend toen ze hem belden met het verzoek hen in een bar gezelschap te komen houden: 'Bedoel je... nu meteen?' Als een van hen of zij allebei op bezoek waren ging Leslie laat naar bed, dan speelde ze yahtzee of monopoly, keek naar Johnny Carson, dronk en had plezier.

Nu, terwijl ze in het grauwe, verflauwende licht op bed in de hotelkamer lag, herinnerde ze zich de keer dat ze in een kerstvakantie met Gus rond middernacht een wandeling in een sneeuwstorm had gemaakt. Ze hadden in de woonkamer zitten praten en gezien hoe de sneeuwvlokken in het licht voor de ramen opeens spectaculair veel dikker waren geworden. 'Zullen we,' zei Gus en zonder aarzeling trok ze haar laarzen, haar parka en haar wanten aan en liep met hem naar buiten. Ze voelde het nu weer, ze kon het zich glashelder voor de geest halen, het gevoel van destijds dat ze met haar broer in een eigen wereld zat – de vlokken waren een soort waas van deeltjes, de grond onder hun voeten werd snel wit, de rest van de wereld was verstild en ver weg. *Ik ben zo gelukkig*, had ze gedacht. En dat geluk kwam deels voort uit het feit dat Gus haar dierbaar was, en uit het gevoel hoe lief hij haar was. Toen ze later weer binnen was en naar boven naar haar slaapkamer – de slaapkamer van Pierce en haar – was gegaan, voelde het daar bedompt en opgesloten, en was het geluid van Pierce die traag ademde in zijn slaap benauwend.

Dat alles kwam, besefte ze nu – en had ze zelfs toen al geweten –, voort uit verlies. Het was mogelijk gemaakt doordat haar ouders ieder huns weegs waren gegaan, doordat Pierce zich in die jaren van haar had teruggetrokken, door haar eigen gevoel van mislukking en de daaruit voortvloeiende wens om opnieuw het gevoel te hebben dat er mogelijkheden in het leven waren. Of in elk geval dicht bij dat gevoel te zijn. Dicht bij Gus.

'Mogelijkheden.' Ze sprak het woord op fluistertoon uit in de schemering van de hotelkamer. En ze glimlachte, terwijl ze opkeek naar het beschaduwde plafond, naar het gestage voorbijgaan van koplampen langs dat plafond. 'Mogelijkheden.' Wat een maf, chagrijnig klinkend woord voor iets wat een mens zo nodig had.

Maar was het nodig? Ze draaide zich in bed op haar zij. Had je niet overal mensen die zonder mogelijkheden leefden? Die niets anders voor ogen hielden dan dat wat er was?

Ze dacht van niet. Ze dacht dat iedereen er behoefte aan had: een gevoel dat het spoedig beter zou gaan of zou kunnen gaan. Eventueel voor een dag. Ze dacht aan immigranten, die twee of drie banen hadden om hun kinderen de mogelijkheid op iets anders te bieden. Het leek erop dat mensen altijd wilden dat hun kinderen het beter kregen. Dat was zeker één variant ervan – van mogelijkheden. Misschien wilden mensen het zelf ook beter krijgen. Misschien wilden ze dat zelfs voor hun geloofsrichting: de wereld tot het christendom bekeerd. Het kalifaat in ere hersteld en verbreid. Er wachten honderd maagden op je.

Ze ging rechtop zitten. Ze had een zure, muffe smaak in haar mond. Ze tastte naar de schakelaar van de lamp op het nachtkastje. Toen hij aanknipte, werd het raam zwart, en daar was hij, de luxueus gestoffeerde kamer – de zware, gestreepte gordijnen bij het raam, het degelijke, donkere, dure maar karakterloze meubilair, meubilair zoals geen mens het ooit in een echte woning had.

Ze stond op en ging de grote, gemarmerde badkamer in. Ze poetste haar tanden. Daarna bekeek ze zichzelf lange tijd in de spiegel boven de dubbele wastafel en vervolgens bekeek ze haar beeld zoals het alsmaar kleiner werd weerspiegeld in de manshoge spiegel die in de geopende badkamerdeur achter haar was bevestigd. Ze nam verschillende houdingen aan.

Het beeld waaraan ze gewend was, dat haar boven de wastafel aankeek, zag er in grote lijnen zo uit als het er al jarenlang uitzag. In bepaalde opzichten was het natuurlijk anders geworden – haar haar was nu bijna helemaal wit, en ze was beslist zwaarder geworden –, maar het was toch herkenbaar zij. Maar in de gezichtshoeken die haar niet vertrouwd waren, waarvan ze de omgekeerde versies steeds weer in de deurspiegel weerkaatst kon zien, zag ze wat ze meestal niet onder ogen hoefde te zien: dat ze oud werd. Haar gezicht was strak en verzakt. Het vlees van haar nek en armen oogde vermoeid en leek van crêpepapier. Haar heupen waren vormeloos. Het ergste was dat ze er steeds meer ging uitzien als haar moeder – haar mond was verzuurd in een omgekeerde U omlaaggetrokken, het vel bij haar hals was kwabberig. Dat zat haar het allermeest dwars.

Ze dacht aan haar moeder, hoe ze op haar oude dag voor haar had gezorgd. Als ze haar opzocht, om een eindje met haar te gaan wandelen of rijden of haar mee uit te nemen voor de lunch, kleedde haar moeder zich zorgvuldig. Ze had make-up op en haar ogen waren zwaar en met onvaste hand opgemaakt, zodat ze, dacht Leslie altijd, leek op David Levines cartoon van de bejaarde Colette.

Al die moeite was er duidelijk op gericht er aantrekkelijk uit te zien, en boven alles om er voor Leslie aantrekkelijk uit te zien. Ze wilde haar dochter behagen. Ze beeldde zich in dat ze zich verzoend hadden, ze veronderstelde dat Leslies attente zorg voor haar daar een teken van was.

Ze had het bij het verkeerde eind. Alle kleine aardige dingen die Leslie voor haar moeder deed, gingen gepaard met verwijt. Elke edelmoedige daad was een soort dolkstoot. Een *messteek*, dacht Leslie.

Wat was ze eigenlijk gemeen! Ze had niet de moed om ernaar te handelen, maar ze was het wel. Ze vond het geen prettige trek van zichzelf.

Ze ging nu naar de kast die naast de deur naar het halletje lag en pakte haar jas. Ze moest de kamer afzoeken naar de plastic sleutelkaart. Hij lag op het bureau, onder haar handtasje. Ze ging bloemen kopen. Een groot boeket voor in de kamer, zodat hij meer van hen zou zijn. Pierce zou dat leuk vinden – ze zag zijn verraste gezicht al voor zich, dat verrukt openbloeide. Vervolgens bedacht ze dat ze ook iets kleiners moest aanschaffen, iets wat ze vanavond makkelijk mee kon nemen – misschien rozen in de knop, bedacht ze. Rozen in de knop voor Billy, voor na het stuk.

Ze liep de zwaar gestoffeerde gang in en trok de deur achter zich dicht. Ze begaf zich geruisloos naar de lift, elk geluid werd gedempt. Je kon hier een mens vermoorden zonder dat iemand het zou horen. De gedachte deed haar glimlachen.

Beneden in de lobby was het echter druk, rumoerig en vol leven. Boven de drukte uit ving Leslie het getingel op van de cocktailpiano, dat binnendreef vanuit de zaal waar mensen thee of een borrel zaten te drinken. Iemand speelde 'Mountain Greenery'.

Meteen toen ze naar buiten liep trof het haar hoe koud en vochtig het was. Ze was er dol op: de zwaarte van de lucht in Boston, de geur van de zee. Deze avond hing er een fijne regennevel, die niet zozeer viel als wel in de lucht zweefde. Het was nu helemaal donker, de vroege schemering was door het weer verdiept.

Langzaam liep ze door Newbury Street, die was volgestroomd met mensen die van hun werk kwamen, winkelden of ergens iets gingen drinken. Ze moest zich soms zigzaggend een weg om hen heen banen, om groepjes van drie of vier mensen die naast elkaar liepen. De etalages wierpen hun lonkende licht op de glinsterende bakstenen zijmuren. De bars waren vol, de zachte verlichting was er warm en uitnodigend. Leslie liep er traag langs en probeerde zich voor te stellen hoe het zou zijn om zo te leven. Om, zoals een vrouw die ze nu zag, in een karmozijnrood mantelpakje op een barkruk te zitten, opzij gedraaid, haar lange benen goed zichtbaar, kletsend met de twee mannen die achter haar stonden, allebei in pak met stropdas. Hoe voelde dat? De vrouw gooide haar hoofd achterover en lachte, van puur genot of vanuit de wens om puur genot over te brengen, en de mannen veranderden iets van houding – tenminste, dat dacht Leslie. Ze had een moment de indruk dat ze roofdierachtig oogden. Maar toen was ze het raam alweer voorbij.

De bloemenzaak lag in het volgende blok. Leslie liep vanaf de straat het trapje af en opende de zware glazen deur.

Het was er koel, bijna even koel als buiten, en vervuld van de frisse geur van planten, van bloemen. Er stonden verschillende enorme boeketten op tafels, maar de meeste bloemen waren ingedeeld naar soort in hoge, gegalvaniseerde emmers overal in de zaak neergezet. Er werd geen rekening met het seizoen gehouden – ze zag tulpen, riddersporen, hyacinten en lange, gebogen takken vol seringenbloesems. De twee meisjes die in de winkel werkten hadden het druk. Een van hen was in gesprek met een vrouw en leidde haar van de ene groep bloemen naar de andere, waarbij ze hun namen noemde. Het andere winkelmeisje pakte voor een man een stel franjetulpen met verbluffend lange stelen in.

Op eigen houtje liep ze de zaak door. Lelies, bedacht ze. Ze hadden ze in geel en rood, maar er was ook een emmer met enorme, geurige Casa Blanca-lelies, en dat waren haar lievelingsbloemen. Voor de hotelkamer dus lelies en misschien deze klokvormige bloem op een lange steel – ze dacht dat het misschien een soort campanula was.

En wat dan voor Billy? In de koeling zag ze rozen, zo te

zien lange rozen in alle kleuren behalve blauw en zwart, maar haar blik werd gevangen door de kleinere rozen, corsages van strak samengebonden bloemetjes die net open aan het gaan waren. Verschillende bloemen waren van een zo bleek roze dat ze bijna vleeskleurig waren. Bijna precies wat ze zich van tevoren had voorgesteld.

Toen ze aan de beurt was, liet ze weten wat ze had gekozen. Het meisje, een erg knap meisje in een effen grijs truitje en een zwarte rok, haalde de lelies en de campanula – Pritchard's Variety, zei ze – uit hun emmers en hield ze druipend en losjes geschikt omhoog zodat Leslie ze kon bekijken.

'Ja,' zei Leslie. 'Ze zijn mooi.'

Ze moest wachten terwijl het meisje de bloemen inpakte, de roosjes iets inkortte en elke steel in een eigen plastic waterhoudertje stak. Vervolgens bond ze de stelen met een breed, groen ribzijden lint samen en verpakte ze net als het grotere boeket in doorzichtig, glanzend cellofaan.

Terwijl Leslie terugliep had ze het gevoel vrijgevig en grootmoedig te zijn, wat door de bedwelmende geur die ze bij zich had werd versterkt. Toen ze voorbij de bar kwam waar ze het meisje in het rode pakje had gezien, wierp ze een snelle blik naar binnen. Een van de mannen zat nu naast haar, en al pratend hielden ze hun hoofden dicht bij elkaar. De andere man, degene die in Leslies ogen had verloren, was verdwenen.

In het hotel hield ze stil bij de balie van de conciërge, om te vragen of er een vaas naar de kamer kon worden gebracht, en vervolgens stapte ze in de lift met twee vrouwen die misschien van haar leeftijd waren – ze was er niet meer zo bedreven in dat te schatten. Ze waren duur gekleed en perfect opgemaakt en gekapt. Hun haar was van bijna dezelfde kleur, het asblond dat vrouwen die grijs of wit werden vaak kozen. Met een kreetje prezen ze de schoonheid van de bloemen en ze bogen zich eroverheen om hun geur op te snuiven.

De vrouwen stapten op de derde etage uit en het verdere traject was Leslie alleen. Door de brede, lege gang liep ze naar de kamer toe. Het enige geluid dat ze hoorde was het geritsel van het cellofaan.

Toen ze de deur opende, hoorde ze Pierce douchen. De lucht in de kamer was vochtig. Ze legde de bloemen op het bureau. Ze hing haar jas op en vervolgens de zijne, die hij op het bed had gegooid. Zijn overhemd had hij over de rugleuning van een stoel gehangen. Daarover heen hing zijn broek, keurig opgevouwen. Hij zong onwelluidend in de badkamer, maar ze dacht dat het het lied 'Shipoopi' was. Eerder vandaag had hij dat thuis gefloten. Hij had gezegd dat hij het om de een of andere reden niet uit zijn hoofd kon krijgen, ook al had hij er nooit wat aan gevonden.

Ze ging voor het raam staan. Van hieruit kon ze neerkijken op de mensen die over Boylston Street liepen of in de Public Garden onder de bomen verdwenen. Merendeels kale bomen – de eiken stonden nog vol in blad. De bewegende gedaanten waren anoniem en geslachtsloos. Niet meer dan donkere gestalten, voor Leslie vol mysterie.

Een vrouw van de huishoudelijke dienst stoorde haar in haar dromerige geestestoestand. Bij de deur nam Leslie de vaas van haar aan. In het gootsteentje van de bar vulde ze hem met water en pakte vervolgens het grootste boeket uit. Toen ze de bloemen had geschikt, en ze in een brede boog had uiteengespreid, zette ze de vaas op het bureau. Vervolgens verwijderde ze ook het cellofaan van de ongeopende rozen. Ze had bedacht dat ze ze niet in ingepakte staat naar het toneelstuk kon meenemen – ze zouden te veel lawaai maken.

Pierce verscheen in de witte badjas van het hotel, zijn huid zag een beetje roze van het warme water. Hij bleef bij de geschikte lelies staan. 'Aha,' zei hij. 'Dus daar ben je geweest. Prachtig.' Hij glimlachte haar toe. Vervolgens pakte hij het boeket op. 'En wat is dit?' Hij bewoog het heen en weer. 'Gaat er iemand trouwen?'

Het was waar, dacht ze. Het zag eruit als het soort boeket dat een bruid bij zich had. Had ze aan zoiets gedacht? Ze voelde dat ze bloosde. 'Het is zomaar iets voor Billy, om haar te feliciteren – met het stuk, weet je wel.'

'Dat is meer dan grootmoedig van je.'

'O, ik vind van niet.'

'Dat is het wel. Spreek me niet tegen.' Hij ging de bureau-laden langs en haalde er schoon ondergoed, een schoon over-hemd en donkere sokken uit.

'Ik spreek je wel tegen. Het is gewoon... voorkomend, ei-genlijk. Een première van een nieuw stuk, dat is iets wat je moet vieren. En we zijn oude vriendinnen. We zouden waar-schijnlijk meer moeten doen, als je erover nadenkt.'

'Als jíj erover nadenkt.'

'Ben je het er niet mee eens?'

'Ach, Leslie, ik weet het niet. Het kan me feitelijk niet sche-len. Het is grootmoedig. Zoals jij bent. En in mijn ogen is het nergens voor nodig. Misschien is het tijd dat je... haar loslaat, zogezegd.'

Hij ontvouwde zijn overhemd. De lijnen waar het gevouwen was geweest lagen scherp in de dure stof die hij zo prettig vond aanvoelen. Eigenaardig, wat voor dingen Pierce wel en niet konden schelen.

'Ik klamp me niet aan haar vast.' Haar stem klonk zelfs haar kinderlijk en defensief in de oren.

'Dat heb ik ook niet gezegd.'

'Nou, dat zou toch het tegenovergestelde van "haar losla-ten" zijn, nietwaar?'

Hij keek haar aan, zijn gezicht stond niet onvriendelijk maar afstandelijk. Wat zag hij haar scherp! Wat kende hij haar goed! Soms haatte ze hem.

'Er zijn allerlei mogelijkheden tussen je vastklampen en loslaten,' zei hij.

'O, "mogelijkheden",' zei ze.

Hij keek haar nog eens aan en wendde toen zijn blik af.

Ze keek hoe hij de badjas uittrok en op het bed liet vallen. Hij onthulde zijn lichaam zo achteloos, zo terloops! Maar hij kon zich dat veroorloven. Hij verzorgde zich goed. Hij was lang en forsgebouwd, met een knap, havikachtig gezicht en haar dat amper grijs werd. En hoewel zijn vel net als het hare hier en daar rimpelig en spikkelig was, was hij daaronder nog stevig gespierd. Hij deed een paar keer per week aan fitness.

'Zou je niet zeggen dat Sam meevragen een manier van loslaten is?' vroeg ze.

'Ik dacht dat je zei dat je hem had meegevraagd omdat je hem na al die tijd weer eens wilde zien. Omdat je dacht dat hij van het stuk zou genieten.'

'Nou, en ik dacht ook dat het een soort signaal van mij kon zijn, als Billy dat nodig mocht hebben.'

'Wat bedoel je? Wat voor signaal?'

Ze haalde haar schouders op. 'Gewoon dat het wat mij betreft meer dan in orde is als ze iets met een ander krijgt. Niet dat ik haar aan iemand wil koppelen, gewoon dat ik er begrip voor zou hebben als ze belangstelling voor een ander had. Daar is het misschien tijd voor.'

'Tijd!' snoof hij. 'Ik vermoed dat ze allang iets met een ander heeft, zoals jij het uitdrukt. Met verschillende anderen, als je het mij vraagt.' Hij knoopte zijn overhemd dicht en bekeek zichzelf in de spiegel. 'Ik denk niet dat ze daar jouw toestemming voor nodig heeft.'

'Evengoed heeft ze misschien mijn toestemming nodig om het tegenover mij of in het openbaar te bevestigen. En ik denk dat ik Sam mede daarom heb gevraagd. Ik dacht óók dat hij het stuk leuk zou vinden. En ik wilde hem zelf óók zien.'

'Oké,' zei hij. Hij verdween in de badkamer, maar liet de deur open.

'Hoe was de expositie?' riep ze.

Hij stak zijn hoofd om de deur. Hij grijnsde. 'Heel interessant. Héél interessant.' Hij bewoog zijn wenkbrauwen op en neer. 'Jammer dat jij er niet was. Hoewel ik me eerst een weg moest banen langs meer kimono's dan je ooit bij elkaar hebt gezien.'

Ze glimlachte.

Toen ze zichzelf begon om te kleden, dacht ze aan Billy. Ze was een beetje nerveus om haar te zien. Dat was altijd het geval, om redenen waar ze niet al te diep op in wilde gaan. Maar dit keer was ze ook nerveus om haar stuk te zien. Pierce had er iets over gezegd – dat hij, gezien het onderwerp, verbaasd was dat zij het wilde zien.

O, ze wilde alles van Billy zien, had ze gezegd. En dit was een andere setting, een volkomen ander idee.

Ze had Billy meer dan een jaar geleden voor het laatst gezien, in New York. Een jaar geleden. Het was maar wat je vastklampen noemde. Ze had Pierce daaraan moeten herinneren, hoe lang het al geleden was.

Billy was voor een prijsuitreiking naar de stad gekomen, en Leslie had de trein vanaf White River Junction genomen om de volgende dag met haar te kunnen lunchen en haar te feliciteren. Ze had een prijs gewonnen voor haar werk als toneelschrijfster. Niet voor één bepaald stuk, had ze Leslie tijdens de lunch verteld, maar voor haar oeuvre. Ze had daar een komisch accent op gelegd en naar Leslie geglimlacht.

'Maar wat is daar grappig aan?' had Leslie gevraagd. 'Je hebt een oeuvre.'

'Het zal wel, ja.' Met een gefronste trek leunde ze achterover. 'Maar zo denk ik er helemaal niet over. Voor mij is het altijd gewoon een kwestie van... het volgende stuk, en het daaropvolgende en het daaropvolgende. Elk stuk staat helemaal los van het vorige. Het is raar om ze te zien als onderdeel van een soort geheel.' Ze had opzij gekeken, naar de rustige straat. 'Ik kan het me eigenlijk niet indenken, dat je zo over je eigen werk denkt.' Ze zaten aan een van de drie tafels op het trottoir voor een klein restaurant in de West Village. Ze haalde haar schouders op. 'Maar misschien komt het zo ver als je genoeg hebt gedaan. Je kijkt terug en zegt: "O, dus dáár was ik altijd al op uit."'

'Maar je bent toch nooit op maar één ding uit geweest?'

Billy lachte. Ze had een aardige lach, dat had Leslie altijd gevonden. Ze herinnerde zich de eerste avond dat ze haar had ontmoet, toen Gus haar mee naar Vermont had genomen. Ze zaten in de achtertuin. Pierce had een mop verteld, en vervolgens hadden Gus en Billy allebei diverse moppen verteld. Het was mede zo prettig om ernaar te luisteren omdat na elke mop Billy's verrast klinkende, verrukte lach te horen viel. Die maakte op Leslie een *gulle* indruk. Daardoor vond ze Billy al aardig voordat ze iets over haar wist.

'Nou, ík denk van niet,' zei Billy nu. 'Maar het lijkt erop dat de critici er wel zo over denken. "O, daar vertoont ze dat kunstje weer." Terwijl voor mij elk stuk volkomen anders is.'

'Maar ik denk dat je uiteindelijk je... temperament onthult.'

Leslie was er zelf van geschrokken dat ze dat zei. Ze had niet goed beseft dat ze er zo over dacht. Maar terwijl ze sprak begreep ze het: dat ze als ze de stukken zag iets van Billy herkende, iets wat haar verbaasde. Vóór het stuk dat ze vanavond gingen zien had ze er in feite pas twee gezien, maar die hadden beslist een bepaalde eigenschap gemeen gehad. Stijfkoppigheid, had ze later tegen Pierce gezegd. Verrassend, hadden ze allebei gevonden, aangezien Billy als persoon zo meegaand en gemakkelijk was.

O ja, met Gus erbij ving je er zo nu en dan een glimp van op – een flits van irritatie om iets wat hij had gezegd, of ze hield zich een poosje koel afzijdig nadat hij een mening ten beste had gegeven die zij kennelijk aanvechtbaar had gevonden. En dan was er die keer dat ze het over films hadden die ze onlangs hadden gezien en hij een film beschreef die hij goed had gevonden. Waar waren ze toen geweest? In een of ander restaurant, dacht ze. Waarschijnlijk in Hanover, een van de keren dat Billy en Gus bij hen langs waren gekomen.

Gus' gezicht stond levendig terwijl hij vertelde, maar Leslie merkte op dat Billy niet op hem leek te reageren. Ze maakte zelfs een ongeduldige indruk. Toen hij was uitgesproken zei ze: 'Bij zulke opmerkingen moet je misschien een bronvermelding geven, liefste.'

Gus' gezicht veranderde. Het verstrakte.

Even later vroeg Leslie: 'Bij wat voor opmerkingen, Billy?'

Billy wendde zich vrolijk en zelfs schalks tot haar. 'Voor opmerkingen die in hun geheel of gedeeltelijk uit iemand anders' brein zijn geput,' zei ze.

Na zijn dood was er echter niets van dien aard meer voorgevallen. Ze was overweldigd geweest door haar verdriet, bijna met stomheid geslagen. En het had geleken of er geen einde aan dat verdriet kwam. Zelfs bij de lunch van vorig jaar had ze het erover gehad. Ze waren bijna klaar, het witte papier op de tafel was bespikkeld met rode wijnvlekken en met transparante kringen waar druppels olijfolie waren gemorst. Leslie voelde scherpe kruimels onder haar armen als ze ze op tafel legde.

Ze had haar arm uitgestrekt en Billy's hand licht aangeraakt. 'Hoe gaat het met je?' vroeg ze. Elke keer dat ze elkaar zagen kwamen ze op dit punt.

'O, met mij gaat het prima,' zei Billy met een luchthartigheid die op Leslie een bestudeerde indruk maakte.

'Daar ben ik erg blij om,' had Leslie geantwoord. (Zie je wel, Pierce? Zelfs toen had ze Billy toestemming willen geven. Ga verder met je leven, had ze toch bijna gezegd? Zoiets. *Leef.*)

Toen had Billy gezegd: 'Maar ik kom er nooit meer overheen. Nooit meer.' Haar stem klonk fel. Zelfs boos. Leslie was geschokt. Vervolgens had Billy haar hand opgeheven om af te houden wat ze daarop ten antwoord had kunnen geven.

Natuurlijk zou Leslie er evenmin overheen komen, maar op dit moment kon ze eindelijk aan Gus denken zonder de pijn die ze jarenlang had gevoeld. Ze dacht nu zelfs vaak dat haar herwonnen plezier in het leven hem op de een of andere manier bij haar had teruggebracht. Dit stuk vanavond: ze kon zich voorstellen hoe opgewonden hij zou zijn geweest om erheen te gaan. En zou die gedachte voor haar eens aanleiding tot het bitterste verdriet zijn geweest, nu had ze het gevoel dat hij met haar plezier in de avond verbonden was – ze had het gevoel dat ze voor hém ging, en daarom in zekere zin samen met hem. Met haar collier in haar handen stond ze voor de spiegel zonder haar eigen spiegelbeeld te zien. Ze dacht aan Gus, hoe vitaal, hoe vol leven hij was geweest. Ze had het gevoel dat haar eigen terugkeer naar het leven, naar het in leven zijn, een eerbewijs aan hem was. Van alles wat ze zag en deed maakte hij deel uit.

Pierce begreep dat niet. Hij vond het ziekelijk dat ze het twee, drie jaar na Gus' dood zo vaak over hem bleef hebben. Volgens hem zwelgde ze erin. Ze probeerde niet langer uit te leggen dat het voor haar was veranderd, dat ze er een ander gevoel bij had. Maar intussen sprak ze met Pierce helemaal niet meer over Gus, tenzij hij als eerste de naam ter sprake bracht.

Pierce begon nu weer te zingen en verbrak de betovering. Ze bracht het collier naar haar hals en hield het op zijn plaats. Zou het de aandacht op haar hals vestigen, of die er juist van afwenden? Pierce liep achter haar langs en ze vroeg het aan hem.

Hij wachtte even, bekeek haar kritisch en trok zijn hoofd scheef. 'Omdoen,' zei hij.

Hij omzeilde de vraag volledig. Echt iets voor hem! Ze tastte naar de sluiting, vond die ten slotte en ging vervolgens naar de badkamer om zich op te maken. Terwijl ze met de eyeliner en oogschaduw bezig was, ging de tekst van Pierce' liedje haar door het hoofd. '*Little old Sal was a no gal, as anyone could see. Look at her now, she's a go gal...*'

'Wil je te voet gaan?' vroeg Pierce vanuit de andere kamer.

'Nee. Je hebt hier die trottoirs met klinkers, en ik ben op hakken.'

'Dus?'

'Die komen klem te zitten tussen de klinkers. Je loopt het risico onderuit te gaan. Laten we een taxi nemen.' Ze haalde de lippenstift langs haar mond en depte hem. Zo. Ze was klaar. Ze bekeek zichzelf kritisch. Het hielp, dacht ze. Een beetje.

In de lift vroeg ze hem: 'Verheug je je erop?' Ze keek naar zijn spiegelbeeld in de glanzende koperen deuren.

'Het zal vast goed zijn, maar je weet wat ik van het theater vind.'

Dat wist ze inderdaad. Ze had het dikwijls gehoord. Bijna elke keer dat ze naar een toneelstuk gingen. Ze waren allemaal overdreven, te veel van het goede. In wezen had hij een hekel aan het theater omdat het theatraal was. Hij gaf de voorkeur aan films, aan hun naturalisme, aan het feit dat de mensen er even zacht konden praten als in het echte leven. En er vloog ook geen speeksel in het rond – dat was voor hem erg belangrijk.

'En ik ben natuurlijk blij om Sam weer te zien.' Hij keerde zich naar haar toe en glimlachte. 'En Billy.' De deuren waren opengegaan en ze liepen de lobby weer door.

Buiten gebaarde de portier naar een taxi en Pierce en zij stapten in. Bij de hoek sloegen ze rechtsaf, het theaterdistrict in. Maar dit waren de grote theaters, waar musicals op tournee werden opgevoerd, en *De notenkraker* met Kerstmis. Billy's stuk werd opgevoerd in een nieuw, klein theater in het South End. Van Pierce afgewend keek Leslie uit het raampje. Het was aardig van hem geweest om te zeggen dat hij zich erop verheugde Billy te zien. Ze wist dat hij gemengde gevoelens over haar had, gevoelens waarvoor hij vóór Gus' dood openlijker was uitgekomen. Later had haar onmiskenbare leed hem tot zwijgen gebracht.

De taxichauffeur zei iets wat ze niet verstond. Met gefronste, vragende blik keek ze Pierce aan. Hij gebaarde en schudde zijn hoofd, en zij keek weer naar de chauffeur, net op het moment dat hij weer wat zei. Hij had zo'n oortje in dat bij een telefoon was, zag ze nu.

De taal die hij sprak was voor haar onherkenbaar. Een vreemde taal. Terwijl ze ontspannen achterover ging zitten, bedacht ze hoe klein en provinciaal het wereldje van haar en Pierce was. Een dorp in New England, drie kwartier rijden van een universiteitsstadje in New England. Heel ver verwijderd van deze nieuwe, polyglotte versie van Amerika.

Ze draaiden een donkere, smalle straat in het South End in. Leslie keek omhoog naar de verlichte erkerramen van de oude herenhuizen waar ze langsreden. Billy woonde hier, in deze buurt, in een chic appartement met hoge ramen zoals deze. Een groter verschil met het huis waar ze met Gus had gewoond was haast niet denkbaar. Maar Leslie dacht dat dat waarschijnlijk ook de bedoeling was. Voor een deel, in elk geval.

De taxi reed de stoep voor het restaurant op. Nadat Pierce had afgerekend, stapten ze uit en staken het glimmende klinkerplaatsje naar de ingang over.

Binnen was het licht en warm, een toevluchtsoord op deze donkere, regenachtige avond. De muren waren botergeel, het overal aanwezige houten lijstwerk was donkergroen. Leslie had als ze hier kwamen steeds een vertrouwd en behaaglijk gevoel, en ze gingen hier op hun zeldzame uitstapjes naar Boston altijd dineren. Er waren tientallen nieuwere restaurants waarvan ze gewoontegetrouw de recensies uitknipte. Ze poogde Pierce over te halen om ze te proberen, maar hij stond er altijd op om naar Hammersley's te gaan. In dit geval was het trouwens heel praktisch – het lag maar een paar passen verwijderd van het nieuwe theater waar Billy's stuk werd opgevoerd. En nu ze er waren, was ze zoals gewoonlijk blij dat ze erheen waren gegaan.

Het was vroeg voor het diner, zo vroeg dat de tafels slechts voor ongeveer een derde deel bezet waren. Ze nipten aan hun aperitief: droge vermout met ijs voor Leslie, wodka voor Pierce. Meer dan eens hadden ze schertsend geconstateerd dat ze samen de ingrediënten voor een afschuwelijke martini dronken.

Ze begon aan een poging Pierce uit te leggen hoe ze zich in de taxi had gevoeld toen ze zat te luisteren naar de chauffeur die in zijn mobieltje een taal sprak die ze niet herkende. Ze noemde de vrouwen die in de hal van het hotel in hun iets vertrouwder klinkende, maar toch niet thuis te brengen taal hadden zitten praten.

'En daarmee wil je zeggen?' vroeg hij.

'O, dat weet ik niet. Hoe geïsoleerd ons bestaan is, denk ik.'

'In een bepaald opzicht, neem ik aan.' Er klonk tegenzin in zijn stem door.

'In welk opzicht is het dat níet, Pierce?'

Hij keek naar zijn wodka. Even later zei hij: 'Nou, zijn wij niet héél goed bekend met een soort economische dwarsdoorsnede van de bevolking? Meer dan in een grote stad het geval zou zijn, denk ik. Ik bedoel, juist omdát het een dorp is. Omdat we niet in economisch opzicht naar buurt zijn gerangschikt. En om dezelfde reden kennen we ook veel mensen van alle generaties – de kinderen die je ziet rondlopen, maar ook onze hoogbejaarde buren.' Hij haalde zijn schouders op. 'Het is een soort compromis, denk ik. Ik neem er graag genoegen mee.'

Kwestie afgedaan. Ze voelde irritatie jegens hem opkomen.

Maar alsof hij zich wilde excuseren – of haar misschien wilde attenderen op haar gehechtheid aan de wereld waarin zij leefden – vroeg hij haar nu naar de kerstboekenverkoop die zij in de stadsbibliotheek organiseerde.

Dat was lief van hem, en in reactie daarop maakte ze hem aan het lachen door te beschrijven hoe de oude dames in het comité de gedoneerde boeken waarin ze het meest geïnteresseerd waren, snel hadden weggehaald. Zij had zelf ook een boek weggenomen, bekende ze, en ze was het gaan lezen. Het beviel haar. Een roman over het kantoorbestaan, verbazingwekkend genoeg verteld in de eerste persoon meervoud.

Ze bespraken wat een weinig voor de hand liggend onderwerp voor een roman dat was: het kantoorbestaan. Pierce noemde een boek van Joseph Heller dat hij enkele jaren geleden had bewonderd, ook een kantoorboek. Toen begon hij over het boek dat hij nu las, waarin werd voorspeld dat het land een economische catastrofe boven het hoofd hing.

Al die tijd dacht Leslie met tussenpozen aan de avond die in het verschiet lag. Het stuk natuurlijk, en vervolgens na afloop de borrel met Sam, met Sam en Billy. Billy had gezegd dat ze waarschijnlijk een beetje te laat zou zijn. Het stuk was nog in de try-outfase, en ze had Leslie telefonisch verteld dat als er opmerkingen waren die de regisseur wilde doornemen, zij daarbij wilde zijn. Dus zou ze hoogstwaarschijnlijk als laatste komen. Leslie kon zich dat voorstellen en zag haar weer voor zich aan de andere kant van een zaal: zo klein, zo verloren en verweesd.

'Een weesje met een stalen ruggengraat,' had Gus gezegd. Natuurlijk was dat ook waar. Ze was gedreven, ze was competitief.

Maar bij Gus' herdenkingsdienst had Leslie haar andere kant gezien. Haar blanke huid zag bijna grauw, haar lippen waren stukgebeten, en op een gegeven moment waren ze zelfs gaan bloeden. Leslie had haar een tissue gegeven om het bloed op te deppen. Ze had niet gehuild, Leslie had het in elk geval niet gezien, maar ze was zo stil en ingehouden dat Leslie er bang van was geworden. Ze had haar niet alleen willen laten vertrekken. Ze had haar gevraagd een poosje bij hen te blijven, maar Billy had nee gezegd. Ze zei dat ze in Boston moest blijven om te werken. Ze moest haar nieuwe appartement betrekken. Leslie had het ongeveer een week voor de dienst gezien: het was een grote, lege ruimte. Ze had alleen een bed en een bureau om aan te werken. Ze had niets uit Gus' appartement meegenomen. Ze zei dat ze dat niet kon, dat ze opnieuw wilde beginnen. Leslie had het een vreselijke gedachte gevonden dat ze daar alleen zat, maar Billy was onvermurwbaar. Inderdaad, de stalen ruggengraat.

Pierce sprak opgewekt over een patiënt van hem, een jongen van acht met Ewing-sarcoom die hij had behandeld. Hij was al wekenlang in een goed humeur omdat de toestand van dat kind heel duidelijk was verbeterd. Ze hadden het nu, zoals ze dat soms deden, over de vreemde kalmte en volwassenheid van kinderen met kanker en over de manier waarop zij en hun gezinsleden daardoor veranderden. Over het geschenk dat de ziekte soms leek te zijn – ongewild, uiteraard onwelkom, maar toch reëel en opmerkelijk.

Toen ze Pierce had leren kennen was hij al vergevorderd in zijn opleiding in een specialisme – kinderoncologie – dat ze hem zou hebben geprobeerd te ontraden als ze hem eerder had gekend. In haar ogen was het te verdrietig en te zwaar. En toen ze serieuzer over hem begon na te denken en zich voorstelde dat ze met hem getrouwd was, maakte ze zich zorgen over de invloed die dit werk mettertijd op hem – en dus op haar – zou krijgen. Hoe kon hij het elke dag doen, had ze hem gevraagd? Hoe kon hij het feit accepteren dat zo veel van die prachtige jonge kinderen zouden sterven?

Aanvankelijk had hij haar zijn keuze uitgelegd in bewoordingen die een domweg logische, redelijke indruk maakten. Hij sprak over de kinderen die in leven bleven en de buitengewone voldoening die zij hem schonken. En zelfs bij diegenen die het niet redden, stond daar volgens hem tegenover dat hij de gezinnen nog zo veel mogelijk tijd met hun kinderen gaf.

Pas later, toen hij haar veel beter kende, sprak hij over wat hij als het mooie van de hele ervaring beschouwde. Hij zei het zo: het móóie. Toen hij erover praatte maakte hij een bijna verlegen indruk: die grote, joviale Pierce. Dat ontroerde haar. Hij had het over het gevoel dat hij steeds weer getuige was van een spiritueel trekje in zichzelf, ook als de kinderen overleden. Volgens hem leek het bij alle betrokkenen, zelfs bij de kinderen, al hun moedige en altruïstische eigenschappen naar voren te halen. Hij zei dat hij zich bevoorrecht voelde om daarvan deel uit te maken.

Ze hadden dat gesprek in het vakantiehuis van zijn ouders in Maine. Ze hadden samen korte tijd in het ondraaglijk koude water gezwommen. In hun wetsuits lagen ze op de warme houten planken van de aanlegsteiger. Pierce lag naar haar toegekeerd. Al pratend kneep hij zijn ogen dicht tegen de zon – hij had een gefronste trek terwijl hij naar woorden zocht. Het opgedroogde zoute water had een witte neerslag in de plooien bij zijn ogen achtergelaten. Ze had hem nog nooit zo serieus meegemaakt. Ze had niet geweten dat hij zo kon zijn.

En zelfs nu hoefde ze wanneer Pierce haar weleens met zijn spotzucht irriteerde, met zijn schijnbare onwil om haast wat dan ook serieus te nemen, maar terug te denken aan de manier waarop hij die dag over zijn werk had gesproken en aan hoe hij er toen uit had gezien – of aan de manier waarop hij soms na de dood van een patiëntje dagenlang helemaal leeg en stil was –, om te worden herinnerd aan haar diepste gevoelens voor hem. Ze had hem toen als een wijs en diepzinnig mens gezien. Ze had toen bespeurd dat hij een groter besef van de dood, van de prijs van de liefde, en met name de ouderliefde, had dan zij. En natuurlijk was dat allemaal ook waar.

Maar hij was ook gewoon Pierce. Dat had ze moeten leren. Hij was de persoon die hij leek te zijn – laatdunkend, spottend – en tevens de persoon die begreep hoe pijn je kan veranderen. Het verrassende aan zijn tweezijdige persoonlijkheid was iets wat nog altijd het vermogen had haar te verwonden. Ze veronderstelde dat ze zich ertegen beschermde zoals ze zich beschermde tegen alles wat moeilijk of pijnlijk was: door liefdevol en zorgzaam te zijn.

Maar wat had ze na Gus' dood op hem kunnen rekenen! Omdat hij haar verdriet begreep, het toeliet en het samen met haar op zich in liet werken. Ze had gesteund op zijn medelevende, kalme gevoel van vertrouwdheid bij wat zij doormaakte, ondanks het volstrekt extreme karakter van de omstandigheden. Misschien had ze er zelfs op gerekend dat hij verwachtte dat ze er uiteindelijk weer uit zou komen, net zoals hij elke keer zijn verdriet overwon nadat een van de kinderen van wie hij was gaan houden, was gestorven.

En ze was eruit gekomen. Nietwaar?

Ze zat op een bankje tegen de muur, tegenover Pierce en de zaal achter hem. Terwijl zij zaten te praten had ze gezien hoe de ruimte langzaam gevuld raakte, hoe de goedgeklede paren naar binnen werden geleid, en de gezelschappen zakenlieden die gingen zitten, het menu bekeken en met elkaar kletsten. En al die tijd verzamelde zich aan de grote tafel recht achter Pierce langzaam een groep mensen die elkaar begroetten als ze alleen of met zijn tweeën binnenkwamen, die elkaar omhelsden en nieuwtjes uitwisselden. Toen hun aantal groeide, draaide Pierce zich verschillende keren op zijn stoel om en wierp hun geërgerde blikken toe. Het beviel hem niet: hun rumoer, hun veronachtzaming van de uitwerking die dat op anderen had.

Ook toen Pierce en Leslie bestelden en hun eerste gang werd gebracht, stonden hun buren allemaal nog en liepen ze al pratend om hun tafel heen. Hun stemmen waren hard en opgewekt.

Leslie boog zich naar Pierce toe en zei: 'Het is een familiereünie, denk je niet?'

'Daar zijn we mooi mee!' zei hij. Of ze dacht dat hij dat zei. Het was echt erg rumoerig.

Een poosje probeerden ze niet te praten. Geleidelijk kwam er orde in het gezelschap: ze gingen zitten, werden rustiger en praatten nu in groepjes van twee of drie mensen. Ook Pierce en zij hervatten hun conversatie.

Maar terwijl ze had gadegeslagen hoe de familieleden bijeenkwamen en samen lachten, dacht ze aan Pierce, aan zíjn familie: drie oudere broers en een jongere zus. Zijn ouders leefden ook nog, even absurd luchthartig en moedwillig onnadenkend als altijd, vrolijke stereotypen die zo uit Dickens' sentimentele werk leken te zijn weggelopen. Pierce raakte zo geïrriteerd door de luidruchtigheid van deze familie omdat hij zelf net zo bevoorrecht was, bedacht ze. Omdat hij zo'n familie had: uitnodigend, luidruchtig, traditioneel.

O, er waren wel probleempjes. Zijn op een na oudste broer was vier keer getrouwd geweest, en een van zijn scheidingen had zo'n onaangenaam en langdurig verloop gekend dat hij, tot zijn kinderen volwassen waren, bijna geen enkel contact met hen meer had gehad. Ook wist niemand absoluut zeker wie de vaders van de beide kinderen van zijn zus waren – waarschijnlijk ook zijzelf niet, dacht Pierce.

De gemakkelijke omgang van zijn familieleden en hun warme gevoelens voor elkaar beschouwde hij echter als iets vanzelfsprekends. Een grote familie zoals die hier naast hen – en zoals Leslie die met hem had willen vormen – was voor hem niet zoiets wonderbaarlijks als voor haar. Het leek voor hem geen kostbaar geschenk, en voor een van de andere familieleden evenmin. Net als hij waren ze allemaal nonchalant in hun gulheid en openheid, in zo'n mate dat Leslie bij haar eerste bezoek moeite had gehad Pierce' broers en zus van de vele gasten te onderscheiden. Zelf werd ze even achteloos en warm verwelkomd als die gasten. Even achteloos en warm als Gus uiteindelijk ook was geweest.

Gus. Ze dacht aan hun eigen treurige jeugd; aan de eenzaamheid, in het bijzonder voor hem. De lange, bittere stiltes tussen hun ouders.

Pierce vroeg haar nu wat ze over het stuk had gelezen.

'Nou, ze zeggen dat het niet zo experimenteel is als haar vroegere werk.'

'Ah,' zei hij. 'Goed zo.'

Ze wuifde met haar hand en schoof haar bord een stukje weg. Ze was uitgegeten. Of ze had zoveel op als ze kon. Als ze thuis waren geweest, zou ze om een zak hebben gevraagd. Het maakte niet uit. Pierce dreef daarom de spot met haar, vanwege haar zuinigheid.

'En het gaat over iets terroristisch,' zei hij.

'Klopt. Ik heb geprobeerd er niet te veel over te lezen. Ik vind het wel prettig om niet te weten wat er gaat gebeuren. Wat ik je heb verteld: een vrouw is misschien slachtoffer van een terroristische aanslag, en de familie lost verschillende problemen op, daar komt het denk ik op neer' – ze maakte een grimas – 'wat voor problemen dan ook, terwijl ze op bericht wachten.'

'Maar het gaat niet over elf september.'

Dat was geen vraag. Pierce wist dat al. Hij had dat zorgvuldig uitgezocht toen zij hem had voorgesteld om de voorstelling en Billy te gaan bezoeken. Maar ze zei nee. Nogmaals 'Nee, goddank niet. Zo pijnlijk heeft ze het niet gemaakt.'

Nee. Ze had niet over Gus geschreven.

Toen ze klaar waren en Pierce had afgerekend, haalden ze hun jassen bij het meisje dat over de garderobe ging en liepen naar buiten. Het regende nu en Pierce stak de paraplu op. Ze gaf hem een arm. Als je het restaurant uit kwam, zag je het theater bijna meteen liggen. Het had een zilverkleurige, hypermoderne voorgevel, waaronder een lelijke, donkerblauwe luifel prijkte. Billy's stuk werd in witte letters aangekondigd: LAKE SHORE LIMITED. Langzaam liepen ze er over het brede, met klinkers bestrate trottoir naartoe.

Onder de luifel wemelde het van de mensen. De glazen deuren gingen steeds weer open en dicht terwijl de stellen en groepjes naar binnen gleden. Te midden van al deze bedrijvigheid stond een man zonder regenjas of overjas, een lange man in een grijs pak, met zijn handen in zijn zakken en opgetrokken schouders. Leslie, die Pierce bij de arm hield en behoedzaam liep om niet met haar hakken tussen de klinkers te komen, zag al op een halve straat afstand dat hij het was, dat het Sam was, en ze voelde het schokje van plezier dat ze altijd ervoer als ze hem zag.

Ooit was ze min of meer verliefd op hem geweest. Ze herinnerde zich een middag waarop ze samen een wandeling hadden gemaakt en hij haar had gezoend – ze dacht daar vaak aan terug. Het was de enige keer geweest. Ze hadden bramen geplukt en hij smaakte daarnaar. Toen ze die avond met Pierce aan tafel zat, had hij naar de grote schrammen op haar armen geïnformeerd, schrammen van de braamstruiken. Ze had tegen hem gelogen. Ze zei dat ze de rozen had gesnoeid. Ze wilde niet dat hij van iets ervan op de hoogte was. Het was van haar alleen. Toen de schrammen genazen, werd ze daar bijna treurig van.

Ze had Sam ontmoet toen zijn vrouw Claire en hij acht hectare landbouwgrond in Vermont kochten om daar een huis neer te zetten. Leslie verkocht hun de grond. Ze werkte toen als makelaar, een van de verschillende banen die ze in de loop der jaren had gehad.

Dat patroon was begonnen toen ze halverwege de twintig was, in de eerste jaren van haar huwelijk – vlak nadat ze naar Vermont waren verhuisd. Allereerst had ze de administratie van een kleine, plaatselijke drukkerij verzorgd, maar al vrij snel deed ze ook wat redactiewerk voor het bedrijf. Daarna dreef ze een boekhandel. Een paar jaar lang was ze een soort veredelde secretaresse en boekhoudster voor een plaatselijk operagezelschap geweest, daarna werkte ze in een galerie. Maar in werkelijkheid leefde ze al die tijd in afwachting van het begin van het bestaan dat ze voor zichzelf voor ogen had gehad – een bestaan als moeder van een gezin. Toen ze die hoop opzij had gezet had ze kennelijk de gewoonte aangenomen elke vier of vijf jaar van betrekking te wisselen, en ze had besloten dat dat haar wel beviel. De variatie beviel haar. Ze beschouwde het als een methode om veel over de kleine wereld in haar onmiddellijke omgeving te weten te komen, om mensen in de verschillende uithoeken van dat wereldje te leren kennen.

Begin jaren negentig had ze zich min of meer teruggetrokken in de makelaardij. Een vriendin van haar met een eigen makelaarskantoortje had te weinig personeel en stelde voor dat Leslie haar makelaarsdiploma zou halen en bij haar zou komen werken, en dat had ze gedaan. Zo was het voor Leslie met baantjes en werk gegaan. Ze ontdekte dat ze het heerlijk vond onroerend goed te verkopen. Ze had er plezier in nieuwe mensen te ontmoeten en hen te helpen. Ook ontdekte ze dat ze nieuwsgierig naar huizen was, naar hun bouw en naar de wijze waarop ze gerenoveerd en gedecoreerd waren. Veel van de woningen die ze verkocht waren oud en hadden een interessante geschiedenis en kleurrijke ex-eigenaars. Ze vond het leuk dat soort dingen uit te zoeken, en daardoor werd ze – weinig verbazingwekkend – een goede verkoopster.

Toen Claire belde, informeerde ze bij Leslie naar prijzen en de verschillen tussen de stadjes in het gebied. Haar man en zij waren in grond geïnteresseerd, vertelde ze, een stuk grond van minimaal vier hectare, zodat ze geen rekening met buren hoefden te houden. Sam, haar man, was architect. Hij zou het huis ontwerpen. Het zou een grote, vriendelijke woning worden, waar ze allebei hun bijna volwassen kinderen uit hun vorige huwelijken konden laten logeren.

Ze spraken af elkaar ongeveer een week later te zullen ontmoeten. Dat bood Leslie de gelegenheid om op zoek te gaan naar wat Claire en Sam wilden. Claire kende Woodstock, en dus spraken ze af daar koffie te gaan drinken voordat ze op verkenning zouden gaan.

Leslie zat op een bank voor het restaurant toen ze kwamen aanrijden in een pick-uptruck met een hoge aluminium trap rammelend in de laadbak. Ze stapten allebei meteen uit, met een zwaaiende beweging vanuit de hoge zitplaatsen.

Claire zag er met haar strak in een knot op haar achterhoofd opgestoken witblonde haar zo knap uit dat Leslie Sam aanvankelijk amper opmerkte. Ze keek naar Claires ronde voorhoofd en haar uitgesproken trekken. Haar gezicht was sterk gegroefd, maar dat versterkte het dramatische effect van haar gebeeldhouwde hoofd en haar diepliggende, bijna halfgeloken ogen alleen maar. Ze was fascinérend, zou Leslie hebben gezegd als ze haar aan een ander had moeten beschrijven.

Claire stak haar hand uit, zei haar naam, en Leslie schudde de hand. Het was uiteraard een stevige, koele hand. Ze draaide zich om en stelde Leslie voor aan Sam, die achter haar stond. Toen Leslie hem aankeek, was haar eerste gedachte dat hij een heel stuk jonger dan Claire moest zijn. Hij was lang, een aardig uitziende man met een lange, iets gekromde neus, een smal gezicht en slap bruin haar dat net begon te grijzen. Hij droeg een bril met een dun ijzeren montuur, de bril van een geleerde. Ze had zulke brillen altijd als een vorm van aanstellerij beschouwd. Later zou ze van hem horen dat hij het geringe gewicht ervan prettig vond. Dat de druk die alle andere brillen op zijn neus uitoefenden hem hoofdpijn bezorgde.

Hij had een levendig gezicht. Er ging iets gretigs vanuit, alsof hij graag van het leven wilde genieten en vermaakt wilde worden. Claire en hij waren identiek gekleed, als in uniform – in een kraakheldere spijkerbroek en een licht kaki jack met veel zakken.

Ze dronken hun koffie en Leslie vertelde hun over de huizen die ze zouden gaan bekijken. Twee ervan waren oude boerderijen, waarvan de akkers waren overwoekerd met naaldbomen, jonge esdoorns en dicht struikgewas. Het derde huis lag grotendeels in een bos, dat als het werd gekapt een prachtig uitzicht zou bieden. 'Natuurlijk,' zei ze, 'zijn de bomen hier bijna allemaal pas in tweede instantie geplant, dus zelfs de bossen zijn óóit boerenbedrijven geweest.' Ze besefte dat ze een zekere trots voelde wanneer ze hierover sprak: over haar wereld. 'Midden in wat zomaar een bos lijkt te zijn, staan overal stenen omheiningen. Op een oude akker van iemand, als afscheiding van iemands bezit. Waarvan we volgens sommigen niets meer afweten.'

'Met de illusie iets te bezitten is het dus gedaan,' zei Sam.

Leslie lachte. 'Precies, ja. Maar ik houd me bezig met de verkoop van die illusie.'

Hoewel Sam zijn portefeuille tevoorschijn had gehaald, rekende Leslie af. 'Doe niet zo gek,' zei ze. 'Dit is een deel van mijn werk.'

Claire reed met Leslie mee – ze zei dat de herrie van de trap haar gedurende de hele rit hierheen had gehinderd – en Sam volgde in de truck. Terwijl Leslie reed, praatten ze. Leslie kwam veel over Claire en haar leven te weten. Sam en zij waren twee jaar getrouwd. Claire doceerde aan Harvard een soort combinatie van ethiek en politicologie – het was Leslie niet helemaal duidelijk. Ze sprak over haar kinderen en het wonen in Cambridge. Leslie deed haar eigen leven in weinig woorden af en Claire leek niet geneigd op bijzonderheden aan te dringen. In de achteruitkijkspiegel zag Leslie de groene truck, die soms wat terugviel en dan in bochten en bij stoptekens weer dichterbij kwam. Sams gezicht trok zich terug en kwam vervolgens naderbij, ernstig en neutraal in zijn eenzaamheid.

Bij de eerste boerderij stapten ze allemaal uit en liepen langs de grenzen van het perceel. De bodem was echter drassig – het had die nacht geregend – en Claire had geen laarzen aan. Al na zo'n honderd meter keerde ze om.

Sam en Leslie liepen samen verder. Leslie ging in de beboste gedeelten voorop, wees op de gevallen takken waar ze overheen moesten stappen en hield de lichtere takken tegen, de doornige takken waar ze in verstrikt hadden kunnen raken. Sam stelde vragen, voornamelijk over de grond – over de oude boerderij en de geschiedenis daarvan – maar ook over haar. Leslie merkte dat ze gemakkelijk over haar leven vertelde, over haar 'toevallig gevonden leven', zoals ze het noemde. Toen ze terugkwamen bij de plek waar ze de auto's geparkeerd hadden, in het open veld naast de hoge seringenstruiken die de locatie van het oorspronkelijke huis aangaven, stapte Claire uit Leslies auto, waarin ze had zitten wachten. Sam liep naar de truck en haalde zijn trap tevoorschijn. Hij zei dat hij wel even bezig zou zijn: hij wilde een paar van de mogelijke uitzichten bekijken.

Ze keken toe hoe hij slingerend wegliep, een beetje opzijgebogen doordat hij de trap meedroeg. Claire zei: 'Ach, die Sam. Hier gelooft hij in.'

'Waarin?' vroeg Leslie. Ze keek naar Claire, naar haar strenge, edele profiel. Om haar lippen speelde een glimlachje.

'Hij gelooft dat het werkelijk verschil maakt: waar je naar kijkt, in wat voor ruimte je woont, waar de ramen zitten.' Ze zei dat laatste met veel nadruk, alsof Leslie het vanzelfsprekend met haar eens moest zijn dat het geen enkel verschil maakte waar de ramen zaten.

Dit was raar, dacht Leslie. Het gaf haar een onprettig gevoel.

Nadat ze een paar minuten zo hadden gestaan en met hun handen in hun zakken hun voeten heen en weer hadden geschoven, stelde Leslie voor in de auto te gaan zitten. Zo nu en dan liet ze de motor even lopen om hen te verwarmen. Hun conversatie scheen Leslie opeens onsamenhangend en inhoudsloos toe. Het had haar getroffen dat het zoveel gemakkelijker was geweest om met Sam te praten. Van tijd tot tijd zag ze hem op de overwoekerde akker, als zijn hoofd en bovenlichaam boven de appelbomen, de spichtige esdoorns of de miezerige, korte naaldboompjes opdoken. Hij had kennelijk een kleine camera bij zich – hij bracht in elk geval van tijd tot tijd zijn handen voor zijn gezicht en wrong zich in allerlei bochten, alsof hij de omkadering voor een foto of een uitzicht probeerde te vinden. Soms leek het of hij iets opschreef.

De volgende keer kwam Sam alleen, om de plek die hem het best bevallen was nog eens te bekijken, gevolgd door twee nieuwe percelen die hij naar haar idee moest zien. Toen Claire en hij een bod deden, handelde Leslie dat alleen met hem af. Toen ze over en weer onderhandelden, belde ze hém. Hij kwam de koopakte alleen ondertekenen, met een volmacht om namens Claire te tekenen. Anderhalf jaar lang zag Leslie Claire niet meer, tot het huis bijna klaar was.

Toen de formaliteiten waren afgewikkeld, vroeg Sam haar iets met hem te gaan drinken om de koop te vieren. Ze was gecharmeerd en stemde ermee in, en vervolgens was ze nog gecharmeerder omdat hij het had over een fles champagne die hij in een koelbox in zijn truck had meegenomen. Ze reden naar het perceel, en hij opende de fles en schonk voor hen allebei een glas in – die had hij ook meegebracht: hoge, dure glazen die echt klonken als je ermee proostte. Ze zaten in de truck van de champagne te nippen en spraken vlot en losjes over allerlei zaken, van de namen van bouwbedrijven die Leslie kende en hun sterke en zwakke punten, tot zijn buren aan beide kanten van de onverharde weg, tot zijn kinderen en die van Claire, tot Pierce en zijn werk. Terwijl de lucht het kille paars van een snelle winterschemering aannam, maakten ze de fles soldaat. Terwijl het donker werd, reed hij haar naar huis – zij was te aangeschoten om te willen rijden. Hij bleef bij Pierce en haar eten.

Toen hij daarna kwam om het land af te passen, gesprekken met aannemers te voeren en toezicht op de bouw van het huis te houden, zag Leslie hem voornamelijk alleen – om te lunchen, om koffie te drinken of een wandeling door het huis te maken terwijl het gestalte kreeg. Hij kwam ook verschillende keren naar hun huis om met Pierce en haar iets te drinken of het avondmaal te gebruiken – Pierce was erg op hem gesteld

Pierce was nu bij haar en raakte haar arm aan. Hij overhandigde het glas witte wijn dat hij voor haar had besteld, en zij nipte ervan. De wijn had een scherpe smaak en was koud, niet lekker. Ze hoopte dat hun biertjes beter smaakten.

Sam zei iets over zijn werk tegen Pierce. Door de hypotheekcrisis was het allemaal minder geworden. Twee opdrachten voor huizen voor particulieren waaraan hij was begonnen waren uitgesteld, maar in plaats daarvan had hij een ander, groter project gekregen: een bibliotheek bij een kleine, particuliere universiteit ten noorden van Boston. Hij vertelde hoe hij zich het gebouw voorstelde.

Leslie nam slechts een paar slokjes van haar wijn. De menigte voor de bar was kleiner geworden. De mannen dronken hun glazen leeg en gedrieën kuierden ze naar binnen en vonden hun plaatsen. Leslie ging tussen Sam en Pierce in zitten. Allebei hielpen ze haar om haar jas achter zich over haar stoel te hangen. Alle drie bladerden ze vervolgens hun programma door.

Terwijl Leslie een stuk over de geschiedenis van het theater las, zei Sam: 'Wacht.' Ze keek op en ontmoette zijn blik.

'Is de schrijfster van het stuk niet... was ze niet de geliefde van jouw broer?' Hij had het programma opengeslagen op de pagina met de biografieën van Billy en de regisseur, allebei met theatrale foto's erbij.

Leslie voelde dat ze een kleur kreeg. 'Dat klopt,' zei ze. Ze leunde voorover en bekeek de foto wat beter om zichzelf de tijd te geven haar evenwicht te hervinden. 'Maar ze lijkt niet erg op die foto.'

'Ik dacht me haar naam te herinneren.' Ze voelde zijn blik op zich rusten. 'Ik geloof dat ik haar bij zijn herdenkingsdienst heb ontmoet.'

'Ja, dat klopt.' Ze keek hem aan. 'Dat was ik vergeten. Dat je haar toen misschien had ontmoet.'

Ze richtte zich weer op haar eigen programma en deed alsof ze verder las. Ze dacht aan de dienst, aan Billy op die dag, en toen aan Sam.

Vlak voordat de lichten uitgingen, dacht ze Billy te zien binnenkomen en aan het verste gangpad te zien plaatsnemen, dicht bij het toneel. Maar het werd donker in de zaal, en ze was er niet zeker van. Ze had een ander kapsel genomen, als zij het inderdaad was. Haar haar was kort en zat strak rond haar hoofd gemodelleerd, met een dichte pony. Ze leek daardoor een beetje op Louise Brooks.

Het publiek slaakte een zuchtje toen het doek opging en het toneel werd onthuld. Leslie had dat eerder bij een toneelvoorstelling opgemerkt. Ze zag het als het geluid van de bereidheid om in de illusie te geloven: *Ah! Daar is het, daar zullen we ons een paar uur aan overgeven.*

Het decor stelde een woonkamer voor. De bank was naar het publiek toegekeerd, en de stoelen aan weerskanten van de bank waren ook iets naar voren gedraaid, zoals in de meeste toneelwoonkamers. Alsof wij de haard zijn, dacht Leslie. De haard, die terugkijkt. Uit de overvolle boekenkast kon je opmaken dat het de woonkamer van intellectuelen moest voorstellen. Hier en daar waren er zelfs wat boeken liggend boven de verticale rij ruggen op de plank gepropt. Op verspreid staande tafeltjes lagen stapels boeken.

Achter in het decor bevond zich een groot, hoog raam en links op het toneel lag een galerij boven de woonkamer met tegen de muren nog meer boekenkasten.

Toen bewoog er daarboven iets, en ze concentreerde haar blik erop: op een man die aan een bureau op de galerij zat. Hij zat enigszins voorovergebogen te lezen of te werken aan iets wat voor hem lag. Hij dronk koffie en zette de kop op het schoteltje, waarbij de tik van porselein op porselein luid in het stille theater weerklonk. Naar Leslies idee duurden ze iets te lang, deze momenten waarop er niets gebeurde, maar toen ging de telefoon en schrikte ze op, zodat ze aannam dat het had gewerkt, als het zo was bedoeld.

De man keek op, zette zijn bril af en wreef in zijn ogen. Hij liet de telefoon drie keer overgaan. Er weerklonk een beleefde, vriendelijke vrouwenstem, die zei: 'U bent verbonden met Elizabeth en Gabriel. Spreek een boodschap in voor een van ons of ons allebei.' Geen flauwekul over de piep, dacht Leslie. Ze moest dat thuis ook zo doen.

Nu begon er een andere vrouwenstem te spreken, die harder was dan de stem die ze zojuist hadden gehoord en minder aristocratisch, jonger ook misschien. 'Gabriel, ik ben het. Gabriel. Neem op. We moeten praten. Het is belangrijk.'

Een pauze. De man – hij moest Gabriel zijn – leunde schuin achterover in zijn stoel en keek naar het plafond.

'Gabriel? Neem op. Alsjeblieft. Neem alsjeblieft op.'

Gabriel stond op en liep de wenteltrap af die van de galerij naar de woonkamer ging. Hij hield zich daarbij aan de leuning vast. Eén ogenblik bleef hij roerloos aan de achterkant van het toneel staan.

'Gabriel?' zei de vrouw. Er weerklonk een luide zucht en ze hing op.

Hij liep naar voren, naar het bijzettafeltje waarop de telefoon stond. Hij drukte een knop op het toestel in en de boodschap weerklonk opnieuw. Hij stond ernaar te luisteren, terwijl hij over het onzichtbare publiek heen tuurde. Peinzend fronste hij zijn voorhoofd. Het was een slanke man van een jaar of vijftig. Hij was gekleed zoals de eigenaar van al die boeken gekleed zou gaan – in een wijde ribfluwelen broek en hoge canvas schoenen. Een wetenschapper, veronderstelde Leslie, maar zonder het vereiste tweed jasje. Verder zag hij er net zo uit als de hoogleraren aan Dartmouth die door de straten van Hanover rondbanjerden.

Hij drukte nog een knop op het toestel in en wiste de woorden van de vrouw uit. Zoals je dat in deze nieuwe wereld kunt doen, dacht Leslie. Wie was het geweest? Een minnares? Een minnares met wie hij het had uitgemaakt, misschien.

Terwijl hij daar wellicht stond te overwegen om terug te bellen, werd er aangeklopt. 'Pap!' riep iemand, de stem drong aan, het was een mannenstem. 'Pap, ben je daar?'

Gabriel was als verstijfd. Hij was duidelijk verscheurd. Hij begon het toneel over te lopen, maar bleef staan. Toen verscheen er echter een onzekere of nieuwsgierige trek op zijn gezicht en liep hij naar de rechter achterzijde van het toneel, die vanaf Leslies plaats niet goed zichtbaar was. Blijkbaar opende hij daar een deur, want opeens kwam een jongeman de kamer binnen vallen, een paar tellen later gevolgd door een vrouw. Op luide toon sprekend liep hij naar de voorzijde van het toneel. Vandaar wendde hij zich tot zijn vader, tot Gabriel. Hij was nog altijd aan het woord en stelde de ene vraag na de andere. Waarom had Gabriel de telefoon niet opgenomen? Hij had wel vijf keer gebeld. Waar was hij in godsnaam mee bezig? Had hij enig benul van wat zich in de echte wereld afspeelde?

De vrouw die bij hem was, was knap op een bleke, wat verlopen manier: ze was nauwelijks geschminkt en had lang, steil blond haar. Het was het soort rol dat Sandy Dennis in Leslies jonge jaren zou hebben gespeeld. Ze stond nu naast de jongen voor de bank en probeerde hem tot stilte te manen en te kalmeren.

Maar hij liet zich niet het zwijgen opleggen. Hij keerde zich naar haar toe en schreeuwde ook tegen haar. Ze deinsde terug, alsof ze een klap had gekregen. Gabriel en zij keken elkaar even aan. Het bracht haar in verlegenheid, doordat ze voor de ogen van anderen zo werd behandeld. Leslie had een korte herinneringsflits van haar ouders, van haar vader die schreeuwde en haar moeder die beschaamd zweeg.

Gabriel was intussen praktisch naar het middelpunt van het toneel gelopen en ging naast de bank staan. Onbewogen en afwachtend liet hij de tirade van zijn zoon over zich heen komen, alsof hij dit gedrag wel kende en het misschien vervelend vond. Leslie was geneigd hem niet aardig te vinden, hij was zo laatdunkend. Maar de zoon was zelf aanmatigend, dus mogelijk was dit een natuurlijke reactie. Of een klein ritueel dat ze samen opvoerden.

'Heb je het nieuws gehoord?' vroeg de zoon. 'Of heb je hier de hele ochtend afgeschermd van de wereld gezeten? Wéét je wel wat er aan de hand is?'

De vrouw – de vrouw van de zoon, veronderstelde Leslie – was op de dikke, beklede armleuning van de stoel aan de linkerkant van het toneel gaan zitten.

Rustig antwoordde Gabriel: 'Dat weet ik niet. Maar jij zult het me ongetwijfeld gaan vertellen.'

De jongeman schudde vol wrevel zijn hoofd. Hij kende deze neerbuigende kalmte maar al te goed. Hij had een hoofd vol krullen, die met zijn snelle bewegingen mee heen en weer bewogen. Hij was donkerder dan zijn vader, korter en meer gedrongen. In dat opzicht had de rolverdeling beter gekund, dacht Leslie. Hij wendde zich tot de vrouw. 'Hij verandert toch nooit. Waarom laat ik me door jou overhalen dat het nog zin heeft het met hem te proberen?'

Het paar wisselde op gedempte toon een geladen woordenwisseling, terwijl de vader naar een rij flessen en glazen liep die op een plank tussen de boeken stonden, en zichzelf een borrel inschonk. Leslie vond dit volkomen ongeloofwaardig: ze kende niemand die flessen en glazen in de woonkamer had staan. De scène had zich in de keuken moeten afspelen, dacht ze. Al zou dat hebben betekend dat andere zaken anders hadden gemoeten.

'Zeg het hem maar,' zei de vrouw.

De jongeman wendde zich tot zijn vader. Hij schraapte zijn keel. 'Als ik je in je privacy mag storen,' zei hij, met een wrede, onprettige lach op zijn gezicht.

Gabriel was met zijn borrel weer naar voren gelopen. 'Graag,' zei hij. 'Ga je gang.'

En toen kwam het relaas eruit. De bijzonderheden over een bomaanslag op een trein, de Lake Shore Limited, op het moment dat die Union Station was binnengereden. Er kwamen vragen en verbeteringen. De jonge vrouw was duidelijker dan haar vriend. Of haar man? De vader liep verder naar voren, ging op de bank zitten en zette zijn glas op de salontafel. Terwijl hij vragen stelde en luisterde was zijn gezicht ondoorgrondelijk. Langzaam werd duidelijk dat zijn vrouw, die terugkwam van een uitstapje, vermoedelijk in de trein had gezeten. Nee, hij had niets van haar gehoord. Hij zag er angstig uit. Maar hij had de telefoon niet opgenomen, en er was een paar keer opgehangen.

Zijn er overlevenden? wilde hij weten.

Ja, zei de zoon. Een paar rijtuigen waren volledig geëxplodeerd en bijna de hele trein was van de rails gelopen, maar er waren mensen uit het wrak geklommen, sommige ongedeerd. Volgens de berichten waren er veel gewonden, van wie sommigen ernstig. En uiteraard waren er veel dodelijke slachtoffers.

Gus, dacht Leslie. Het ging wél over Gus. Zijn gezicht kwam haar voor ogen, het gezicht uit de droom van die middag. Ze ging nu kaarsrecht zitten. Pierce' hand was naar haar toe gekomen en rustte op de hare.

Opeens zei de jongeman: 'Ik vind het ongelofelijk dat je niet naar het station bent gegaan.'

Gabriel wuifde afwijzend met zijn hand: dit was niet belangrijk. 'We hadden afgesproken dat ik niet zou komen.'

'Dat geloof ik niet.'

Gabriel probeerde hem ervan te overtuigen dat dit niet relevant was. Dat hun zorg nu naar Elizabeth moest uitgaan. Hij bleef vragen stellen. Hoe laat was het gebeurd? Hoe lang had het geduurd? Konden ze iemand bellen?

De zoon legde alles nog eens uit. Hij zei dat hij had gebeld. Leslie voelde een beklemming op haar borst.

Gabriel stond op en liep naar de achterkant van het toneel. Met zijn rug naar het publiek toegekeerd schonk hij zich nog een borrel in. Hij vroeg of de beide anderen ook iets wilden drinken. De vrouw reageerde bevestigend. Hij schonk nog een glas in en bracht het naar de voorkant van het toneel, naar haar.

De jongeman, Alex, stond hierbij zwijgend en ongelovig toe te kijken. Toen zijn vader weer ging zitten, stak hij van wal. Hij wilde dit *feestje* niet verstoren – zijn stem droop van sarcasme – maar ze moesten bedenken wat ze gingen doen.

Gabriel, de vader, keek hem lange tijd aan.

Uitdagend beantwoordde de zoon zijn blik. 'Het is niet te geloven hoe jij bent,' zei hij opnieuw.

'In welk opzicht?'

'In alle opzichten! Ik vind het ongelofelijk dat je haar niet bent gaan afhalen.'

Gabriel zette zijn glas neer. Hij sprak geduldig, alsof hij het tegen een kind had. 'Je moeder en ik hadden afgesproken dat ze op eigen gelegenheid hierheen zou komen. Zo doen we het altijd. Waarom moeten haar reizen, of anders de mijne, als ik wegga, ons allebei hinder bezorgen?'

'"Hinder bezorgen"?' De jongeman schreeuwde bijna. De vrouw stond op en ging naar hem toe. In het publiek lachten een paar mensen. '"Hinder bezorgen"?'

'Alex...' zei de vrouw. Ze wilde een hand op zijn arm leggen.

'Nee!' Met een ruk trok hij zijn arm weg. 'Arrogante lul,'

zei hij tegen zijn vader. Hij richtte zich tot zijn vrouw. 'Hij is zo'n lul. Zo'n hufter.'

'Alex,' zei ze smekend. 'Dit helpt niet, hier schieten we niets mee op.'

'Goed dan,' zei hij wat rustiger. 'Goed, ik vraag het gewoon. Waarom nam je de telefoon niet op? Nou?'

'Ik zat te werken,' zei Gabriel. 'Als ik werk, neem ik niet op.'

'O ja. Werken. Wat jij doet in plaats van te leven.'

'Dat ís leven.'

'Voor jou wel, ja. Alleen voor jou.'

De zoon begon heen en weer te lopen en voer tegen zijn vader uit: hoe afwezig hij in zijn jeugd was geweest, ofschoon hij meestal thuis was. Wat hij allemaal had gemist: opvoeringen, uitvoeringen, sportevenementen. De grote Pooh-Bah, had hij zijn vader genoemd. De tovenaar van Oz. Achter de bank bleef hij staan, en terwijl hij zijn handen op de rugleuning liet rusten boog hij zich licht voorover. 'Het *niets* achter het scherm,' zei hij bitter.

Toen hield hij op. Hij leek zich te vermannen. Na enige tijd liep hij naar voren en ging aan de andere kant van de bank zitten. Hij begon een verhaal te vertellen over hoe heerlijk hij het als jongen had gevonden wanneer hij een splinter in een hand of voet kreeg. Want dan mocht hij zijn vader achter zijn bureau storen, en zijn vader haalde dan zijn pincet en zijn naald tevoorschijn, hield Alex' hand of voet vast en sprak hem, terwijl hij de splinter verwijderde, op tedere toon toe. Alex zei dat hij zo'n splinter er eerst soms nog dieper in duwde, zodat het moeilijker werd om hem eruit te halen, het langer duurde en hij langer kon geloven dat zijn vader echt om hem gaf en van hem hield.

Leslie herinnerde zich dit verhaal. Het was Billy's verhaal over haar eigen vader, de geleerde, de grote man. Ze had hem ooit net zo genoemd: de grote Pooh-Bah.

Op het toneel zweeg iedereen een poosje. Toen zei Gabriel: 'Welnu, ik hield inderdaad van je.' Zijn toon was verdrietig, alsof hij treurde om iets dierbaars dat lang geleden teloor was gegaan.

'Flauwekul, pap. Ik heb je vandaag gebeld en je hebt je voor mijn telefoontjes afgeschermd.' De zoon lachte. 'Zie dat als een metafoor. Zie dat als een metafoor voor hoe het tussen jou en ik is.'

'Mij,' zei Gabriel verstrooid, bijna op fluistertoon.

'Wat?'

'"Tussen jou en mij." Dan is het juist.'

De jongeman lachte nogmaals, bitter. 'Jezus,' zei hij. Hij stond op en haalde zijn mobieltje uit zijn zak. 'Weet je wat? Ik ga nog wat telefoontjes plegen om te zien wat ik kan achterhalen. Ik ga wel naar de slaapkamer, dan val ik jou niet lastig.' Hij ging af door de deur aan de linkerkant van het toneel, de deur die Leslie kon zien.

Gabriel en de vrouw bleven geruime tijd zitten. Ten slotte vroeg hij: 'Nog eentje?' Hij hief zijn glas op.

'Nee,' zei ze.

'Nee, ik ook niet,' zei hij.

'Waarom doe jij het niet? Waarom bel jij niet?' vroeg ze even later. Ze had een heel zwakke stem. Erg licht en enigszins nasaal.

Hij haalde zijn schouders op. 'Alex komt overal wel achter. Hij is daar in elk geval beter in dan ik.'

'Maar je bent zo... afstandelijk.'

'Nee, dat ben ik niet,' zei hij.

'Maar zo lijkt het wel. Je lijkt zo...' Ze fronste haar voorhoofd. Ze hief haar handen een stukje op en liet ze weer zakken. 'Weet je, ik heb je tegenover Alex altijd verdedigd. Want ik had het idee dat ik het begreep. Ik had de indruk dat jij en ik een beetje op elkaar leken. Rustig.' Ze glimlachte, een weemoedig Sandy Dennis-lachje. 'Rustiger dan Alex en Elizabeth, in elk geval. Al is dat niet zo moeilijk, denk ik.' Ze liet een kort lachje horen. 'Niet zo... openlijk emotioneel.' Ze zweeg even en vervolgde: 'Ik weet nog dat we op een keer met zijn allen in Massachusetts waren en dat zij een van hun lange, grote intellectuele twistgesprekken hadden over...' Ze wuifde met haar hand. 'Ergens over. Nergens over.' Ze maakte een grimas. 'Sekse-identiteit. Of de oorlog in Irak.' Ze schudde haar hoofd. 'Een onderwerp waarover je allebei de standpunten al zo vaak hebt gehoord dat je er nijdig van wordt. En natuurlijk was Alex aan het provoceren, en was Elizabeth geamuseerd en stond ze daarboven, en genoten ze er allebei haast van... om elkaar op te jutten. En ik werd er gewoon doodmoe van. Van hoe ze erin opgingen. Het was eigenlijk zo stom. En ik weet nog dat ik naar de veranda ging, en dat jij daar zat, en een poosje zaten we alleen maar naar het water te kijken terwijl zij nu eens harder en dan weer zachter te horen waren, en toen zei jij alleen maar tegen me: "Meer van hetzelfde." Weet je dat nog? "Meer van hetzelfde." En we moesten allebei lachen. Het leek zelfs onnodig om te praten.'

Het was een aanbod, zag Leslie in. Een aanbod van liefde aan hem. De jonge vrouw wilde hem als vader. Misschien ook, zonder het te beseffen – dat moest wel het geval zijn –, als een soort minnaar.

'Maar nu vraag ik me af... geef je niet om haar?' Ze boog zich naar hem toe. Haar gezicht had een ernstige en open uitdrukking. 'Om... niemand?'

'Nee, dat is het niet,' zei Gabriel zacht.

'Wat niet?'

'Het is niet de reden dat ik zo... rustig ben, zo je wilt.'

Hij stond nu op, ging naar de achterkant van het toneel en zette zijn glas neer. Hij draaide zich om, keek naar voren en begon te vertellen. Hij zei dat Elizabeth helemaal niet wist of ze zijn vrouw wilde blijven. Evenmin wist hij, 'in alle openhartigheid', of hij haar man wilde blijven. Al pratend liep hij langzaam naar voren en bleef achter de bank staan. Hij richtte zich tot de jonge vrouw, maar keek over haar heen, recht naar het publiek. Hij vertelde hoe ze de afgelopen jaren langzaam van elkaar vervreemd waren geraakt en beschreef hoe ze er niet voor elkaar waren geweest en hoe leeg hun verhouding was geworden. Hij herinnerde aan de tijd dat ze in het huis in Massachusetts gasten hadden ontvangen en zij allebei, Elizabeth vooral, levendig, innemend en spraakzaam waren. En vanaf het moment dat de auto van de gasten uit het zicht was verdwenen, keerden ze zich zwijgend van elkaar af. Hij glimlachte gespannen. 'Terug naar onze eigen hoekjes. "De voorstelling is voorbij, mensen."'

Hij zei dat ze nu in haar eentje naar het zomerhuis was gegaan om daarover na te denken. 'En ik had ook de opdracht om erover na te denken. En dat heb ik gedaan.'

'En?'

'Wat en?'

'En wat heb je besloten?'

'Wat ik heb besloten... dat doet er nu niet zoveel meer toe, hè?'

'Maar je moet het gevoel hebben gehad dat je het één of het ander wilde.'

Hij glimlachte. En lachte. Het klonk Leslie geforceerd in de oren. 'Zoals je zei, ben ik geen besluitvaardig mens.'

'Maar dit is... jouw leven. Je moet weten wat je wilt.'

'Dat vind jij. Dat is jouw variant. In mijn variant kan ik twee kanten uit. Ik kan bij Elizabeth blijven, als zij dat wil, of ik kan opstappen.'

'Als zij dat wil.'

'Ja.'

'Maar wat wil jíj?' Ze hief haar armen een stukje op. Ze was teleurgesteld. In zijn kilte was hij ergerlijk. Leslie kon hem ook niet volgen.

'Volgens mij doet dat er nu niet toe.'

'God!' Ze draaide zich van hem af. 'Ik snap waarom Alex zo razend wordt.' Ze pakte haar glas en nam een haastige slok.

'Goed.'

'Goed! Waarom?'

'Omdat Alex het nodig heeft dat jij dat snapt. Hij heeft het nodig dat jij aan zijn kant staat. En ik niet, lieveling.'

Ze werd opeens kwaad. 'Nee, jij hoeft niemand aan je kant te hebben.'

'Dat klopt.'

'Zelfs Elizabeth niet.'

'Als ik Elizabeth aan mijn kant moest hebben, zou ik in de nesten zitten. Ze staat niet aan mijn kant. Al een hele tijd niet.'

'Dus het maakt je niet uit of Elizabeth dood is, dat maakt je niet uit.'

Leslie zag dat Alex in de deuropening naar de woonkamer was verschenen. Hij bleef daar staan. De twee anderen hadden hem geen van beiden opgemerkt.

'Het zou me geweldig veel uitmaken. Geweldig veel. Maar het zou mijn leven waarschijnlijk niet veranderen – wat er van mijn leven zou zijn geworden.' Hij zweeg even en zei toen: 'Laten we zeggen dat het mijn leven in theorie waarschijnlijk niet zou veranderen.'

Alex stapte naar voren. 'Dat is het enige leven dat jij hebt, pap: een leven in theorie.'

Gabriel schrok en keerde zich naar hem toe. Hij glimlachte, verdrietig dit keer. 'Dat gezichtspunt zou je moeder ook innemen.'

De jongeman snoof en stak weer van wal, maar de vrouw

onderbrak hem en wilde weten wat hij had opgestoken.

Hij richtte zich tot haar. Hij zei dat men was begonnen met de berging van de doden en het afvoeren van de zwaargewonden, dat er meer mensen in de ziekenhuizen waren aangekomen, per ambulance en op eigen gelegenheid, dat er geen namen werden vrijgegeven. Voor de familieleden was een informatiecentrum ingesteld.

Iedereen zweeg even. Vervolgens ging Gabriel naar de achterkant van het toneel, waar een klein tv-toestel tussen de boeken gepropt stond. Er was een man aan het woord, die iemand interviewde die buiten beeld was. De stemmen bespraken wie dit kon hebben gedaan. Het jonge stel liep naar achteren en bleef ook staan kijken. Ze hoorden de speculaties enkele ogenblikken aan. De verantwoordelijkheid was al vanuit verschillende hoeken opgeëist.

'Moet je je voorstellen dat je daar de eer voor opeist,' zei de jonge vrouw. Ze schudde haar hoofd. 'Wat een wereld.'

Alex begon over hun bedoeling, hun beweegredenen. Treinen, het Midden-Westen: nieuw gebied, nieuwe methoden. 'Teringlijers,' zei hij.

'Maar misschien is dit waar het heen gaat,' zei Gabriel. Hij zette de tv uit. 'Het zal van tijd tot tijd gewoon gebéuren.' Hij noemde John Kerry en zei dat die tijdens zijn mislukte campagne misschien gelijk had gehad met zijn uitspraak dat terrorisme vergelijkbaar was met criminaliteit, dat het onuitroeibaar was en niet kon worden uitgebannen, maar moest worden gereguleerd. Hij vertelde dat hij het najaar na de bomaanslagen in de metro met Elizabeth in Parijs was geweest. 'We gingen samen overal naartoe met de ondergrondse – met de metro.' Hij zweeg even, en Leslie dacht dat hij zich Elizabeth moest hebben herinnerd zoals ze toen was – misschien zelfs met tederheid, leek het heel even. Maar toen schraapte hij zijn keel en vervolgde dat 11 september eigenlijk niet anders was geweest, afgezien van de omvang. Alex en hij begonnen er in abstracte termen over te spreken. Ze bouwden theorieën op over hoe waarschijnlijk het was dat deze terroristen eigenlijk ook het station hadden willen opblazen, over de mogelijkheid dat ze net als de plegers van de aanslagen in Madrid uit Marokko afkomstig waren en waarom dat zo kon zijn. Of het waren misschien Pakistanen? Of zat AlQaida erachter? De vlotte manier waarop de mannen aan het theoretiseren sloegen had iets komisch over zich, en het publiek zag dat kennelijk in – hier en daar werd zachtjes gelachen.

Terwijl ze zo stonden te praten, liep de vrouw langzaam over het toneel op en neer. Haar reacties op de beide mannen waren van haar gezicht af te lezen, er sprak nu eens een wrang plezier uit, en dan weer afschuw. Soms probeerde ze met een of twee zinnetjes tussenbeide te komen, maar ze schonken niet echt aandacht aan haar. Ze waren al pratend naar de voorkant van het toneel gekomen en stonden meestal tegenover elkaar. Terwijl de vrouw hen gadesloeg, eiste ze de achterkant van het toneel voor zichzelf op. Ten slotte kwam ze precies in het midden tot stilstand, voor het grote raam in het decor. 'In godsnaam!' krijste ze, met haar handen op haar heupen. De mannen vielen allebei stil en keerden zich naar haar toe. 'We hebben het wel over Elizabeth!' Haar stem trilde. Ze liet haar armen zakken.

Allemaal waren zé even stil. Toen zei de vrouw op zachte, smekende toon tegen Alex: 'Over je moeder.'

Hij wendde zich een beetje van haar af, deinsde bijna terug.

Ze keek Gabriel aan en zei: 'Over je vrouw.'

Zo stonden ze enkele ogenblikken doodstil. Toen werd er aangebeld. Als één man keerden ze zich naar de voordeur toe en keken elkaar vervolgens weer aan, met een trek van wilde, angstige verwachting op hun gezicht. Het werd donker op het toneel. Het doek viel.

Er klonk applaus in de zaal, dat snel verstomde toen de zaallichten aangingen.

Leslie bukte zich om haar tasje te pakken. In het plotselinge gedruis van pratende en overeind komende mensen hoorde ze hoe Sam over haar heen tegen Pierce zei: 'Nou, dat was me het slot wel – voor het eerste bedrijf, tenminste.'

'Ja,' antwoordde Pierce. Ze stonden nu alle drie rechtop. Te midden van de anderen die naar de lobby schuifelden, liepen ze naar het gangpad. Pierce hield zijn hand op haar elleboog – ze voelde het als een soort medelevende verbondenheid. Ze was hem dankbaar, maar ze was ver weg. Ze voelde zich verward. Om zich heen hoorde ze anderen praten, speculeren en de acteurs en de dialogen becommentariëren.

Sommigen deden dat niet. Zij hadden het stuk snel van zich af gezet en waren weer met hun eigen leven bezig. Ze hoorde een stem die zei: 'Ik wou dat ik had geweten dat het vandaag ging regenen. Ik ben zonder paraplu naar mijn werk gegaan.'

In de lobby ging Pierce dit keer de drankjes halen, alleen voor Sam en zichzelf. Leslie wilde niets. Sam en zij stonden bij elkaar.

'Is het moeilijk om hiernaar te kijken?' vroeg hij. Zijn gezicht stond vriendelijk en bezorgd.

Ze bewoog haar hoofd heen en weer ten teken van haar ambiguïteit. 'Ja. Ja en nee.'

'Het ja begrijp ik. Het nee is...?'

Ze haalde haar schouders op. 'Het heeft zijn eigen complexiteit. Het leidt zijn eigen leven, denk ik.' Ze zweeg even. 'Maar natuurlijk moet ik aan Gus denken. Vooral aan toen we nog niet zeker wisten of hij in het vliegtuig zat. Toen we nog hoop hadden, ook al wisten we het eigenlijk wel.'

'Maar dan nog is de dubbelheid van de man – de vader – totaal anders dan alles wat jij moet hebben gevoeld.'

'Ja, uiteraard.'

'Of wat de schrijfster moet hebben gevoeld. Billy, toch?'

'Ja. Billy. Nee, zij zal zulke gevoelens ook niet hebben gehad.' Maar waar kwam het dan vandaan? Dat begreep Leslie niet. Net als in de andere stukken die ze had gezien, was veel in dit stuk afkomstig van dingen die ze over Billy en haar leven wist. Waarom zou ze zoiets hebben verzonnen? Het maakte zo'n nare, zo'n afschuwelijke indruk.

'Maar goed gedaan is het wel,' zei Sam. En even gingen ze daarop in, op de acteurs, op bepaalde wendingen die ze goed hadden gevonden en op andere die in hun ogen minder geloofwaardig waren geweest. Leslie noemde de drank en de glazen, en Sam was het met haar eens. Pierce kwam met de drankjes, en Sam informeerde naar Pierce' werk en vervolgens naar het hare.

Ze probeerde het met een grapje af te doen: het feit dat ze geen werk had. De waarheid was dat ze niet meer wilde werken. Sinds de dood van Gus had ze dat niet meer gewild. Ruim een jaar had ze het niet meer gekúnd. Ze kon alleen maar thuiszitten en treuren. En toen het verdriet een beetje was afgezwakt, wilde ze alleen nog leven bij de dag – vrienden en vriendinnen bezoeken, aanrommelen in de tuin en lezen. Ze wilde een besloten, beschut leven voor Pierce en zichzelf opbouwen.

O, ze werkte wel min of meer, een klein beetje. Van tijd tot tijd viel ze in op het makelaarskantoor als ze het daar druk hadden, dan liet ze een huis zien of begeleidde de formaliteiten rond de ondertekening van een koopakte. Ook was ze weer de andere dingen gaan doen die ze altijd had gedaan, ze deed vrijwilligerswerk op de openbare school, zat in de raad die over de bestemmingsplannen in hun stadje ging en ging bijna elke dag zwemmen in het zwembad in Dartmouth. Dat was kennelijk haar leven. Zo was het haar vergaan, zo was het haar ten deel gevallen. Ze had ervoor gekozen vanwege wat er was gebeurd. Of het had haar gekozen.

Pierce en zij hadden het er bij gelegenheid over gehad, of dit wel goed was, of ze niet meer moest doen. Terwijl de mannen kletsten, dacht ze daaraan terug. Of ze niet moest proberen een baan te krijgen, of ze niet te jong was voor dit soort bestaan. 'Misschien moeten we een oud hotelletje kopen en een bed and breakfast beginnen,' had ze op een keer voorgesteld, slechts half in scherts. Hij had gedaan alsof hij moest kokhalzen. Pas toen besefte ze dat ze hem had gevraagd of hij met haar wilde beginnen aan wat zij als een nieuw leven beschouwde – en dat hij daarop nee zei. Nee. Hij moest werk hebben waar hij om gaf, hij moest in de wereld staan en het gevoel hebben dat zijn leven er in die zin toe deed.

De lichten dimden één keer, en Pierce en Sam gooiden hun plastic bierglazen weg. Ze liepen terug naar het theater. Sam vertelde hun over een stuk dat hij hier eerder in het najaar had gezien, een onemanshow. 'Waaraan ik meestal een hekel heb. Het gaat er eigenlijk om dat zoiets überhaupt gedaan wordt. Er wordt van je verlangd dat je het fantastisch vindt, weet je wel. Maar dit was anders.'

Pierce vroeg in welk opzicht, en Sam praatte verder, maar Leslie, die voor de beide mannen uitliep, kon hem niet verstaan. Ze namen plaats. Ze sloeg haar programma open en was halverwege de bio van de acteur die de rol van Gabriel had, een zekere Rafe Donovan, toen de lichten dimden.

Toen het doek opging was de situatie op het toneel nog precies zoals aan het einde van het eerste bedrijf. De drie acteurs stonden elkaar roerloos aan te kijken. Toen rende Gabriel weg om open te doen, en gingen de beide anderen dichter bij elkaar staan alsof ze wie het ook mocht wezen als man en vrouw tegemoet wilden treden. Als stel, in elk geval.

Het was een vrouw. Ze kwam net zo binnenvallen als Alex, vol verwijt omdat Gabriel de telefoon niet had opgenomen, en bleef vervolgens stokstijf staan toen ze de beide anderen zag. Leslie herkende haar stem, het was de vrouw die eerder had gebeld en een boodschap had ingesproken. Ze was op zijn minst een flink aantal jaren jonger dan Gabriel en zag er aantrekkelijk uit, zo niet ronduit knap. Met haar lange, volle haar en donkere gelaatskleur oogde ze spectaculair.

Gabriel stelde haar voor als Anita, een vriendin van hem. Er volgde een ongemakkelijke situatie die steeds pijnlijker werd, waarin tot Alex en zijn vrouw het besef doordrong dat Gabriel iets met deze vrouw had. Ook dit had weer iets vermakelijks, en hier en daar weerklonk gelach in de zaal.

Toen Gabriel ten slotte erkende dat er een relatie was, glimlachte Alex verbitterd en zei: 'Dus dit deel van je leven is niet van theoretische aard, nietwaar pap?'

Vervolgens wendde hij zich tot de andere vrouw, tot Anita. Hij zei: 'Goed dan... Anita, toch?'

Ze knikte.

'Waarom ben je langsgekomen? Juist op dit moment? Juist vandaag? Ben je soms hier om het met hem te vieren als hij het nieuws krijgt: hij is vrij! Of om medeleven te betuigen. "Klote! Ze leeft nog."'

Verward keek Anita van de een naar de ander. Gabriel haalde zijn schouders op. Hij kon haar niet helpen.

Ze richtte zich tot Alex. 'Om bij hem te zijn,' zei ze. 'Om bij hem te zijn, wat voor nieuws er ook binnenkomt.'

Haar toon was zo rauw en oprecht dat Alex een ogenblik tot zwijgen werd gebracht. Maar toen kwam hij met een schok in beweging, pakte zijn jas, liep om de bank heen en nam de jonge vrouw bij de elleboog. Intussen zweeg hij geen moment en zei: 'Prima, prima, wees jij maar bij hem, er moet iemand bij hem zijn, dan ben jij dat maar. Ik niet, in jezusnaam, ik niet meer. Wat er ook gebeurt, ik niet, nooit meer.' Ze stonden aan de achterkant van het toneel, bij de deur. Hij draaide zich kort om en keek zonder een woord te zeggen zijn vader aan. Toen waren ze vertrokken en de deur sloeg met een klap achter hen dicht.

Gabriel en Anita stonden elkaar een beetje beschaamd aan te kijken. Toen liep hij om de bank heen en ging erop zitten.

'Het... het spijt me,' zei Anita. 'Ik had niet moeten komen.'

'Nee, dat had je niet moeten doen,' zei hij.

Ze ademde heftig in. Ze was gekwetst.

'Als Elizabeth nu eens hier was geweest?' vroeg hij vriendelijk.

'Ik heb al gezegd dat het me spijt,' zei ze.

Een ogenblik later zei hij: 'En wat vond je van mijn jongen, van Alex?'

Er kwam een begin van een glimlachje op haar gezicht. 'Iemand had hem betere manieren moeten leren.'

'Op zijn allerminst,' zei hij.

Ze ging naast hem op de bank zitten. Hij keerde zich naar haar toe, op zo'n manier dat er enige afstand tussen hen ontstond.

Hij keek haar aan. 'Ik denk dat je moet gaan,' zei hij.

'Ik wil bij jou zijn.'

Hij schudde zijn hoofd, zijn gezicht was verhard. 'Ik kan je hier niet bij me hebben. Dit moet ik alleen doen.'

'Dat... hoef je niet.' Dat was een smeekbede, dacht Leslie. Gezanik. Ze mocht die vrouw niet.

'Ik wíl dit alleen doen.'

'Ik geloof je niet.'

'Dat zul je wel moeten.'

Ze zuchtte. Ze wendde haar blik af. Vervolgens keek ze hem weer aan. Ze zei: 'Beantwoord één vraag voor me.'

Ongeduldig ging hij verzitten, zonder haar aan te kijken.

'Gabriel? Eén vraagje maar.'

'Goed dan,' zei hij.

'Zeg me eens eerlijk. Had je, toen je het hoorde, niet ook een gevoel van...' Ze zweeg. Een ogenblik later schudde ze haar hoofd. 'Laat maar.'

'Van vreugde? Van nieuwe mogelijkheden? Ja, dat had ik. Een gevoel van verlossing. Vraag je me dat?'

Ze knikte.

'Natuurlijk. Natuurlijk had ik dat. Meteen. "Het is voorbij. Ze is niet meer."'

Hij stond op en liep naar de achterkant van het toneel. 'Ik ben eraan ontkomen. Ik ben eraan ontkomen zonder haar te kwetsen. Ik kan diepbedroefd zijn: *O, het is zo vreselijk wat Gabriel is overkomen. Heb je het gehoord? O, die arme Gabriel. Die arme man.* Al dat gezeur.' Hij maakte een vuist en sloeg tegen het raamkozijn. Anita schrok. Even zag ze er angstig uit.

'Toen mijn zoon hier was en me vertelde wat een afschuwelijk, gevoelloos iemand ik ben, was ik dat ook. Zo gevoelloos. Nee, erger nog dan gevoelloos: zo'n berékenend iemand. En daarmee zal ik moeten leven. Dat ik dat ben, dat ik zo ben. Dat ik, voor de duur van minstens één ogenblik, blij was dat Elizabeth, iemand van wie ik meer heb gehouden dan van mezelf – iemand om wie ik nog altijd geef en die ik respecteer –, er niet meer zou zijn.' Hij lachte een gruwelijke lach. 'De eerste fase van de rouw: *"Ach, moedertje."*'

'Gabriel. Dat is maar al te menselijk. Om te verlangen...'

'Alsjeblieft niet, Anita. Excuseer... me niet. Vergeef me niet. Jij hebt het nodig, je wilt doorgaan. Maar daar ben ik niet mee geholpen, snap je dat niet? Eerlijk gezegd maakt het voor mij niet uit. Of je me vergeeft. Het is van dezelfde aard als mijn eigen begeerte naar... vrijheid. Naar een nieuw leven.'

'Wat ik voel is geen begeerte.'

'Begeerte voelen we allemaal. We verlangen. Vervolgens verlangen we meer. Zo zit de mens in elkaar. En als we niet meer verlangen, voelen we ons dood en verlangen we ernaar weer te verlangen.'

'Maar je zei dat je je bij Elizabeth zo voelde. Dood.'

'Ja.'

'En bij mij voelde je je weer leven. Dat heb je gezegd.'

'Ja. Maar het was verlangen. Ik verlangde naar wat ik niet had.'

'Mij!' riep ze.

Zonder naar haar te kijken liep hij weer naar voren. Ze zat te wachten. Ten slotte keerde hij zich naar haar toe. Zijn gezicht stond verdrietig, mild. 'Ach ja,' zei hij.

'Mij!' zei ze, dit keer op boze toon.

'In elk geval de voorstelling van jou, Anita.' Vervolgens zei hij, medelevend: 'Anita.'

'Spreek mijn naam niet uit! Spreek mijn naam niet zo uit.'

'Ik kan er niets aan doen. Zo ervaar ik je naam nu.'

Geruime tijd bleef ze doodstil zitten. Toen zei ze met zachte stem: 'Je laat me los, hè?'

'Hoe kan ik met je doorgaan?' Zijn toon was gespannen, maar welwillend.

'Waarom kun je niet met me doorgaan?'

'Omdat ik Elizabeth wil. Ik wil dat Elizabeth in leven is.'

'Het is geen handeltje. Geen ruil. Het hoeft geen kwestie van de een of de ander te zijn.' Hij antwoordde niet. 'Jij zei dat je ermee op wilde houden. Jij wilde vrij zijn.'

'Ik kan alleen vrij zijn als zij me vrijlaat.'

'Maar als ze dood is...'

Hij kreunde luid en keerde zich naar haar toe. 'Als ze dood is, dan ben ik Gabriel, de weduwnaar. Dat ben ik dan. Dat zal ik blijven. Dat moet ik... spelen, voor haar. Ik moet haar eer bewijzen. Ik kan niet vrij zijn. Ik kan niet blij zijn. Ze was mijn vrouw. Ze is mijn vrouw.'

'En als ze nog in leven is?'

'Als ze nog in leven is, ben ik blij dat ze nog leeft. Ik moet blij zijn dat ze nog leeft. Ik moet iemand zijn die blij is... dat zij nog leeft. Ik zal blij zijn dat zij nog leeft.' Hij ging weer zitten, maar dit keer op een van de stoelen. Niet dicht bij haar. 'Ik kan... die ander niet zijn. Degene voor wie Alex me houdt.'

'Dit is lachwekkend,' zei Anita opeens op boze toon. 'Dit lijkt verdomme Henry James wel.'

Er trok een verdrietig lachje over zijn gezicht. 'Ik denk niet dat dat voor jou zou zijn weggelegd.' Er lachten een paar mensen.

'Het is niet grappig, Gabriel.'

Hij zag er plotseling uitgeput uit. 'Nee, dat is het niet. Echt niet.'

Ze sloeg hem gade. Toen zei ze: 'En hoe zit het met mij?'

Hij schudde zijn hoofd. 'Het spijt me.'

'Maar je hebt gezegd dat je van me hield.'

'Het spijt me, Anita. Het spijt me. Maar de voorwaarden zijn veranderd. Dat snap je toch wel? Alles is veranderd. Mijn leven. Het leven zelf.'

'Maar je hebt gezegd dat je mij wilde.'

'Vroeger.'

'Ja. Dat is verleden tijd.'

Ze stond op en liep heen en weer. Ze zag eruit alsof ze moest huilen, alsof ze op het punt stond iets te gaan zeggen. Vervolgens kwam ze abrupt in beweging. Ze pakte haar tas. Snel liep ze naar het achtertoneel. Ze bleef staan. Langzaam zei ze: 'Je bent een stomme, vervloekte rotzak.'

Hij knikte, steeds opnieuw.

Ze vertrok en sloeg de deur nog harder achter zich dicht dan Alex.

Gabriel bleef geruime tijd roerloos zitten. Hij zat met zijn gezicht naar het publiek toegekeerd. Hij glimlachte flauwtjes; verdrietig, naar het Leslie toescheen. Maar waarom? Ze begreep hem niet, ze begreep niet wat hij voelde. Hij stond op en liep langzaam de kamer door. Hij legde op de tafels boeken recht en pakte een glas op, met nog altijd dat vreemde flauwe glimlachje op zijn gezicht. Hij bracht het glas terug naar de plank met de flessen drank en zette het neer. Geruime tijd bleef hij daar roerloos staan en keek naar zijn handen. Hij draaide zich om en liep terug naar het raam. Met zijn rug naar het publiek stond hij naar buiten te kijken.

Toen verscheen aan de achterkant van het toneel, waar zich de deur bevond die Leslie niet goed kon zien, een vrouw met grijs haar ten tonele, een vrouw van Gabriels leeftijd. Ze had flinke bloeduitstortingen op haar gezicht. Ze droeg een jas over haar schouders, die ze op de dichtstbijzijnde stoel van zich af schudde. Nu was te zien dat haar arm in het gips zat.

Ze zag Gabriel en bleef staan. Zachtjes zei ze zijn naam, op vragende toon. 'Gabriel?'

Snel draaide hij zich om, geschrokken. Zijn mond viel een stukje open. Zo stonden ze geruime tijd bewegingloos tegenover elkaar. Toen wierp hij zijn hoofd achterover, bracht zijn handen omhoog en sloeg ze voor zijn gezicht. Je kon horen hoe hij met een schor geluid ademhaalde. En nog eens. Ten slotte liet hij zijn handen zakken – ze hingen naast zijn heupen. Zijn gezicht was vertrokken. In zijn ogen en op zijn wangen schitterden tranen. 'Elizabeth,' fluisterde hij met verstikte stem. Zo bleven ze staan, tegenover elkaar. Net toen hij op haar af liep en zijn handen ophief, viel het doek.

Nadat het even stil was geweest, zette het applaus in.

Ik zou ook moeten klappen, dacht Leslie.

Het doek ging weer op. Daar stonden de acteurs in een rij op het toneel. Ze hielden elkaar bij de hand en kwamen naar voren. Afgezien van de man die Gabriel had gespeeld, glimlachten ze. Het applaus hield aan, en ook Leslie klapte nu mee, al wist ze niet goed wat ze vond. De acteurs deden een stap terug en lieten elkaar los. Leslie zag dat Gabriel dit moment benutte om zijn ogen droog te wrijven. Vervolgens kwamen de beide mannen, Gabriel en Alex, naar voren en maakten een buiging, eerst voor het publiek en toen voor elkaar. Ze gebaarden naar de drie vrouwen, die ook weer naar voren kwamen en samen met hen een buiging maakten.

Ze hielden elkaar allemaal weer bij de hand, maakten in een rij nogmaals een buiging en liepen samen naar achteren toen het doek viel. Vlak voordat het de grond raakte zag je hoe hun rij werd verbroken, je zag hun benen en voeten zich van elkaar verwijderen. Het applaus ging nog een paar seconden door, en toen het doek niet meer opging verstomde het.

Ze zwegen even. Pierce boog zich naar haar toe. 'Alles goed met je?'

'Natuurlijk,' zei ze. 'Ja hoor.' Maar ze voelde dat haar hart hevig bonsde. Iets aan het slot, aan de behouden terugkeer van Elizabeth of de manier waarop Gabriel haar naam had uitgesproken, had haar ontroerd, zonder dat ze begreep waarom.

Maar over het geheel genomen had het stuk haar van streek gemaakt – door de verwikkelingen en de akelige aspecten ervan. Ze begreep niet wat Billy ermee wilde zeggen, wat haar bedoeling was. Tot het allerlaatst had ze gedacht dat ze na afloop tegen Pierce en Sam zou zeggen: *Er was niet één personage op het toneel dat je aardig kon vinden.* Toen was ze sympathie – was het sympathie? – voor Gabriel gaan voelen. Of eerder al, dacht ze nu, toen hij zijn gevoelens tegenover die vrouw probeerde te verklaren. Tegenover Anita. Even sloot ze haar ogen. Pierce hield haar jas voor haar omhoog, en ze draaide zich van hem af om haar armen in de mouwen te steken. Ze stond naar Sam toegekeerd. Hij keek haar aan, bezorgd en welwillend. Hij vroeg: 'En, wat vind je van het slot?'

Ze schudde haar hoofd. Ze wist het niet. Ze was er nog niet aan toe om erover te praten.

'Hij blijft bij haar,' zei Pierce met zijn krachtige, zelfverze-kerde stem. 'Dat is duidelijk. Hij heeft gekozen.'

'Waarom huilde hij dan?' vroeg Sam aan Pierce.

Ze keek achterom naar Pierce. Hij haalde zijn schouders op. 'Dat weet ik niet.'

'Misschien weet hij het ook niet,' zei Sam.

'Van opluchting, misschien,' zei Pierce. 'Omdat ze nog in leven is.'

Achter elkaar aan liepen ze naar buiten, Leslie voorop. Ze hoorde dat de mannen met elkaar praatten, nog altijd over het stuk, dacht ze. Maar ze hield haar hoofd gebogen en keek hoe haar voeten langs de hellende vloer naar boven gingen.

Terwijl Sam zich over haar heen boog om de glazen bui-tendeur open te houden, voelde ze de koele vochtige lucht om zich heen. Het regende nog steeds. Ze haalde diep adem.

'Waar moeten we naartoe?' vroeg Pierce. 'Voor die zaak waar we met Billy hebben afgesproken?'

Ze wees op een restaurantje op een hoek, ongeveer een hal-ve straat verderop. Pierce stak de paraplu op en ze gingen de kant van het zaakje uit.

Een minuut later zei Sam: 'Hij zag er niet blij uit. Hij oog-de... gepijnigd.'

Terug naar het slot.

Pierce keek Leslie bezorgd aan, en dus glimlachte ze naar hem. Ze wist dat ze dit van zich af moest schudden, ze moest praten.

'Het zit zó,' zei Sam. Hij zweeg even en zei vervolgens: '"Verklaarde hij op bescheiden toon."'

'Tegen ons kun je alles op onbescheiden toon verklaren,' zei Pierce. 'Het zal je alleen maar goeds opleveren.'

'Het zit zó: hij weet niet wat hij wil.'

'Waarom huilt hij dan?' vroeg Leslie. Waarom deed hij dat? Ze moesten nu evenwel achter elkaar aan lopen om een man die drie honden uitliet uit de weg te gaan, en toen ze weer naast elkaar liepen, gingen de mannen geen van beiden op haar vraag in. Hij leek te zijn vervluchtigd. Misschien hadden ze haar niet gehoord. Ze wist niet zeker of ze hun gedachten over het stuk nog langer wilde aanhoren. Ze moest er zelf over doordenken.

Ze staken de straat over naar het restaurant. Pierce hield de deur open voor Leslie en ze stapte naar binnen, een andere wereld in: achtergrondmuziek, harde stemmen. Ze maakte zich meteen zorgen over Pierce, hoe hij zou reageren. Was het te luidruchtig? Zou hij geïrriteerd zijn? Ze moesten blijven. Billy had deze zaak voorgesteld.

Er verscheen een lange, blonde serveerster, die, afgezien van een lange witte schort van haar middel tot haar enkels, helemaal in het zwart was gekleed. Ze ging hun voor naar een hoge tafel aan het raam, met uitzicht op de donkere straat en de regen. Pierce en Sam gingen aan de korte kanten van de tafel zitten, en Leslie ging aan de lange kant zitten, met uitzicht op waar ze vandaan waren gekomen, op het theater. De voor Billy bestemde stoel stond leeg naast haar. Ze zag dat er nog steeds wat mensen onder de luifel stonden, misschien in afwachting van een taxi, of misschien gewoon met elkaar in gesprek.

Het restaurant was klein, met donkere muren: een warme grot op deze regenachtige avond. Om hen heen weerklonk het gedruis van gesprekken, van tikkend tafelzilver, en daaronder zong een treurige stem onder begeleiding van een regelmatig, bluesy ritme.

Een andere serveerster kwam de bestelling voor hun drankjes opnemen – tot ergernis van Pierce schonken ze alleen wijn. Ze liet menu's voor hen achter. Pierce begon Sam over de erotische Japanse prenten te vertellen. Geestig beschreef hij de dinsdagmiddagse kunstliefhebbers, voornamelijk vrouwen die uiterst beschaafd rondparadeerden, en die met eenzelfde ijver en met onbewogen gelaat zowel de prenten bestudeerden van vrouwen die zich in complexe gewaden door ceremoniële, gestileerde tuinen en theaters voortbewogen, als de prenten waarop mensen op vindingrijke en niet voor de hand liggende manieren aan het neuken waren. 'Er waren er niet veel,' zei hij. 'Niet meer dan een stuk of zes. Maar allemaal heel... overtúigend, zou ik zeggen. Heel grondig uitgewerkt.' Ten behoeve van Sam trok hij zijn wenkbrauwen op. 'En precies daar waar alles om zo te zeggen samenkwam, waren altijd uiterst subtiel en érg zorgvuldig een à twee druppeltjes van een heldere, glanzende substantie geschilderd.' Hij grijnsde breed. 'Heel smakelijk!'

Sam lachte hoofdschuddend naar Pierce, naar Leslie veronderstelde vanwege alles wat voorspelbaar was aan zijn energie en enthousiasme.

Ze begonnen een gesprek over het verschil tussen erotische kunst en pornografie, waar de grens lag. De wijn kwam en ze klonken, 'op de vriendschap', en dronken. Ze spraken over hun eerste ervaringen met porno, op welke leeftijd ze die hadden gehad en wat voor invloed die op hen had gehad. Leslie probeerde aan de conversatie deel te nemen en was geamuseerd door de mannen en in hen geïnteresseerd, maar ze had nog steeds het gevoel ver weg te zijn. Ze was zich ook bewust van het feit dat ze op Billy zaten te wachten, van de gebruikelijke spanning die dat met zich meebracht en die was vermengd met iets ondefinieerbaars dat van het stuk was blijven hangen. Iets ongemakkelijks, veronderstelde ze. Dat was het waarschijnlijk. Wat je niet begreep maakte je nerveus. Dat was alles.

Ze spraken over eigentijdse films, hoe dicht sommige bij porno stonden. En toch was het uiteindelijk zo, zei Sam, dat hoe dichter ze daarbij kwamen zonder de grens te overschrijden, des te onoprechter ze leken te zijn. Ze sloeg hem gade, zijn gezicht, de licht loensende blik in zijn ogen achter de bril terwijl hij overdacht wat hij precies wilde zeggen. Ze voelde tederheid voor hem.

En toen zag ze Billy buiten staan, een kleine gestalte in het zwart, haar gezicht een witte cirkel onder haar paraplu. Ze stond op de hoek aan de overkant te wachten om over te steken. Ze droeg een enorme tas over haar schouder, groot genoeg om er haar levenswerk in mee te dragen, zo reusachtig was hij. Ze hád haar haar laten afknippen. Haar gezicht straalde onder de rechte, dichte pony. Er reed een auto voorbij, en nog een auto, en toen stak ze de straat over.

'Daar komt Billy,' zei Leslie en ze gebaarde naar het raam. De mannen draaiden zich om, en precies op dat moment schoot het haar te binnen: de bloemen! Ze had ze bij hun vertrek op de hotelkamer laten liggen, haar cadeau voor Billy; voor haar geestesoog zag ze het strakke, volmaakte, frisse boeket op het bureau liggen.

Maar toen ging de deur open, en toen ze van haar stoel kwam om ernaartoe te lopen zag Billy haar, en veranderde haar ernstige gezicht opeens volkomen door haar open, verrassend lieve lach.

Rafe

Het komische was dat ze een engel hadden gevonden om een andere engel te spelen, hoewel hij hun had verteld dat hij gewoon Rafe heette, geen Rafaël.

'En die jongens zijn trouwens allebei aartsengelen,' zei Edmund, de regisseur. 'Gabriël, Rafaël. Het zijn allebei aartsengelen.' Ze zaten op het toneel, de meesten aan een grote tafel, sommigen in stoelen die verspreid langs de rand van het toneel stonden.

'Sorry voor mijn woordkeus, maar wat zijn aartsengelen in jezusnaam?' Dat kwam van iemand van wie hij niet precies wist wat zijn taak was. Misschien was hij een geluidsman. Of een elektricien.

'De grote bazen in de hemel, denk ik,' zei Edmund.

'Eén gewone oude engel is voor mij al wel goed genoeg, zeg.' Dat was Ellie, de manager. Ze had haar computer op de tafel opgesteld en zelfs onder het praten tikte ze erop – aantekeningen over wat er gedaan moest worden.

Edmund had gelachen. 'Een engel. Eentje zou voldoende zijn. Zeker weten. Maar waar o waar zit hij?'

Rafe zat naar het gedol te luisteren en voelde zich voornamelijk opgelucht. Hij had de rol gekregen. Hij had de rol nodig. Hij moest bezig blijven, van huis zijn. Hij moest in dit wereldje zijn, waar al het andere wegviel. Waar alleen dit echt was, wat er op het toneel gebeurde en hoe je dat liet gebeuren, en de realiteit er niet toe deed.

Edmund had hem gevraagd aan een leessessie van het stuk mee te doen. Ze hadden jaren eerder samengewerkt, maar Edmund had hem onlangs in *Oom Wanja* gezien en de treurigheid die van hem uitging was hem bevallen. Dat had hij over de telefoon gezegd.

'Ja, ik ben de man die je voor treurigheid moet hebben,' had Rafe gezegd.

Edmund was klein, dik, kaal en ogenschijnlijk zachtaardig. Iedereen wist wel beter. Hij had het altijd voor het zeggen. Hij kneedde alles door het stellen van zijn vriendelijke, aanhoudende vragen. Hij had een volle baard, en de bijna gestage aandacht die zijn handen aan die baard besteedden was onderdeel van zijn manier van praten. Hij streek erlangs, trok eraan en draaide de uiteinden van de haren rond zijn vingers. Terwijl Rafe las had hij het allemaal gedaan, en Rafe had het moeilijk gevonden dat te negeren.

Te midden van de andere lui ogende mensen die tijdens Rafes voorlezing op het toneel zaten en naar binnen en naar buiten glipten – mensen van de kostuums en het geluid, decorontwerpers en -bouwers, hulpkrachten in allerlei soorten en maten – was iemand die zo klein was dat hij haar aanvankelijk voor een kind aanzag, en daarover had hij bijna een opmerking gemaakt. Het zou een van zijn gebruikelijke, zinloze sarcastische uitspraken zijn geweest: 'Is hier iemand aan het babysitten?'

Maar om onverklaarbare redenen liet hij dat achterwege. Gelukkig, veronderstelde hij, want zij was uiteraard de schrijfster van het stuk, al kwam hij daar pas ongeveer een week later achter.

Treurig dus. De passage die hij had gelezen kwam uit het eerste bedrijf, en daarin legde Gabriel, zijn personage, met een borrelglas in zijn hand aan zijn schoondochter Emily uit hoe het met zijn huwelijk was gesteld en om welke complexe redenen hij rustig was na het verschrikkelijke nieuws dat zijn zoon hem zojuist had gebracht. Of beter, het mogelijk verschrikkelijke nieuws.

Gabriel vertelde dat zijn vrouw en hij zich in de loop der jaren van elkaar hadden teruggetrokken. Hij vertelde dat ze geen van beiden nog voor de ander volledig leefden en bestonden. 'Misschien weet je hoe het is om moe te zijn en geen zin in seks te hebben,' vertelde hij aan Emily. 'Weet je, je kleedt je voorzichtig uit, je onthult steeds maar een klein beetje vel, zodat je nooit helemaal naakt bent en god verhoede, nooit een soort uitnodiging van je lichaam laat uitgaan. Misschien' – en daar had Rafe geglimlacht – 'weet je niet hoe dat is. Dan bof je. Maar zelfs in dat geval, kun je je hier misschien iets bij voorstellen: dat er nog een later stadium is waarin je je zelfs om die formaliteit niet meer bekommert, omdat het niet mogelijk is dat een van de twee zich ooit door de naaktheid van de ander aangetrokken kan voelen.' Hij had even gezwegen. 'Welnu, parallel daaraan gebeurt er emotioneel ook iets nadat je te lang en te voorzichtig langs elkaar heen hebt gleefd en altijd een deel van jezelf hebt verborgen. Je geeft niet meer om elkaar.' Daar was zijn glimlach verdwenen en zijn hele gezicht betrokken. 'Net zoals je lichamelijk dood voor elkaar bent, geldt dat ook voor al het andere. Je kunt niets zeggen waarmee je de ander kunt bekoren en net zo min iets waarmee je de ander kunt krenken, want niets wat je zegt is nog van belang. Je gesprekken blijven altijd beleefd, volledig gekleed, om zo te zeggen. En uiteindelijk gingen ze bij ons helemaal nergens meer over, zodat we letterlijk ophielden met elkaar te praten.'

Hij had zijn schouders opgehaald. 'Ik weet nog dat er in het zomerhuis in Massachusetts vrienden bij ons langskwamen. Ik weet nog dat we tot het moment van hun vertrek zaten te praten en te lachen. Elizabeth had een verhaal verteld over een studente van haar die naar haar spreekuur kwam en begon te huilen op het moment dat ze over de drempel van haar kamer kwam. Ze zei dat het een overwinning zou zijn als het meisje halverwege het semester pas halverwege een zitting bezoek van de waterlanders zou krijgen.

Ik weet nog dat ik haar daarover zag vertellen en bedacht hoe vol leven ze was, hoe aantrekkelijk. Ze heeft een bepaalde manier om een verhaal te vertellen – je kent dat wel –, een bepaalde manier van praten: "Ta-tam, ta-tam, ta-tam,' zo zegt zíj, 'ta-tam, ta-tam, ta-tam,' zo zeg ík." Door die leuke herhaling is het net of je naar een oud, vertrouwd verhaal zit te luisteren. Naar een bakerrijmpje. Of zelfs een liedje. Ik weet nog dat ik dacht... ik geloof dat ik gewoon aan haar naam dacht: Elizabeth. Opgeschrikt door haar, weet je, alsof ze net van een lange reis was teruggekeerd. Of misschien alsof ik van een lange reis was teruggekeerd.

Hoe het ook zij, we namen bij de auto afscheid en vervolgens stonden we op de oprijlaan te zwaaien.' Hij had dit met een grote, valse lach op zijn gezicht gelezen en daarbij gezwaaid met de lichte, koninklijke handbeweging van een monarch. 'En op het momént dat de auto de weg opdraaide' – hij liet de glimlach van zijn gezicht verdwijnen en gaf zijn stem een harde, bruuske klank – 'draaide zij zich de ene kant uit en ging naar binnen, en ik draaide me de andere kant uit en ging in tegengestelde richting.' Hij liet een kort, vreugdeloos lachje horen: 'Terug naar onze eigen hoek.' Hij stak zijn hand omhoog, met de palm naar buiten. '"De voorstelling is voorbij, mensen."'

Dit was in de smaak gevallen. Ze hadden Rafe gevraagd nog een paar andere, kortere monologen te lezen. Terwijl er grappen over zijn naam werden gemaakt, werd hij aangenomen.

In de auto terug naar huis liet hij zijn bezorgdheid om Lauren de vrije loop. Een tijd lang was hij 's avonds meestal thuis geweest; sinds *Oom Wanja* niet meer werd opgevoerd, om precies te zijn. Hij dacht dat ze dat zou missen: dat hij eten voor haar kookte, haar met eten hielp en haar naar bed bracht.

Maar als ze een korte, plotselinge pijnscheut had, zag hij dat niet. Ze zei dat de Round Robin wellicht 's avonds gemakkelijker tijd voor haar kon vrijmaken dan hij het overdag kon.

De Round Robin, zo noemden ze de groep vriendinnen die voorlopig de zorg voor Lauren op zich hadden genomen. Later zouden ze een betaalde kracht in dienst moeten nemen, dan zouden ze professionele verpleegkundigen nodig hebben, maar vooralsnog had Carol, een van Laurens vriendinnen, de anderen erbij gehaald, vriendinnen van Lauren of Carol die van Laurens toestand op de hoogte waren, en zij maakten haar huidige bestaan mogelijk; en ook het zijne, besefte Rafe.

Ze kwamen niet allemaal bij hen thuis. Een van hen deed boodschappen voor hen, een ander ging met Lauren naar het ziekenhuis en naar de dokter. Maar de meesten hielpen haar – hen – op een intiemere manier: ze kookten voor hen, hielpen Lauren met eten, gingen met haar naar de wc en brachten haar 's avonds, als hij werkte, naar bed.

Lauren had dat verwelkomd, want het was haar grootste wens dat Rafe van al die taken werd bevrijd, zodat hij haar nog als vrouw kon zien, en niet als invalide. Dat had ze hem in tranen verteld op een avond kort nadat de diagnose was gesteld, toen ze de symptomen nog negeerden: de kapotte borden, de jus d'orange die over tafel stroomde als zij hem inschonk. Het trillen, de valpartijen, de blauwe plekken. Ze zei dat ze voor hem geen patiënt wilde worden. Dat ze boven alles voor hem een echt mens wilde blijven, een vrouw, zíjn vrouw.

'Mijn sexy vrouw,' had hij gezegd. Hij had haar haar uit haar gezicht gestreken en met zijn duim de traan die over haar wang rolde weggewist.

Later huilde ze niet meer. Later maakte ze er grappen over. 'Vind je het niet raar, die nieuwerwetse gewoonte dat alles naar iemand genoemd moet zijn? De wet van Murphy. Amber Alert. *Lou Gehrig's disease*: de ziekte van Lou Gehrig.'

'Maar je hebt ook de komeet van Halley,' merkte hij op.

'Misschien gebeurde het altijd al.'

'Maar toch. Een zíekte,' zei ze. 'Als het zijn ziekte is, waarom moet ik hem dan krijgen? "Lou, Lou! Kom eens terug! Je bent je zíekte vergeten!"'

Maar ze vrijden niet meer.

Ze hadden elkaar tijdens hun studie leren kennen, toen Rafe, zoals hij het later uitdrukte, 'hoofdzakelijk achter zijn pik aanliep'. Daardoor had hij zich als student tot acteren aangetrokken gevoeld, had hij vele jaren later verteld. Hij had verondersteld dat de vrouwen allemaal mooi en seksueel vrij waren.

Met die veronderstelling had hij het bij het verkeerde eind. Sommige vrouwen waren mooi, andere niet. Sommige waren vrij, andere niet. De meeste hadden echter niet het verlangen om met hem, een eenvoudige tweedejaars, naar bed te gaan. Ze waren geïnteresseerd in de oudere acteurs, in de regisseurs, in hun docenten.

Lauren werkte bij de praktijklessen biologie met hem samen, en zij had er wél interesse in om met hem naar bed te gaan. Erg veel interesse. In hun tweede studiejaar hadden ze eindeloze namiddagen lang uitzinnige seks op zijn kamer in het studentenhuis, met het rumoer van zijn huisgenoot aan de andere kant van de deur als achtergrond bij hun marathons. Ze was toen nog een beetje mollig en droeg een bril, die ze voor het begin van hun inspannende activiteiten afzette.

Ze probeerden alles wat ze konden bedenken. Zij was de eerste die hem pijpte, zijn ballen likte, haar vinger in zijn gat stak en hem bij haar hetzelfde liet doen. Ze liet hem zien hoe hij zijn tong plat en breed moest maken om haar meer genot te bezorgen en verbeterde de manier waarop hij aan haar tepels zoog. Als hij erover nadacht, had hij haar in haar bereidheid tot experimenteren en haar ogenschijnlijk koele enthousiasme om weer een verboden genieting te proberen, bijna mannelijk gevonden. Hij werd moe van haar. Hij werd het vrijen moe. Het was alsof ze vanuit een leerboek te werk ging, vertelde hij haar later, toen hij haar opnieuw ontmoette en verliefd op haar werd.

O, dat was ook zo, verzekerde ze hem. Zo had ze alles toen gedaan. Volgens het boekje.

Hun tweede ontmoeting vond twaalf jaar na de eerste plaats, toen hun echte levens waren begonnen. Hoewel hij nu weleens dacht dat ze misschien nog niet begonnen waren, zelfs op dat moment niet. Misschien was het heden het echte werk, de werkelijke beproeving, en was al het andere alleen maar een voorbereiding daarop geweest.

Hoe dan ook, ze hadden het destijds allebei naar hun zin in hun werk, waren ongetrouwd, begin dertig, en woonden nog in Berkeley, waar ze elkaar de eerste keer, toen ze nog studeerden, ook hadden ontmoet. Zij kwam naar een inzamelingsbijeenkomst voor het repertoiregezelschap waarbij hij was aangesloten, na een voorstelling van *Bosoms and Neglect,* hun lopende stuk. Rafe speelde de rol van Scooper en was net als de andere acteurs nog geschminkt en in kostuum, zodat ze gemakkelijk herkenbaar waren voor mecenassen die een praatje met hen wilden maken . Ze hadden opdracht gekregen zo enthousiast mogelijk tegen hen te slijmen.

Aanvankelijk had hij haar voor een van die mecenassen aangezien. Ze zag er chic uit. Ze was lang en slank. Haar bruine haar was doorregen met zilverachtig blond. Aan haar oorlellen bungelden zilveren oorringen, en aan een van haar polsen droeg ze een brede zilveren armband. Haar hakken waren erg hoog, haar benen waren fantastisch lang en fraai van vorm. Ze droeg een zwarte, mouwloze jurk, en haar ronde, blote schouders staken daar schitterend uit tevoorschijn. Hij zou het helemaal niet vervelend vinden om tegen haar te slijmen, bedacht hij.

Hij maakte er een begin mee, lepelde op wat ze volgens opdracht tegen de mecenassen moesten zeggen en stelde de vragen die ze moesten stellen: wat bijzonder aardig van haar om te komen, het theater stelde haar steun zeer op prijs, had ze ook andere voorstellingen bezocht?

Ze glimlachte hem geruime tijd toe en zei vervolgens: 'Je hebt niet het flauwste benul wie ik ben, hè?'

Ai, dacht hij. Iemand die echt belangrijk was. 'Nee, het spijt me.' Hij gebaarde en schudde zijn hoofd. 'Ik ben een totale sukkel bij dit soort gelegenheden. Help me alsjeblieft uit de brand.'

'Lauren Willetts.' Ze trok haar hoofd een beetje scheef. Haar haar golfde mee en raakte haar schouder. Haar blik was strak op hem gericht.

Hij keek haar aan en wist het niet meer.

'Lauren Willetts,' zei ze langzaam.

Niets.

Ze opende haar tasje, zocht erin, haalde er een dikke bril uit en zette hem op. 'Lauren,' zei ze opnieuw.

'Díe Lauren?' zei hij. Lieve God. Van lelijk eendje tot absolute prachtzwaan.

Ze zette haar bril af. 'Zijn er zo veel andere Laurens geweest?' Ze glimlachte.

Hij nam haar van top tot teen op. Als hij eraan terugdacht, voelde hij een stijve opkomen. Hij lachte. 'Niet zo een zoals die Lauren.'

'Maar toch heb ik in mijn hoofd dat jij bij haar bent weggegaan.' Ze stak een berispende vinger op.

'Nou ja, ze was angstaanjagend.'

'Zat het hem daarin?'

'En een beetje... meedogenloos, denk ik.'

'Maar dat was jij natuurlijk ook.'

'Ja. Nou ja. Ik verwachtte denk ik dat ik toen het octrooi op meedogenloosheid had.'

'Ik was zogezegd in overtreding.'

Opeens was hij het schertsen moe. 'Luister, ben je hier met iemand?'

Ze lachte opnieuw. 'Met een vriendin.'

'Dus ik kan je niet naar huis brengen.'

Ze schudde haar hoofd. 'Maar je zou me wel kunnen bellen.'

Opnieuw zocht ze in haar tas. Ze haalde er een geborduurd etuitje uit en trok daaruit een visitekaartje tevoorschijn.

LAUREN MARGOLIN, stond erop. TECHNISCH ADVISEUR.

Hij keek naar haar op. 'Margolin.'

'Ja.'

'Je bent getrouwd.'

Ze schudde haar hoofd. 'Nee, niet meer.' Ze liep weg. Hij keek naar het draaien van haar billen, naar de wisselende knipoog van haar lange, gespierde kuiten onder de zwarte jurk.

Iemand raakte zijn elleboog aan, en glimlachend draaide hij zich om. Glimlachend maar in de war. En hij bleef in de war totdat hij haar weer zag, en vervolgens was hij in de war totdat ze weer seks hadden – en dat gebeurde bijna onmiddellijk. En vervolgens werd hij verliefd op haar.

Ze hadden het in de begindagen van deze tweede ronde veel over hun andere, jongere zelf, en over hoe deze nieuwe affaire dankzij de vreemde aard van hun toenmalige verhouding on-ontkoombaar was. Hoe ze, vanaf het ogenblik dat ieder van hen had beseft wie de ander was, wilden overdoen wat ze vroeger hadden gedaan, maar anders. Nog eens, met gevoel. 'Of misschien een paar keer vaker,' zei zij.

Het bleken heel wat keren te zijn.

Het was zowel hetzelfde als anders dan het in zijn herinnering was geweest. Zij was nog net zo heftig en wild als altijd. Rafe had nog nooit zo'n atletische, experimenteerdriftige partner gehad. Maar dit keer leek het of ze allebei door iets diepers in hen werden gedreven, iets wat misschien verband hield met de wens om oude wonden te genezen. Om goed te maken wat in hun eerste ervaring een harteloze of emotioneel afgestompte indruk had gemaakt.

Maar de eerste ervaring had ook iets wat hen voortdreef, juist door de beperkingen en de treurige vertwijfeling die ermee verbonden waren geweest. Nadat ze de liefde hadden bedreven voelde Rafe soms een teder verdriet, een verdriet om iets wat ze destijds, toen ze zo hongerig en behoeftig waren, misschien hadden kunnen hebben, maar niet hadden gehad. Iets wat zelfs hun gewoonste copulaties nu een bepaalde diepgang, een onverklaarbaar aspect verschafte – een pentimento.

Nadat ze ongeveer een jaar hadden samengewoond, kreeg Lauren een technische functie bij een in Boston gevestigde niet-gouvernementele organisatie, en daarom verhuisden ze naar Cambridge. Rafe moest min of meer aan een nieuwe carrière beginnen, maar zijn connecties in Berkeley hadden connecties in Boston, en uiteindelijk belandde hij in die stad bij het repertoiregezelschap dat hem het best beviel. Ze hadden het niet breed, maar van tijd tot tijd kreeg Lauren een onafhankelijke adviesopdracht waardoor ze plotseling erg goed bij kas zaten. Dan gingen ze met vakantie in het Caribisch gebied, huurden voor de zomer een huis in Vermont of brachten een week in een goed hotel in New York door en gingen daar naar toneelstukken en fantastische concerten. Op een keer kocht ze een Joseph Abboudpak voor hem. Een andere keer kocht ze voor zichzelf een grafisch werk van Jennifer Bartlett.

Ze trouwden. De tijd verstreek. Terwijl hun appartementen in Cambridge duurder werden, verhuisden ze enkele keren en schoven zo langzaam naar het zuidoosten op, dichter bij de rivier en het Massachusetts Institute of Technology. De oude hartstocht stak alleen nog met tussenpozen de kop op. Lauren beschuldigde Rafe ervan dat hij erg op zichzelf was. Zo nu en dan hadden ze ruzie over zijn acteren en hoe hij zichzelf daarin verloor. Ze zei dat ze het soms vreselijk vond hem in een stuk te zien. 'Het maakt me woedend dat je op het toneel zo vol leven bent terwijl je voor mij zo weinig energie hebt.' Ze had een verhouding en vertelde hem daarover.

Hij had ook een verhouding.

Ze besloten elkaar niet te vertellen over hun verhoudingen, die uiteindelijk niets met hun huwelijk, met hun partner, te maken hadden.

Rafe kon er echter niet tegen om met Lauren samen te wonen zonder te weten aan wie ze dacht op de momenten dat haar gezicht uitdrukkingsloos werd – zonder te weten wat ze dan voor zich zag. Hij vertrok.

Hij verhuisde naar New York, om erachter te komen of hij het echt in zich had. Zo drukte hij het tegen Lauren en anderen uit. Later had hij daar spijt van, want hij moest erkennen dat als de vraag zo werd geformuleerd, het antwoord nee moest luiden.

Hij kreeg een paar figurantenrollen en soms een kleine rol met tekst, maar voor de meeste hoofdrollen was hij te oud, en voor de meeste karakterrollen was hij te knap op een soort verlopen manier, te onbekend en zonder de juiste connecties. En misschien, heel misschien, had hij het niet echt in zich.

Dan was er zijn leven, hoe hij in New York moest leven – al ging het de eerste acht maanden uitstekend. In feite paste hij toen op een huis. Hij betaalde maandelijks een symbolisch bedrag voor zijn verblijf in het voor een laag bedrag gehuurde, fraaie appartement van vrienden die voor een jaar met een beurs in Rome zaten. De vrouwen die bij hem langskwamen waren onder de indruk. Zelfs als hij hun vertelde hoe de situatie werkelijk in elkaar zat, suggereerde hij dat hij, als er een einde aan zijn verblijf in West Eleventh Street was gekomen, naar eenzelfde soort woning op zoek zou gaan.

Maar daarna ging alles bergafwaarts. Een tijd lang moest hij steeds woonruimte met iemand anders delen en vervolgens vond hij een raar flatje op 112th Street met een donkere, gespikkelde linoleumvloer die op sommige plaatsen was versleten. Het kleine slaapkamertje lag naast een nog kleiner keukentje. De plastic douchecel was slordig ingebouwd – hij stond schuin – en het water hoopte zich bij de voorkant op. Als je had gedoucht moest je het met de hand naar de afvoer terugvegen, en Rafe nam die moeite niet altijd. Er zaten muizen. Hij zag het flatje als iets tijdelijks, maar wat kon er in zijn leven veranderen om een verhuizing mogelijk te maken? Hij stond zichzelf niet toe daar al te lang over na te denken. Maar omdat hij zo tegenover de flat stond, ondernam hij niets om hem op te knappen. Hij kocht alleen het hoogstnoodzakelijke meubilair. Hij ging in die periode voornamelijk met jongere vrouwen uit, want zij waren de enigen die zijn situatie konden verdragen: acteur van middelbare leeftijd zonder geld, maar met serieuze aspiraties. Maar zelfs zij vonden het appartement onaangenaam en deprimerend.

Toen werd hij verliefd, op een vrouw die bijna even oud was als hij. Een schilderes. Een vriendin van oude vrienden. Ze kwam uit het zuiden van de VS, en dat was nieuw en exotisch voor hem. Ze was groot, net zo lang of zelfs nog langer dan hij. Haar heupen waren even royaal als haar klinkers klonken, en haar voluptueuze lichaam voelde overal even zacht. Ze had geld van haar familie geërfd en bezat een klein appartement in Greenwich Village waar ze steeds een paar maanden achtereen verbleef. Ze dronk veel, vertelde schunnige moppen, was pienter en hield van gezelschap. Ze moest onder de mensen zijn. Als hij klaar was met zijn werk, ontmoette hij haar op een feestje en dronk in hoog tempo om haar bij te benen. Daarna gingen ze naar haar appartement, waar ze neukten tot een van beiden volkomen van de wereld was.

Ze was royaal tegen haar vrienden en tegen hem. Ze betaalde alles. Ze gaf hem cadeaus. Ze nam hem mee op reis – naar Key West en New Orleans.

En toen vroeg ze hem op een dag zomaar opeens, zacht en op onschuldige toon: 'Zeg eens, waarom verzin jíj niet eens iets wat we kunnen doen?' Ze lagen in bed. Het was maandagmorgen. Het theater was dicht.

'Daarom. Omdat niemand, denk ik, zo vindingrijk is als jij.'

Ontevreden fronste ze haar voorhoofd. 'Nee, heus. Waarom... plan jij niet eens een reisje voor ons. Waarom koop je geen ticket om vier dagen naar Parijs te gaan,' zei ze met haar karakteristieke zuidelijke accent.

'Dat zou ik graag doen, Edie. Als ik het me kon veroorloven. Maar ik heb geen tijd en geen geld.'

Ze rolde zich op haar zij, met haar gezicht naar hem toegekeerd. Ze had haar elleboog gekromd en haar hoofd rustte op haar handpalm. Haar grote borsten lagen boven op elkaar. Hij wilde ze aanraken, maar ze duwde zijn hand opzij. 'Jij bent echt een rare vogel, hè?' zei ze en haar toon was niet vriendelijk. 'De meeste mannen van jouw leeftijd met een artistiek beroep hebben het gemaakt, of ze hebben ander werk gevonden waardoor ze een beetje geld hebben.'

Hij zei niets.

'Hoe heb jij het voor elkaar gekregen om al die jaren zo aan te modderen?'

'Daar denk ik niet zoveel over na.' Dat was niet waar. 'En toen ik getrouwd was verdiende mijn vrouw aanzienlijk beter dan ik, dus redden we het prima.' Hij geneerde zich en dus klonk hij stug en nerveus.

Ze stond op en trok haar peignoir aan. Het was een diep robijnrode, satijnen kimono met op de rug een reusachtige geborduurde draak. 'Ach,' zei ze. 'Ach gatsie.'

En dat was dat. Het was voorbij, heel abrupt. Ze beantwoordde Rafes telefoontjes niet, belde zelf niet meer, er waren geen feestjes meer en er kwam geen enkele verklaring. Hij was alleen. Hij moest zelf zien te bedenken waarom het was uitgeraakt. Hij kon heel wat redenen verzinnen. Toch vond hij het oneerlijk. Grof, goedbeschouwd.

Maar hoe gekwetst hij ook was, hij hoefde er niet lang bij stil te staan, want precies op dat tijdstip begon Lauren hem te schrijven. Ze schreef dat ze in een diepe depressie was weggezakt en een intensieve therapie volgde. Ze wilde hem terug. Het was allemaal haar schuld geweest. Het was verkeerd van haar geweest, schreef ze, dat ze verhoudingen was begonnen. Ze was kwaad op hem geweest, maar had het niet kunnen uitspreken. Haar minnaars waren allesbehalve irrelevant geweest en hadden niet losgestaan van hun huwelijk. En doordat hij op zijn beurt minnaressen had gehad was ze nog kwader geworden, waarna ze nog meer minnaars had genomen. Zo was het doorgegaan tot enige tijd na zijn vertrek, toen ze besefte wat ze had gedaan en hoe kwaad ze al die tijd was geweest. Hoe doodsbang ze was om dat te uiten, en hoe diep ze sindsdien was gezonken.

Nu werkte ze er gestaag aan om eerlijker te worden – tegen zichzelf en, zo hoopte ze, ook tegen hem. Wilde hij haar nog een kans geven?

Aanvankelijk zei Rafe nee. Hij had het gevoel dat het een capitulatie zou zijn, een erkenning van falen in de grote wereld, van een nederlaag in de liefde, van het feit dat hij oud en afgedaan was.

Maar zij hield hardnekkig vol. Hij zou hebben gezegd dat haar ontdekking van zichzelf haar bijna dronken had gemaakt – later zei hij dat ook echt tegen haar –, van haar volgens haar gegroeide vermogen om lief te hebben, hem lief te hebben. Ze belde en wilde praten. Ze hield hem urenlang aan de telefoon. De brieven die ze hem schreef telden vijf, zes kantjes.

Welnu, timing is alles. Hij kwam terug. Naar Boston, naar Lauren – al keerde hij met de staart tussen de benen terug en was hij nog half verliefd op Edie. Lauren was echter zo blij dat ze nauwelijks opmerkte hoe melancholiek en afwezig hij was. En langzaam liet hij dat achter zich. Hun vrijen was nieuw, fris en heerlijk, en Lauren huilde na afloop. Ze huilde bij de gedachte aan wat ze met hun huwelijk had aangericht. Ze huilde omdat ze zo blij was dat hij was teruggekomen. Ze huilde omdat hij boxershorts droeg, die hij vroeger nooit aan had gehad, en veronderstelde dat dat de voorkeur van een andere vrouw was geweest. (Ze had gelijk: Edie had twaalf boxershorts voor hem gekocht en hem zijn vervalende slips laten weggooien.)

De warmte van haar vreugde om zijn terugkeer, van haar verdriet om wat ze had aangericht, was balsem voor zijn ziel. Langzaam bekwam hij van zijn gevoel een mislukkeling te zijn en van de pijn omdat Edie zich zo abrupt van hem had afgekeerd. Lauren hield van hem. Nooit was iemand zo verknocht aan hem geweest. Hoe kon hij daar niet van genieten? Hoe kon hij zich daar niet in laten wegzinken?

'Wie krijgt ooit dríe kansen op liefde?' vroeg ze hem op een avond. 'Wíj hebben alle geluk van de wereld.'

Ze waren weer gelukkig. Op een keer, toen ze pas kort weer bij elkaar waren, vroeg een vriend op schertsende toon: 'Hoe heeft dit trouwens zo kunnen gáán?' En Lauren zei, slechts licht schertsend en niet zonder trots: 'O, ik heb mezelf verlaagd. Meer dan eens.'

'Is het een goede rol, mijn lief?'

'Het is de hoofdrol. Een grote rol.' Hij bracht make-up bij haar op. Er kwamen vrienden en vriendinnen langs.

'Maar is het een goede rol?'

'Een heel goede. Een heel complexe vent. Niet honderd procent sympathiek. Omhoog kijken.' Dat deed ze en hij bracht eyeliner op haar onderste oogleden aan. 'Ik ben voortdurend op het toneel. Het begint met mij en het eindigt met mij.'

'Net als ik.'

Hij wierp haar een doordringende blik toe. Ze glimlachte naar hem, met haar nieuwe sullige lachje dat ze niet helemaal in de hand had.

'Weet je,' zei Edmund. Ze zaten alleen in het theater, aan een tafel midden op het toneel waar het stuk zou worden gespeeld, en namen met eindeloze en eentonige grondigheid zijn tekst door – Edmunds specialiteit. 'Het is goed mogelijk dat hij hier net zo veel aan Elizabeth staat te denken als hij aan het redetwisten is over wat we van het terrorisme moeten vinden.'

'De nadruk moet dus liggen op de herinnering aan haar, aan die keer in Parijs.' Dat was een vraag; zo formuleerde Rafe het.

'Ik zeg alleen,' antwoordde Edmund, 'dat ze daar samen een prettige vakantie kunnen hebben gehad.'

Rafe herlas de betreffende regels en deed iets langer over de herinnering aan Elizabeth, alsof hij haar tot zijn verrassing opeens voor zich zag terwijl hij sprak, alsof hij haar opriep.

'Mmm,' zei Edmund en hij knikte een paar keer en ging met zijn vingers door zijn baard. Vervolgens zei hij, om alles nog verwarrender te maken: 'Natuurlijk probeert hij ook uit alle macht om op dit moment niet aan haar situatie te denken – aan de trein, de bomaanslag, enzovoort. Hij probeert in dat theoretische wereldje te blijven waarin hij zich zo op zijn gemak voelt. Misschien gaat het er dus om dat, terwijl hij dat argument ten beste geeft, het argument over John Kerry, dat dan die herinnering hem min of meer' – zijn hand beschreef een cirkel in de lucht voor hem – 'overvalt, om zo te zeggen.'

Rafe las de monoloog nog eens en joeg snel door de regels over het standpunt van John Kerry heen, alsof hij driftig aan het redetwisten was. Toen zweeg hij even en keek omlaag. 'Ik bedoel, ik weet nog dat Elizabeth en ik vier maanden in Parijs zaten, in dat sabbatsjaar.' Hij sprak nu zachter. 'We gingen samen overal naartoe met de ondergrondse – met de metro.' Hij keek op, staarde een ogenblik in de verte en keek toen Edmund weer aan. 'En het maakte niet uit dat er nog maar een paar maanden eerder een bomaanslag in de ondergrondse was gepleegd. Je ging door met je leven, je hoopte dat er een waarschuwing zou komen, maar de mogelijkheid was gewoonweg aanwezig.'

'Ja, ja, ja, ja,' zei Edmund. 'Zo moet het. Kijk, hiermee ontstaat een soort motief dat bij het slot van pas komt, in de manier waarop hij haar terugneemt. Je weet, hij heeft de hele tijd… een besef van haar gehad, van wat hij had doordat hij van haar hield.'

Rafe markeerde passages in het script, sloeg terug naar de eerdere monoloog en maakte aantekeningen.

'Oké, laten we het nog eens doen,' zei Edmund.

Na afloop gingen ze wat drinken. Ze zaten aan de rumoerige bar in het nostalgische oude DeLuxe, allebei met een biertje voor zich. Edmund boog zijn hoofd, boog zich dichter naar Rafe toe en zei: 'Jouw Gabriel is eigenlijk wel een rare figuur, niet?' Op de televisie, achter hem, gleden de Bruins in hun witte tenue met donkere spikkels soepel over het ijs.

'Hoezo?' vroeg Rafe. *Hier ga ik op door.*

'Nou, hij gaat wel heel uitgekookt te werk, vind je niet?'

'Vind jij dat?'

'En jij?' Edmunds lichte ogen achter de bril waren strak op hem gericht.

Even draaide Rafe op zijn kruk heen en weer. 'Nou, ik had het idee dat hij eigenlijk niet weet wat hij voelt. Hij weet dat hij niet voelt wat hij hoort te voelen, maar hij weet niet zeker wat hij wel voelt, denk je niet?'

'Hmmm.' Edmund staarde geruime tijd naar zijn bier. Hij keek op. 'Nou, als het niet zo was gegaan, als het anders was afgelopen – als zij bijvoorbeeld misschien zelfs een hartaanval had gekregen –, dan had hij volgens mij blij kunnen zijn.' Hij fronste zijn voorhoofd en tuitte zijn lippen. 'Nee, dat is niet wat ik bedoel, verbeterde hij zichzelf. 'Niet blij. Maar zeker... opgelucht, dat hij er vanaf was zonder de ander pijn te hebben gedaan. Dat gevoel hebben mensen soms,' zei hij op ernstige toon tegen Rafe. 'Het is niet mooi, maar zo is het.' Hij nam nog een slok bier. 'Maar dit, dit raakt de hele natie. Het is net als 11 september. Het is politiek. Het brengt bepaalde aanspraken met zich mee, toch? In die zin dat hierop maar één politiek correcte reactie bestaat. Menselijk correct. En die stemt niet met zijn gevoel overeen.'

Edmund ging rechtop zitten. 'Ik bedoel, denk je in dat het net als 11 september zou zíjn. Denk je in dat je op het punt had gestaan om van iemand te willen scheiden, en dat die persoon dan zomaar zou vertrekken en omkomen. De ambivalente, de complexe, reactie op zo'n gebeurtenis is schokkend. Niemand wil dat horen. Het is... stuitend. Het is niet patriottisch.' Zijn vingers nestelden zich in zijn baard. 'Het is kleingeestig. Het is persoonlijk. Het is onwaardig. Zo'n waarheid moet de kop worden ingedrukt. Hém moet de kop worden ingedrukt.' Hij sloeg met zijn vuist op de bar.

Allebei zwegen ze een ogenblik. Rafe dronk wat bier.

Edmund zei: 'Stel je voor wat een gluiperd hij zich moet voelen.'

Daar ging het om, dacht Rafe. Dat Gabriel een manier probeerde te vinden om géén gluiperd, maar toch eerlijk te zijn. Op de een of andere manier wilde hij respectábel zijn. Daarmee was hij in de laatste scène met Anita bezig, dat probeerde hij uit te vinden. Dat speelde zich langzaam maar zeker in hem af.

Hij stond op het punt Edmund daar iets over te zeggen, maar toen hij Edmund wilde aankijken, had die zich afgewend om te zien hoe het met de Bruins ging.

Toen de symptomen begonnen, waren ze ongeveer twee jaar weer bij elkaar. Uiteraard onderkenden ze die aanvankelijk niet als zodanig. Het waren gewoon ongelukjes. Lauren liet dingen uit haar handen vallen, ze begon lange dutjes te doen, waarna ze krachteloos en nog vermoeider was. Soms verhaspelde ze woorden op een rare manier, zodat ze haar zin afbrak en diep ademhaalde. Dan zei ze: 'Mag ik dat opnieuw formuleren,' en herhaalde ze haar woorden terwijl ze elke lettergreep met nauwlettende precisie uitsprak.

Men dacht aan mononucleose of het Epstein-Barrvirus en Lauren onderging een paar onderzoeken, waaruit niets naar voren kwam. Een poosje leken de symptomen weg te zijn. In de loop van de zomer werd ze weer de oude. Begin augustus maakten ze een uitstapje naar Saratoga Springs. Bij de paardenrennen kocht ze een extravagante hoed, een hoed die zoals ze zelf zei de koningin-moeder niet zou hebben misstaan. Ze verloren op de renbaan meer dan honderd dollar.

Op de terugweg bleven ze een paar dagen bij Laurens moeder in het zuidwesten van Vermont, in de buurt van Bennington College, waar Laurens vader had gedoceerd.

Grace, Laurens moeder, was dichteres. Een gemankeerde dichteres, zei ze zelf, want ze had in geen jaren meer iets geschreven. Ze zei dat ze met schrijven was gestopt omdat ze opeens tot het besef was gekomen dat er al een Edna St. Vincent Millay bestond. Volgens haar was het veel beter om in plaats van dichteres gemankeerd dichteres te zijn, want zo kwam je de deur nog eens uit.

Rafe had foto's van Laurens moeder als jonge vrouw gezien. Ze was mooi geweest op een manier die aan Garbo deed denken, een beetje androgyn, met voor de hedendaagse smaak wat te uitgesproken trekken. Lauren had daar iets van meegekregen.

Nu was ze volkomen afgetakeld. Haar haar was metaalgrijs geworden, betongrijs, een lelijke kleur, de kleur van slagschepen. Haar neus, die geprononceerd en mooi was geweest, leek wel een snavel. De neusgaten waren te groot en er waren haren in te zien. Ze had haar leven lang gerookt, en dat was zichtbaar. Haar huid leek door de nicotine gearceerd te zijn, de lange, diepe rimpels in haar gezicht en rond haar hals zagen een tikje bruin. Ze rookte nog af en toe en genoot daar met volle teugen van, maar ze zorgde er nu voor dat ze het buitenshuis deed. Ze was kapot geweest van de berichten over meeroken en was vastbesloten bij haar familie en vrienden niet meer schade aan te richten dan ze al teweeg had gebracht. Als ze weer binnenkwam rook ze sterk naar tabak en kauwde ze op kauwgom om minder weerzinwekkend te zijn.

Rafe had een poosje nodig gehad om aan haar te wennen. Hij was opgegroeid in de voorsteden van Chicago – in de streberige voorsteden, zoals hij het uitdrukte. Zijn ouders volhardden koppig maar met weinig resultaat in een variant van het middenklassenbestaan waarin geen plaats voor iemand als Grace zou zijn geweest. Zij had de jonge Lauren het exemplaar van *The Joy of Sex* gegeven dat in hun tweede studiejaar als hun handboek had gediend. 'Je moet van je lichaam houden,' had ze gezegd toen ze het gaf. 'Houd van wat het je kan geven.'

Ze was op Bennington een studente van Laurens vader geweest. Er was een schandaal van gekomen. Grace werd zwanger, en hij scheidde van de vrouw met wie hij bijna dertig jaar samen was geweest en trouwde met Grace. Laurens halfbroers waren ouder dan haar moeder. Frank, een van de halfbroers, was de zomer voor dit bezoek op zesenzeventigjarige leeftijd overleden. Pete, de andere halfbroer, kwam de avond voor hun vertrek met zijn vrouw langs.

'Ha, broer,' zei Lauren. Ze zat op een stoel met haar rug naar de keukendeur, maar toen ze hen had horen binnenkomen had ze zich een stukje omgedraaid.

Rafe keek toe hoe Pete zich van achteren over haar heenboog en haar boven op haar hoofd kuste. Boven haar gezicht was zijn haar dun en wit, zijn schedel scheen erdoorheen.

'En nu' – ze stond op en schoof haar stoel naar achteren – 'ga ik je omhelzen.' Ze wiegde hem in haar armen. 'O, o, lieve Petie.'

Toen Pete Rafe de hand schudde, was hij nog verfomfaaid en bloosde hij een beetje. 'Waarom ga jij er nooit ouder uitzien, Rafe?' vroeg hij.

'Dat is vanwege een rol die ik speel,' zei Rafe tegen Pete. 'Ik moet een jaar of tweeëndertig zijn.'

'Nou, je bent een verdomd goeie acteur.'

Lauren had nu Petes vrouw Natalie in haar armen. Ze was klein, met fel, onnatuurlijk oranje haar.

Grace stond terzijde en wachtte op haar beurt voor de omhelzingen. *In de coulissen,* dacht Rafe.

Ze gingen naar de veranda en dronken martini, die zoals altijd door Pete was gemaakt. De kat krabde tegen de hordeur, en Natalie liet hem binnen. Hij wreef zich tegen de benen van alle aanwezigen aan en ging toen bij Gracie liggen. Ze spraken over Petes broer Frank. Hij had zijn vader nooit vergeven dat die zijn eerste vrouw had verlaten. Pas nadat de oude man was gestorven, zette hij weer voet in huis. 'Hij is heel veel leuks misgelopen,' zei Gracie.

Rafe had de verhalen gehoord. Toen Lauren klein was hadden ze volgens haar allemaal allemachtig veel gedronken. 'Alsof alcohol het medium was waarin ze leefden.' Als ze flink aangeschoten waren, deden ze spelletjes, de spelletjes die Lauren met andere kinderen zou hebben gespeeld als er kinderen in de buurt hadden gewoond. Een soort verstoppertje, diefje met verlos, overlopertje. Later ook woordspelletjes, bordspellen en raadspelletjes zoals hints. Ze schreven operettes en voerden die op. Ze dansten en zongen. Lauren had weleens gezegd dat het was of ze door de verwarring over de generaties allemaal de kluts kwijt waren geraakt en op zijn hoogst vijftien waren. 'Toen ik ging studeren, was ik bedroefd,' zei ze. 'Ik keek om me heen en kon niet ontdekken waar de leuke dingen gebeurden. Vandaar: seks.' Ze maakte een van haar theatrale gebaren. 'Een feestje waarbij je maar één ander nodig hebt.'

Nu ze op de beschutte veranda zaten, spraken ze over het resort voor ouderen waarnaar Pete en Nat op korte termijn zouden verhuizen. Nat zei: 'Met Pete erbij zitten er maar drie mannen. Drie mannen en ongeveer veertig vrouwen, dacht ik. Ze zullen allemaal wachten op mijn dood, zodat ze kunnen toeslaan.'

Gevolgd door de kat liep Grace naar het stenen trapje om een sigaret te roken. Ze hield de deur voor hem open. Er stond zo veel wind dat de rook dwars door de roestige oude windschermen heen naar hen toe werd geblazen. 'Kom toch hier roken, mam,' zei Lauren. 'Je hebt daar tegenwind.'

Maar Grace kwam niet. Ze liep verder weg. Ze zagen haar tussen de oude appelbomen rondlopen. Pete bood aan de glazen bij te vullen. 'Ik heb genoeg,' zei Lauren en net toen Pete wilde inschenken, schoof ze haar hand over haar glas. Rafe schudde zijn hoofd.

'Het heeft voor Nat en mij geen zin om kalm aan te doen,' zei Pete terwijl hij hun glazen volschonk. 'We moeten nu alles haastig doen. De tijd wordt krap voor ons.'

'Jij gaat ons allemaal overleven, Pete,' zei Rafe.

Pete snoof.

Grace kwam binnen en bracht een mengelmoes van de geuren van nicotine en kauwgom met vruchtensmaak mee. Ze had besloten dat ze buiten moesten eten. Het was zulk mooi weer. Terwijl zij het eten klaarmaakte, haalden ze dus met zijn allen de tafel die Lauren eerder binnen had gezet uit elkaar en sjouwden heen en weer met borden, glazen, bestek, servetten en kaarsen. De houten tafel zetten ze op het stenen terras. Daarboven breidde een oude appelboom zijn knoestige takken uit. Lauren vond twee citronellakaarsen en stak ze aan, zodat ze zich dat later ook zouden herinneren: die citroenachtige, kamferachtige lucht.

Terwijl ze aten ging de zon langzaam en met veel spektakel in het westen onder. Toen ze uitgegeten waren zaten ze nog zo'n halfuur bijna zonder een woord te zeggen toe te kijken hoe de wolken van kleur veranderden.

'Bedankt daarvoor, Gracie,' zei Pete terwijl ze in het bijna donker hun stoelen naar achteren schoven en de tafel begonnen af te ruimen. 'Jij weet beslist wat je met een zonsondergang kunt doen.'

Rafe en Pete deden de afwas. Uit de woonkamer weerklonk de ijle, ontroerende muziek van de krakende 78-toerenplaten die Grace nog bezat. Iemand had platen op de enorme oude grammofoon gelegd, en een voor een vielen de platen zwaar op de speler waarna de naald eroverheen ging. Toen Pete en Nat vanuit de keuken binnenkwamen, zat Grace op haar knieën voor de geopende kastdeuren nieuwe platen uit te zoeken en dansten Lauren en Nat op Lil Hardin Armstrong.

Toen Lauren Rafe zag, liet ze Nat los en kwam met opgeheven armen op hem af. Ze dansten een twostep en vervolgens de jitterbug op een swingnummer van Duke Ellington. Pete en Nat dansten ook. 'The Sheik of Araby' werd gedraaid. Allemaal dansten ze de tango. Vervolgens kwamen Fred Astaire, Esther Rollins en Lee Weaver.

Pete en Nat waren aan het eind van hun Latijn. Ze moesten gaan. 'Jullie hebben ons kapot gedanst,' zei Nat.

Gracie en Rafe dansten nog wat, en daarna danste Rafe vier of vijf nummers met Lauren terwijl Gracie naar buiten ging om te roken. Na een poosje kwam ze terug, ging op de bank zitten en sloeg hen gade. Allebei waren ze bezweet en hijgden en lachten ze. Ten slotte sloeg de grammofoon af, en er kwam niemand in beweging om meer platen op te zetten. Het was pas halfelf, vroeg naar de maatstaven van destijds, zoals Lauren opmerkte.

Ze gingen allemaal zitten en praatten een poosje op rustige toon. Toen zei Gracie: 'Ik moet jullie iets vertellen.' Ze zweeg en trok een ondeugend gezicht. 'En jullie zullen opgelucht zijn om te horen dat ik niet zwanger ben.' Ze ging het huis van de hand doen. Ze zou net als Pete en Nat in het resort gaan wonen. Het huis was al te koop gezet – ze had de opbrengst nodig voor het sleutelgeld –, maar ze had de makelaar gevraagd pas na Laurens bezoek een bord met TE KOOP bij de oprijlaan neer te zetten.

'Ik heb er zo'n rotgevoel over,' zei ze. 'Ik ben altijd van plan geweest het aan jou na te laten, maar op dit moment is het niet meer dan een blok aan je been. Ik heb het totaal niet onderhouden.'

'O, mama,' zei Lauren. 'Niet doen, zit er toch niet mee. Als dit voor jou goed is, is het in orde.'

'En je weet dat wij aan Boston gebonden zijn,' zei Rafe. 'We hadden het feitelijk absoluut niet op ons kunnen nemen, een tweede huis.'

Maar Grace moest nog wat langer haar berouw over haar fouten uitspreken. Ze luisterden naar haar, ze stelden haar gerust, de vrouwen sloten elkaar in de armen en vervolgens wensten ze elkaar allemaal een goede nacht. Lauren begon de platen op te ruimen, maar Grace keerde zich op de trap om en zei: 'Niet doen. Bekommer je daar niet om, schat. Ik vind het leuk om dat 's ochtends te doen. Dan is het net of je alle plezier nog eens herbeleeft.'

Ze gingen naar bed en Lauren huilde een beetje. 'Mijn heerlijke oude huis,' zei ze. Ze rook naar Ivoryzeep, het enige merk dat Gracie in huis haalde.

Midden in de nacht werd Rafe wakker van een complexe, uit verschillende fasen bestaande plof. Het was pikdonker en even wist hij niet meer waar hij was. Toen weerklonk van ergens onder het bed – vanaf de grond – de stem van Lauren. 'Heb ik je wakker gemaakt?' fluisterde ze.

'Ja,' zei hij. 'Wat is er aan de hand?'

Ze lachte. 'Ik heb geloof ik mijn knieën geforceerd, Rafe.'

Daarmee was het echt begonnen. 's Ochtends kon ze niet lopen. Hij moest haar de trap af dragen, en na het ontbijt hielp hij haar de auto in. Ze deed er geringschattend over, omwille van Gracie. Ze had bij het dansen iets verrekt, zei ze. 'Pete en jij kunnen kennelijk straffeloos doen of jullie zeventien zijn, maar ik niet.'

Allebei sloten ze Gracie even in de armen. Ze beloofden snel terug te zullen komen. Op haar beurt beloofde Gracie dat ze alles in huis zou bewaren wat Lauren ook maar enigszins kon willen hebben.

Ze reden naar Boston terug, voornamelijk zwijgend. Hij hielp haar een toilet op de Mass Pike in en wachtte nerveus af voor de deur van de dames.

Toen ze tevoorschijn kwam en hem in het oog kreeg, lachte ze. 'Je ziet eruit als een aanrander, zoals je daar loopt te dralen,' zei ze, om er een komische draai aan te geven. Maar hij had gezien hoe ze langs de muur schuifelde, en toen hij zijn armen naar haar uitstak, viel ze er bijna in. Op de terugweg naar de auto leunde ze zwaar op hem.

Daarna werden er nog meer onderzoeken gedaan, en in de late herfst werd de verschrikkelijke diagnose gesteld. De arts was vriendelijk en geduldig. Hij beantwoordde alle vragen openhartig en zei wel vier keer hoe erg hij het vond.

'Het heeft een dodelijke afloop, ja, altijd,' zei hij in antwoord op Laurens vraag. 'Maar hoe lang het duurt, verschilt. Kijk maar naar Stephen Hawking.'

Terwijl ze naar de auto gingen en aan de terugrit begonnen, spraken ze niet. Het was een zonnige dag, een prachtige dag. Over de straat voor hen woeien zinledige goudkleurige en rode bladeren. Opeens zei ze: 'Kíjk maar naar Stephen Hawking.'

'Schatje...' begon hij.

'Nee. Hou je kop. Stephen Hawking is zoiets als een... lichaamsloos brein,' zei ze. 'Stephen Hawking praat via een apparaatje. Ik ben... ik bén mijn lichaam. Zonder lichaam kan ik niet leven.' Ze snikte. 'Ik wil niet zonder mijn lichaam leven.'

Rafes oog viel op een parkeerplaats. Hij stopte en pakte haar vast, over de middenconsole en de versnellingspook heen.

Onhandig hield hij haar vast en hij sprak haar toe: hij hield van haar. Het zou goedkomen. Hij was bij haar. Hij voelde de versnellingspook in zijn zij priemen. Hij zou bij haar blijven. Er kon haar – en hun – niets overkomen waardoor hij minder van haar zou gaan houden.

'En de seks?' fluisterde ze. 'Hoe zit het met de seks?' Haar oogmake-up was over haar gezicht uitgelopen. Haar mond was vertrokken.

'Zo lang jij wilt dat ik met je vrij, wil ik met jou vrijen.'

Een leugen. De eerste van vele.

De kleine toneelschrijfster zat op de eerste rij te kijken hoe Serena Diglio, die de rol van Anita speelde, en hij hun scène aan het einde van het tweede bedrijf repeteerden.

'Dit moet ik alleen doen,' zei Rafe.

'Dat... hoef je niet.'

'Ik wil dit alleen doen,' zei Rafe.

'Stop,' zei Edmund. Allebei keken ze naar hem. 'Is dat zo? Wil hij dat? Spreekt hij hier de waarheid?'

Er viel een stilte. Toen zei Rafe: 'Minder overtuiging, dus?'

'Nou, misschien probeert hij vooral zichzelf te overtuigen,' zei Edmund. 'Oké, sorry. Ga verder.'

'Ik wil dit alleen doen,' zei Rafe wat langzamer.

'Ik geloof je niet,' zei Anita.

'Dat moet je wel.'

'Beantwoord één vraag voor me.'

Rafe wendde zich ongeduldig af, zoals Edmund en hij hadden afgesproken.

'Gabriel? Eén vraagje maar.'

'Goed dan.'

'Zeg me eens eerlijk. Had je, toen je het hoorde, niet ook een gevoel van...' Ze zweeg even en schudde haar hoofd. 'Laat maar.'

Rafe had de indruk dat Serena dit iets te dik aanzette, dat ze te vroeg te wanhopig en te smekend was. Maar Edmund zei niets, en dus sprak hij zijn regel uit en gingen ze verder.

Toen hij toe was aan de van zelfmedelijden bolstaande regels: '"O, die arme Gabriel. O, die arme man"', liep zijn stem over van verachting voor zichzelf en voor haar. Misschien legde híj het er wel te dik bovenop, dacht hij. Maar nog altijd keek Edmund alleen toe.

Serena ging door. Ze was een regel kwijt en Edmund zei hem haar voor. Wat ik voel is geen begeerte.

'O, juist,' zei ze. 'Raar om juist die te vergeten.'

'Ja,' antwoordde Edmund.

Ze ademde diep in, haar gezicht veranderde. Ze sprak de regel uit.

Hij antwoordde met zijn regels over hoe de mens zo in elkaar zit dat hij steeds meer verlangt en dat hij zich zonder verlangen dood voelt.

'Maar je zei dat je je bij Elizabeth zo voelde. Dóód.' Haar stem had een schrille klank.

'Ja,' zei hij.

'En bij mij voelde je je weer leven.' Ze smeekte hem: dát heb je gezégd.

Hij had er niet aan gedacht dat het zo kon. Hij had meer zelfbewustzijn in haar toon gehoord. Dus sprak hij zijn regel treuriger uit. 'Ja. Maar het was... verlangen. Ik verlangde naar wat ik niet had.'

'Mij!' zei ze. Zelfbewust nu.

Hij deinsde een stap terug, bij haar vandaan. Hij zag Edmund knikken. 'Ach ja,' zei hij. Hij had weer afstand genomen.

'Mij!' hield ze vol.

En vervolgens begon hij aan zijn lange, zich langzaam ontvouwende verklaring, een monoloog waarin hij al pratend moest ontdekken wat hij vond, precies zoals Edmund en hij hadden besproken – ze waren het erover eens geweest dat hij al sprekend begon te beseffen in wat voor positie hij verkeerde.

Ze hadden afgesproken dat hij erachter kwam wanneer hij

toe was aan zijn hartstochtelijke slotverklaring, die inhield dat hij de rol op zich zou nemen die van hem werd verlangd – die van weduwnaar of van verheugde echtgenoot. Dan stemden zijn gevoelens weer overeen met wat hij zei. Dan begreep hij zichzelf weer.

Vervolgens riep zij: 'Maar je hebt gezegd dat je van me hield.'

Edmund brak haar af. Het beviel hem niet. 'Je klinkt als een verwend klein meisje, Serena.' Hij zette een hoog, zeurderig stemmetje op: 'Je hebt gezegd dat ik een snoepje mocht.'

Ze knikte, met een schaapachtige uitdrukking op haar gezicht. 'Ja, ik hoor het. Maar ik weet niet goed hoe ik het wel moet zeggen.'

Terwijl Edmund en Serena het probleem bespraken, ging Rafe zitten. Hij keek naar de toneelschrijfster, die op de tweede rij zat. Billy Gertz, heette ze. Wilhelmina, had ze hem gezegd. Ja. Daarover hadden ze het op de kennismakingsbijeenkomst gehad.

'Billy,' had hij gezegd. 'Ik wed dat dat niet je volledige naam is.'

'Wilhelmina,' had ze geantwoord, op strenge toon en met een Duits accent, waarbij ze de W als een V uitsprak.

Nu zat ze diep weggezakt in haar stoel aantekeningen te maken. Ze had haar bril op. Haar hoofd kwam amper boven de rugleuning van de stoel uit. Je kon haar aanzien voor een vroegwijs kind uit groep zeven met een pagekapsel.

Ze keek naar hem op en hij keek haar in de ogen. Ze glimlachte, stak haar hand even op en ging door met schrijven.

'Oké, Rafe,' zei Edmund.

Hij stond op en nam zijn plaats weer in, waarna ze samen hun laatste regels doornamen. De manier waarop Serena haar laatste regel uitsprak beviel hem – ze schreeuwde tegen hem. Er klonk razernij in door, maar je kon ook horen dat ze verdriet had. Voor de lol sloeg ze de deur te hard dicht. Het decor stond te trillen. Achter de coulissen protesteerde iemand: 'Hela!'

'Sorry. Geintje,' riep ze en ze kwam weer het toneel op.

Ze gingen zitten en spraken een poosje met Edmund, die voor hen allebei suggesties had. Gebaren. Accenten. Maar ook lof. Hij wist hoe hij de dingen met elkaar in evenwicht moest houden, die uitgekookte oude Ed.

Toen Edmund klaar was, keek hij naar de schrijfster. 'Heb jij nog iets voor ze, Billy?'

Ze schudde haar hoofd. 'Misschien geef ik je voor hen nog een paar dingen voor morgen door.'

'Goed dan,' zei Edmund en hij wendde zich weer tot hen. Hij klapte in zijn handen. 'Wegwezen jullie.'

Serena ging naar de coulissen, waar ze kennelijk haar spullen had neergelegd, en Rafe liep de zaal in om zijn jasje te pakken. Billy was opgestaan en stopte spulletjes in de grote tas die ze altijd bij zich leek te hebben.

'Ik heb niets te doen,' zei hij tegen haar.

'Is dat zo?'

'Heb je zin om iets te gaan drinken?'

Ze sloeg haar tas over haar schouder. 'Hmm. Ik denk van wel. Ja, ik denk dat dat precies is waar ik zin in heb.'

'Je ruikt naar drank,' zei Lauren. 'Naar bier.'

'Ah! Je bent wakker!'

Haspelpraat, noemden ze haar manier van praten, maar hij verstond alles. Hij was er met haar in gegroeid. Hij boog zich over haar heen en kuste haar. 'Ik heb na het werk met de toneelschrijfster een glas gedronken – een paar glazen, als je het niet erg vindt.'

'Gezellig?'

'Ja, ik geloof van wel. Ze is aardig.'

'Waar hebben jullie het over gehad?'

'Eigenlijk hebben we veel over het stuk gepraat, schat.'

Verbazend genoeg was dat waar.

Of niet zo verbazend. Hoewel Rafe 's avonds vaak van huis was, weg van Lauren, bracht hij die tijd door met drinken en praten. Voor iemand die met een invalide getrouwd was had hij een volmaakt leven, dacht hij vaak. Er was een bijna gestage toevoer van vers bloed om zijn onheilsgeschiedenis aan te horen. Of van verse oren. Oor na oor na oor. Pas als iedereen genoeg had van hem en zijn trieste verhaal, zou het stuk voorbij zijn en zouden de gezichten – de oren – veranderen.

Niet dat hij altijd de trieste geschiedenis vertelde. Vanavond had hij er bijvoorbeeld niet over gesproken. Feitelijk hadden ze over het stuk gepraat. En vervolgens over Billy. Over haar leven, haar wederwaardigheden. Over waarom ze uit Chicago was weggegaan, toch een grote theaterstad, zo merkte hij op.

'Ja, maar het probleem met Chicago is dat wat daar gebeurt niet verder komt.'

'Met Boston is het niet veel anders.'

'Met Boston is het anders.'

'Hoezo is het anders?'

'Omdat dit stuk verder komt dan Boston.'

'Hé, mag ik dan ook mee?' had hij gevraagd en zij had moeten lachen. Ze had een goede lach: chic en vlot.

Hij vroeg haar over het stuk – waar het idee vandaan kwam.

'O, weet ik niet. Worcester?' zei ze. Ze dronk een Stolichnaya, puur. Hij dronk bier.

'Nee, serieus.'

Ze haalde haar schouders op. 'Vermoedelijk had ik 11 september in gedachten. Je weet wel.'

'Dus eigenlijk is dit een 11 septemberverhaal?'

'Nou, een andere variant. De treinenvariant. Ze houden kennelijk van treinen, die geschifte terroristen. Treinen, bus-

sen en metro's.' Ze trok een pruilmondje. 'Het was kennelijk…
ik weet het niet. Een manier om het opnieuw te verzinnen.'

'En het naar Chicago te verplaatsen?'

'O, ik denk dat dat voor mij een denkbeeldige manier was
om' – ze gebaarde – 'het zogezegd dichterbij te brengen. Dichter bij míj. Ik ben daar opgegroeid. *Sweet home Chicago.*'

'Bij jou is de tweede stad van het land getroffen.'

Ze knikte.

'Al hebben we hier maar een klein aantal Chicagoërs bij
elkaar,' zei hij.

'Maar komt alles niet op die twéé neer? Op dat niveau voel
je de dingen toch? In een toneelstuk. En in het echte leven, bij
god. Tsjechov' – ze ging rechtop zitten – '"Het zwaartepunt
ligt bij twee mensen, bij hem en haar."' Ze zakte iets in, terug
naar haar normale houding. 'Dat is het toch, denk je niet?
De vraag die we ons bij de grote gebeurtenis allemaal stellen? Hoe ben ík erdoor geraakt? Hoe ben jíj erdoor geraakt?
"*Waar was jij toen je het hoorde?*"' Ze had een ademloze,
gretige stem opgezet. 'Of: "Ik ken iemand die iemand kent
van wie de man is omgekomen." En dan heb je: "Míjn man is
omgekomen." Of: "Mijn vrouw."'

'Gabriel en Elizabeth, dus.'

'Ja, díe hem en haar.'

'En waar sta jij in dat verhaal?'

Ze wendde zich van hem af. Ze bewoog haar glas heen en
weer, en keek vervolgens naar hem op. 'Het is hun verhaal,
niet het mijne.' Ze pakte het glas op en nam een klein slokje.

'Maar jij hebt het bedacht.'

'Ik heb het verzonnen, ja. Maar wees alsjeblieft, alsjeblieft
een beetje welwillend voor me. Wees een beetje welwillend
tegenover de verbeelding. Dat is werkelijk niemand meer. Niemand gelooft meer in de verbeelding. Alles moet altijd maar
autobiografisch zijn.'

Rafe dacht aan Lauren, die aan haar memoires werkte. Die naar eigen idee in leven bleef door haar eigen sterfproces-in-slow-motion op te tekenen terwijl het haar overkwam. Ze wilde het op de een of andere manier ten nutte maken, zei ze.

'Dit is dus niet autobiografisch,' zei Rafe tegen de schrijfster. 'Jij bent geen van die twee.'

'En evenmin Alex, Emily of Anita. Nee. Of wel, maar dan ben ik misschien hen allemaal, in gelijke mate.' Er verscheen een snel grijnsje op haar gezicht en ze zag eruit als een kind van een jaar of tien. 'En dat betekent dat ik ook niemand van hen ben.'

'En je leeft je gewoon in in hoe het moet zijn, in alle situaties en voor alle personages.'

'Dat is mijn werk. Me in hen inleven, me indenken wat ze zeggen, waarom ze dat zeggen en hoe ze het zeggen.'

Hij nam een slok bier. 'Hoe leef je je dan in in mensen die op 11 september in afwachting verkeerden?'

Voordat ze zijn vraag beantwoordde zweeg ze naar zijn gevoel geruime tijd. Ten slotte zei ze: 'Nou, dat hangt ervan af, hè?'

'Waarvan?'

'Ach. Nou, ik denk van hoe... sommige mensen met catastrofes omgaan, weet je. Hoe ze meteen op het rampscenario overschakelen: "O god, het is mijn vrouw!" Anderen denken weer: nou, misschien is ze er wel uitgekomen. Of misschien is hij te laat naar zijn werk gegaan. Of: misschien heeft ze de trein gemist. Ze belt wel.'

'Ontkenning.'

'Dat neem ik aan.' Ze nam nog een klein slokje wodka.

'Ja, zoals, ik denk dan...' zei hij. 'Ik denk dan terug aan al die opgeprikte berichtjes, weet je nog?' Ze keek hem aan. 'Alsof de slachtoffers ergens verdwááld waren. Misschien niet precies meer wisten hoe ze thuis moesten komen. Bewees dat

niet dat mensen altijd een reden of een methode kunnen verzinnen om niet te hoeven geloven dat er iets verschrikkelijks is
gebeurd?'

'Dus jij denkt dat dat in Gabriels reactie meespeelt?' vroeg
Billy.

'Nee. Eigenlijk niet. Ik denk dat hij gelooft dat ze dood is,
meteen al. Want ik denk dat hij zo'n soort man is.'

'Nou dan, als jij er zo over denkt, dan is hij dat. En wat
voor verschil gaat dat dus maken voor de manier waarop jij
hem speelt?'

'Nou, het is niet bepaald zoals in *The End of the Affair*,
toch? Heb je dat gezien?'

'Ik heb het gezien en gelezen. Maar ik begrijp niet wat je
bedoelt.'

'Nou, Gabriel is anders dan de vrouw in dat verhaal. Hij
zal niet gaan bidden of ze terugkomt, zoals die vrouw bad
voor haar geliefde. Hij zal niet marchanderen om haar terug
te laten komen. Hij... iets brengt hem tot zelfonderzoek, tot
een onderzoek van zijn eigen reacties. Van wat hij ten diepste
wil.' Hij rechtte zijn schouders. 'Misschien is dat de eigentijdse
versie van een religieuze bekering: zelfonderzoek.'

Ze lachte, en hij ook.

'Hoe zou jíj de slotregel uitspreken?' vroeg hij.

'De slotregel: "Elizabeth"?'

'Ja. Wat zijn in jouw ogen mijn keuzemogelijkheden?'

Ze trok een gek gezicht en hief haar handen op. Hoe moet
ik dat weten?

'Ik bedoel, is hij blij? Heeft hij... het gevoel dat hij in de val
zit? Wat?'

'Zeker.' Ze zei het met grote moeite. 'Dat allemaal.'

Hij grijnsde. 'Jij gaat me niet helpen, hè?'

'Jij bent de acteur, mijn waarde.' Ook zij glimlachte nu.

Hij pakte zijn glas op. 'Inderdaad,' zei hij.

'Ah, je bent getrouwd,' zei ze. Ze wees op de ring aan zijn vinger.

'Ja. Heel erg getrouwd.'

Ze ademde uit door haar gesloten lippen, wat laatdunkend klonk. 'Je kunt getrouwd en ongetrouwd zijn. Er bestaat niet zoiets als heel erg getrouwd zijn.'

'Daarmee heb je het bij het verkeerde eind.'

'Nou, als je zo heel erg getrouwd bent, waarom zit je dan hier iets te drinken?'

Ze zei niet waarom zit je dan hier iets met mij te drinken, merkte hij op, maar dat bedoelde ze wel. En hij wist niet wat hij daarop moest antwoorden. Maar hij zei: 'Na het werk ga ik vaak iets drinken. Mijn vrouw gaat vroeg naar bed.'

'Ah.'

Dichter bij het trieste verhaal was hij die avond niet gekomen. Even later was ze van haar barkruk gegleden, met de woorden dat ze naar huis moest om haar hond uit te laten. Door het raam had hij toegekeken hoe ze de straat overstak, een kleine, volledig in het zwart geklede gedaante die snel verdween in het donker van Union Park, het mooiste van de kleine particuliere parken waarmee deze buurt van Boston bezaaid was. Hij was zelf nog gebleven, had wat met de barkeeper over de Red Sox gepraat – over welke spelers ze zouden aankopen en verkopen – en was vervolgens naar huis gereden.

Nu lag hij in het donker naast Lauren. Ze lag roerloos, ze was snel in haar diepe slaap teruggevallen. Misschien droomde ze. Van hoe ze vroeger was.

Toen hij een paar weken geleden iets voor haar van haar bureau had gepakt, had hij de eerste bladzijde gelezen van de memoires waaraan ze werkte. Ze beschreef een droom die ze had gehad, waarin ze rende. 'In mijn droom werkte mijn lichaam perfect. Ik kon onbelemmerd, volledig en langzaam ademen. Mijn benen waren gespierd, maar wogen niets. Bij elke stap gingen mijn knieën voor me hoog de lucht in, achter me gingen mijn hielen hoog de lucht in, alles ging soepel en moeiteloos. Ik werd wakker van het geluid van mijn eigen lach en was even dankbaar en gelukkig als je bent wanneer je in je slaap lang geleden overleden vrienden of geliefden hebt gezien en met hen hebt gepraat of hen weer hebt aangeraakt.'

Nu lag ze ondersteund door kussens en onder invloed van medicijnen naast hem te slapen, haar lichaam even roerloos als dat van een dode; alleen uit haar moeizame, zware ademhaling bleek dat er nog leven in dat lichaam gekluisterd zat.

Ongeveer een maand nadat de diagnose was gesteld, had Grace gebeld met de vraag of ze haar kat wilden overnemen. Het huis was verkocht en ze ging verhuizen, maar ze kon de kat niet meenemen. Huisdieren waren in Belle-Vue niet toegestaan. Ze had geprobeerd de kat aan een jongere vriendin over te doen, maar die had een zoon die er allergisch voor was.

Rafes eerste impuls was weigeren. Lauren en hij verkeerden nog in een broze toestand, op elk willekeurig moment kon een van hen in tranen uitbarsten – hoewel Lauren ook al was begonnen zo nu en dan een snelle, stekelige grap over haar toestand te maken. Maar Rafe zei tegen Grace dat hij het er met Lauren over zou hebben en haar zou terugbellen.

Lauren wilde de kat wel nemen. Ze zou vaker thuis zijn, en Marsh – van Marshmallow – zou aangenaam gezelschap zijn. Ze besloten dat Rafe hem zou gaan halen, en als hij daar was Grace het nieuws zou vertellen dat Lauren ALS had. Lauren zei dat ze daarmee iets afschuwelijks van hem vroeg, maar dat ze het met geen mogelijkheid zelf kon doen. 'Ik zou nog liever een mes trekken en tien keer op haar in steken.'

En dus vertrok Rafe op een maandagmorgen halverwege december. Het sneeuwde, maar volgens de verwachting zou het pas rond het vallen van de avond echt zwaar weer worden, en dan zou Rafe al veilig bij Gracie zijn. En tegen de tijd dat hij terugging, dinsdag na het ontbijt, zouden de wegen sneeuwvrij zijn gemaakt.

De rit had iets hypnotiserends over zich. Op de Pike was bijna geen verkeer, zodat Rafe nauwelijks hoefde stil te staan bij wat hij deed. De sneeuw viel gestaag op de voorruit, en de ruitenwissers bewogen in een vast ritme. De weg werd geleidelijk aan wit. Hij bleef op de rijstrook waar bandensporen te zien waren. Van tijd tot tijd passeerde hij een sneeuwploeg, die natte, bruinige brokken smeltende sneeuw uitbraakte. Het luchtte hem op dat hij bij Lauren weg was. Dat bepaalde zijn gevoel het meest, dat hij onderweg was, dat hij *wegging*. Hij luisterde naar muziek en zorgde dat zijn geest leeg bleef.

Op Route 9 door Vermont werd langzaam gereden, het was er druk met plaatselijk verkeer en zo nu en dan was de weg glad. Twee keer schrok Rafe doordat zijn banden langdurig wegslipten. In Bennington stopte hij en ging hij iets drinken in een bar. Hoog tegen een muur in een hoek was een reusachtige tv geplaatst waarvan het geluid af stond. Mannen in footballtenue renden heen en weer. Aan twee tafels waren stellen blijven hangen die, zo veronderstelde hij, hun lunch al een poosje achter zich hadden. Op de lege straat achter het raam kwam de sneeuw gestaag naar beneden. Hij dronk nog een glas. Hij wilde niets liever dan hier blijven en het ene glas na het andere drinken totdat hij volkomen kachel was, maar na die twee glazen rekende hij af. Hij stopte bij een slijterij in het stadje, kocht daar een fles Johnny Walker Red en reed vervolgens door naar Grace.

De tuin om haar huis was buitensporig mooi. Het was rustig weer, er stond geen wind, en de sneeuw had zich gelijkmatig opgehoopt op alle takken van de kromme appelbomen en de berken die onder het gewicht ver waren doorgebogen. Op het donkere groen van de reusachtige pijnbomen achter het grasveld lag een dikke witte laag. Nadat Rafe de motor had afgezet, bleef hij nog even zitten en bedacht dat hij dit zou missen, dat hij dit zou verliezen en dat hij Lauren, Grace, Pete en Nat zou verliezen. Het was meer dan hij kon verdragen, die schoonheid en al dat verlies.

Hij zag het gezicht van Grace onscherp en bleek langs het raam van de woonkamer gaan. Hij stapte uit. Er lag een laag van ongeveer dertig centimeter zachte, lichte sneeuw. Hij pakte zijn weekendtas van de achterbank. Toen hij het pad op liep deed Grace al open.

'Mijn lievelingsschoonzoon,' zei ze.

'Hallo, Gracie.' Ze kusten elkaar, zij omhelsde hem en klopte enthousiast op zijn rug, alsof ze een baby moest laten boeren. Ze droeg een spijkerbroek en een flanellen overhemd. Haar haar rook een beetje vettig.

Terwijl hij zijn jas ophing, keek hij om zich heen. De kamers waren bijna leeg, maar dat had hij verwacht – afgezien van de spullen die ze naar het tehuis meenam had ze alles weggegeven of verkocht, en zij waren voortdurend geraadpleegd. Eerder dat najaar, voordat Laurens diagnose was gesteld, was hij met een vriend in een gehuurd busje naar Grace gereden en had wat spullen naar Boston gebracht: een oude stoel waarop Lauren gesteld was, boeken, porselein en linnengoed, dozen met foto's, zilverwerk, kandelaars en de versleten quilts waarmee Lauren was opgegroeid.

Nu weergalmden hun stemmen door de kamers en weerklonken hun voetstappen hol en onheilspellend op de kale vloeren. Grace wilde dat hij een paar dozen naar beneden zou brengen, en dat deed hij. Vervolgens haalde hij de sneeuwruimmachine uit de garage en maakte het pad voor het huis en de veranda sneeuwvrij – laat in de avond of vroeg in de ochtend, als het was opgehouden met sneeuwen, zou Tim Holloran langskomen om met de sneeuwploeg de oprijlaan vrij te maken.

Toen hij weer naar binnen ging werd het al donker. Hij rook dat er vlees werd klaargemaakt – gebraden rund- of varkensvlees. Hij ging naar de keuken. Hij had zich voorgenomen het haar vóór het eten te vertellen. Hij kon niet tegenover haar aan tafel zitten eten en over ditjes en datjes praten om haar er vervolgens mee te overvallen.

Ze stond met haar rug naar hem toe bij de gootsteen aardappels te schillen. Haar handen en armen waren non-stop druk bezig.

'Kom, Gracie, even samen iets drinken,' zei hij.

'Ik kan niet,' zei ze, zonder op te kijken of op te houden met waar ze mee bezig was. 'Ik wil dit voor elkaar hebben. Dan laat ik de teugels vieren.'

'Ik moet met je praten. Kom, dan drinken we nu wat.'

Ze keek hem doordringend aan en legde het aardappelmesje in de gootsteen. 'Dit klinkt onheilspellend,' zei ze.

'Ik heb inderdaad geen goed nieuws.'

Ze veegde haar handen af aan een theedoek en liep naar de tafel. Ze ging zitten en hij schonk voor hen allebei een groot glas vol. Grace nam een slok en zei: 'Jullie gaan toch niet weer uit elkaar, hè?'

'Nee.' Ze zaten bijna in een rechte hoek ten opzichte van elkaar. 'Nee, dit heeft met Lauren te maken.' Hij keek haar niet aan. 'Er is een ziekte bij haar vastgesteld.' Hij hoorde haar licht inademen. 'Een slopende ziekte.' Hij had deze woorden een paar dagen geleden gekozen, nadat Lauren hem had gevraagd dit op zich te nemen.

'Een slopende ziekte? Welke ziekte?' Ze schoof haar glas weg.

'ALS.'

Ze schudde haar hoofd.

'Amyotrofische laterale sclerose.' Hij sprak de woorden langzaam uit. 'ALS. Die spierziekte die Lou Gehrig ook had. Weet je nog dat ze afgelopen zomer moeite met lopen had? Dat ik haar moest dragen?' Haar blik was onwrikbaar op zijn gezicht gericht. Hij probeerde haar in de ogen te kijken. 'Nou, dat was er een symptoom van.'

'Ik heb van die ziekte gehoord,' zei Grace. 'Maar ik weet niet wat er dan met je gebeurt. Wat gebeurt er precies?'

'Ze wordt steeds zwakker. Ze zal... hulp nodig hebben. In de latere stadia zal ze zelfs hulp nodig hebben met eten, of met ademen.'

Gracies mond ging open. Toen zei ze: 'Dus ze gaat hieraan dood.'

'Ja.' Hij keek naar zijn handen.

'Hoe lang heeft ze nog?'

Hij haalde zijn schouders op. 'Ik geloof dat het per geval verschilt, daarom kunnen de doktoren het op dit moment niet zeggen. Maar we hebben er over gelezen, en het kan drie jaar duren. Misschien vijf. Ze heeft zeker nog een paar jaar. Ze kan nu nog bijna alles doen.'

'Maar... dit is verschrikkelijk.' Grace' gezicht was vreselijk om aan te zien.

'Ja,' zei hij. Over de tafel heen pakte hij haar hand.

Ze haalde diep adem en ademde weer uit. 'Ik denk dat ik even naar boven ga.' Ze schoof haar stoel naar achteren.

'Neem dit mee.' Hij schonk haar glas bijna tot de rand vol en reikte het haar aan.

Ze nam het aan. Bij de deur draaide ze zich half om. 'Misschien kun je de aardappels opzetten. In plakjes gesneden, in kokend water.'

'Oké,' zei hij. Hij was bijna in tranen. Hij wilde dat ze ging, zodat hij kon huilen. Om haar, om Lauren, om zichzelf.

Ze moest dat hebben aangevoeld. Of misschien ook niet. In

elk geval zei ze: 'Ik vind het zo erg voor je, lieverd, dat je me dit moet vertellen.'

'Ja, ik vind het ook... erg.'

Maar toen ze wegging, huilde hij niet. Hij dronk nog wat whisky, hij sneed de aardappels en zette ze op, hij keek hoe het met het vlees ging. Hij zag de bevochtiger naast het fornuis op het aanrecht liggen, en dus vulde hij hem met vocht, voor het geval dat. Zo ging hij nu al wekenlang te werk. O, deze voet? Die zet je voor de andere neer. Hij schoof zijn stoel naar het raam en ging met zijn glas in zijn hand zitten kijken hoe de dikke sneeuwvlokken traag neerdaalden.

Hij hoorde niet hoe Grace naar beneden kwam, maar opeens schalde er muziek uit de woonkamer – blaasinstrumenten en stemmen uit de jaren dertig en veertig.

Hij draaide zich om, en zij stond in de keuken, met achter zich de kat.

'We eten geen groente,' verklaarde ze. 'Ze kunnen me wat. Alleen aardappels en vlees, ik heb geen zin om vanavond nog iets anders klaar te maken.' Ze ging naar de oven en opende hem.

'Dan heb ik geen zin om vanavond nog iets anders te eten,' zei hij.

Ze haalde het vlees uit de oven en zette het op het aanrecht. 'En we gaan drinken.'

'Daarin lig ik al op je voor,' zei hij.

'Drinken jullie?' vroeg ze. Ze stond bij de gootsteen en goot het dampende water van de aardappels af. 'Ik bedoel, in het algemeen?'

'Niet zo veel. Lauren heeft het idee dat ze er moeilijker door gaat praten, en bovendien slikt ze iets tegen depressiviteit, en dat betekent geloof ik dat ze eigenlijk ook niet mag drinken.' Hij nam nog een teugje whisky. 'Maar deze avond is een ander geval. Laten we ons ongelukkig zuipen.'

'Dat ben ik al, of ik nu drink of niet. Maar goed, laten we een paar glazen nemen. Laten we ons kachel drinken.'

Terwijl zij de aardappels pureerde, dekte hij de tafel. Ze zette het eten op tafel en ging terug naar de woonkamer om de platen weer op de grammofoon te leggen. Onder het eten luisterden ze naar de muziek, totdat die ophield. Hun conversatie ging van de hak op de tak, maar ze hadden het steeds over Lauren, over de ziekte. Grace wilde helpen. Ze dacht erover maandelijks ongeveer een week over te komen, wanneer Lauren haar nodig had. Ze leek de boodschap erg snel in zich te hebben opgenomen en hem te hebben geaccepteerd.

Maar toen ze naast elkaar stonden af te wassen, hield ze plotseling op en keerde zich naar hem toe. 'Hoe moet ik verder leven, als zij dood is?'

Hij kon geen antwoord bedenken. Hij stond sprakeloos en schudde zijn hoofd, en Grace ging verder met de afwas.

Later dansten ze wat, en daarna hielp hij haar met het inpakken van de platen – Lauren had gezegd dat ze die wilde hebben.

's Nachts hoorde hij hoe Tim Holloran met de sneeuwploeg de oprijlaan vrijmaakte, en hij zag hoe het schijnsel van de koplampen van zijn truck langs het plafond ging. Toen hij bij gedempt licht weer wakker werd, had hij een droge mond en hoofdpijn. Aspirine, gevolgd door koffie, hielp.

Hij laadde de auto in. Grace had meer spullen voor hem dan hij had gedacht. De kat moest in zijn mandje voorin zitten. Hij nam twee bananen en vertrok zonder te hebben ontbeten. Misschien waren de wegen sneeuwvrij, misschien ook niet, maar hij kon het niet aan om nog langer bij die matte, zwijgende Grace in dat ontruimde huis te blijven. Ook leek het hem waarschijnlijk dat ze wilde dat hij wegging, dat ze er behoefte aan had alleen te zijn.

Toen hij aan het einde van de lange oprijlaan de bocht om ging, zag hij dat ze nog op dezelfde plaats stond waar hij afscheid van haar had genomen, en toekeek hoe hij uit het zicht verdween.

In de eerste try-outvoorstelling gingen er maar een paar dingen mis. Annie, de actrice die voor Emily speelde, liet haar glas nepwhisky vallen en brak het, en Bob – Alex – verprutste een regel maar ving dat keurig op. Rafe had het idee dat hij een verkeerd accent legde op 'Elizabeth', zijn laatste regel en de laatste regel van het stuk. Meteen nadat hij hem had uitgesproken had hij de indruk dat het klonk alsof hij zijn eigen vrouw niet herkende.

Niemand was er na afloop in geïnteresseerd om dat aan de bar met hem te bespreken. De acteurs en een paar medewerkers waren daar bijeen om het glas te heffen. Er waren ook enkele partners.

Hij sprak met Billy. Net toen ze zich van hem wilde afwenden, vroeg ze hem: 'Hé, waar is je vrouw, waarmee je zo heel erg getrouwd bent?'

'Ik heb je toch gezegd dat ze vroeg naar bed gaat.'

'Elke avond?'

'Ze is invalide. Het gaat niet goed met haar.'

Haar gezicht betrok. 'O, wat erg.'

'Ja, wij vinden het ook erg.'

'Maar ik zit er ook mee omdat ik je een beetje... aan het plagen was, en dat is gewoon... ongepast.'

Hij begreep wat ze zei: dat ze had geflirt, dat haar plagerij een erotisch kantje had. 'O, het is in orde. Ik mis het dat ik niet meer geplaagd word.'

'Zoiets veronderstelde ik al, ja.'

'Zo is het ook.'

Later, toen iedereen naar huis ging, trof hij haar weer. 'Hulp nodig bij het uitlaten van je hond?' vroeg hij.

'Als je het leuk vindt, kun je meekomen. Mijn hond laat in feite meestal zichzelf uit. En het is 's avonds een haastige wandeling. Uitsluitend een verplichting, zogezegd.'

Ze liepen Union Park voor de helft door en gingen de trap op naar de ingang van een van de bakstenen herenhuizen aan het park. Samen met Billy betrad Rafe de hal, waar een imposante trap oprees en naar boven verdween. Ze opende een van de dubbele deuren naar wat vroeger de salon van het herenhuis moest zijn geweest.

Vanuit het donker sprong een zwarte gedaante op haar af. De hond was reusachtig. Terwijl ze hem enthousiast toesprak, ging hij op zijn achterpoten staan en legde zijn voorpoten even op haar schouders. Zijn kop kwam bijna net zo hoog als haar hoofd. Hij kwispelde als een bezetene met zijn staart. Het leek alsof ze elkaar toelachten.

De hond zette zijn voorpoten weer neer, kwam naar Rafe toe en drukte zijn neus een keer tegen hem aan, ergens in zijn kruis.

Hij vroeg haar wat voor ras de hond was, en ze zei dat haar was verteld dat hij een kruising was van een newfoundlander en iets wat mogelijk nog groter was. 'Maar ik heb geen idee wat dát zou kunnen zijn.'

'Hij is ongelofelijk groot,' zei Rafe.

'Ja. Ik dacht: laat ik een hond nemen die het allerslechtst bij iemand van mijn lengte past.' Ze wendde zich af. 'Laten we je riem eens pakken,' zei ze op gemoedelijke toon tegen de hond.

Ze stapte de donkere kamer in, Rafe en de hond volgden haar. De salon was enorm groot en had een hoog plafond. Rafe zag dubbele schuifdeuren, die deels opengeschoven waren, en daarachter een andere kamer en ramen.

De hond stond geduldig stil terwijl Billy de riem aan zijn halsband vasthaakte. Vervolgens gingen ze naar buiten. Ze slenterden naar de hoek, waar nog vaste klanten in de serre van een restaurant op de begane grond zaten, en daarna liepen ze langzaam terug. De hond moest zeker twaalf keer zijn poot hebben opgetild.

Ze vroeg hem of hij nog iets met haar wilde drinken.

'Ik heb al het nodige op.'

'Eentje nog, dan.'

Hij aarzelde. 'Goed,' zei hij. 'Goed. Waarom niet?'

'Dát zie ik nu graag,' zei ze. 'Ongebreideld enthousiasme.' Ze draaide de voordeur van het slot.

'Sorry,' zei hij.

Binnen knipte ze een lamp aan en verdween naar een kleine keuken naast de salon. Ze kwam terug met een fles wijn en twee glazen. 'Als jij hem openmaakt,' zei ze en ze overhandigde hem de kurkentrekker, 'zet ik wat muziek op.'

Terwijl Rafe de capsule van de fles trok en de kurkentrekker in de kurk draaide, hurkte Billy neer naast een breed tv-meubel en legde een stel cd's in een speler. Plotseling schalde er pianomuziek door de kamer, jazz... te hard.

'Oeps,' zei ze en ze draaide het volume terug. Hij herkende het nummer noch de artiest.

Ze ging aan de andere kant van de lange bank zitten. Ze legde haar voeten op de bekraste koffietafel. Hij was rond en zag eruit als een oude eiken eetkamertafel waarvan de poten waren ingekort. Er lagen stapels boeken en tijdschriften op.

Rafe overhandigde haar een glas en hief het zijne. 'Gezondheid,' zei hij.

'Op ons,' zei ze. 'Op de eerste echte voorstelling.'

Na één slokje zette hij zijn glas neer. Hij wilde echt niet méér drinken. 'Was je niet geïntimideerd, toen je over 11 september ging schrijven?' vroeg hij.

'Nou, het gaat natuurlijk niet over 11 september, maar over de Lake Shore Limited.'

'Ja, ja,' zei hij. Hij leunde achterover. 'Ik weet toevallig dat het over 11 september gaat. Dat heb ik van de schrijfster zelf gehoord.'

Ze glimlachte naar hem en hield haar hoofd scheef. 'Ja, dat is zo.' Ze ademde luidruchtig in. 'Het punt is,' zei ze, 'dat ik daar heel geloofwaardig over kán schrijven.'

'Over 11 september?'

'Mm-mmm. Ik ben een soort bijna-weduwe.' Ze keek naar hem. 'Er is een geliefde van me omgekomen.'

'O, wat erg voor je.'

'Dank je.' Ze zweeg een ogenblik. Toen glimlachte ze, een beetje bitter, dacht hij. 'Maar het geeft me een onfeilbaar gezag. Bijna net zoveel als Rudy Giuliani.'

Hij lachte. 'En je denkt er ook over je kandidaat voor het presidentschap te stellen?'

'In mijn leven sta ik precies zo veel in de openbaarheid als ik wil. En na 11 september was het een poosje té.'

'Werd je door de pers belegerd?'

Een ogenblik keek ze hem doordringend aan. 'Mooi woord. Daarmee zeg je het goed. Dat was inderdaad korte tijd het geval. Ik werd aangehaald in een stukje in de *New York Times* – ze noemden mijn naam en vermeldden dat ik in Boston woonde – en daarna werd ik een tijd gebeld als ze een verklaring, een reactie, moesten hebben van getroffen familieleden of intimi. Verloofde, werd ik officieel genoemd. Hoewel dat niet juist was. Maar het kwam van zijn zus en daarom heb ik het niet verbeterd. En toen wilde zijn zus, op wie ik erg gesteld ben, dat ik met haar naar allerlei plechtigheden zou gaan. Naar herdenkingsdiensten. Het was moeilijk om te weigeren, dus heb ik niet geweigerd. En ik moest bij die gelegenheden ook met anderen praten. Zijn zus wilde zelfs dat ik een deel van het géld kreeg, toen dat kwam.' Ze slaakte een diepe zucht.

'De mensen denken te weten wat je voelt.' Haar toon was

opeens zachter. 'Wat je moet voelen. En omdat het makkelijker is om jezelf en je ware gevoelens niet bloot te geven, help je ze niet uit de droom. Je houdt de schijn voor ze op. Ik denk dat ik het stuk daarom wilde schrijven – over een man die niet voelt wat hij hoort te voelen. Die om alle mogelijke redenen volkomen verward reageert. Zodat hij... bijna niets kan laten zien.'

'Nou, welbeschouwd ben ik daarmee geholpen. Bij het nadenken over een aantal zaken in het stuk.'

'Goed. Dat is dan mooi meegenomen.'

Ze zaten naar de muziek te luisteren. Of hij luisterde naar de muziek. Hij keek haar aan. 'Maar wat voelde je precies, wat je niet hoorde te voelen?' vroeg hij.

'O, dat weet ik niet. Ik voelde me gewoon niet... Het is eigenlijk niet belangrijk. Ik was... Iedereen verwacht gewoon bepaalde dingen van je. Dat is alles.'

Een ogenblik viel er een stilte tussen hen. Rafe voelde zich een beetje gespannen. Hij vroeg: 'Wat voor iemand was hij? Je bijna-verloofde?'

'Hij was... een goed mens. Hij was lief.'

Rafe trok een gezicht.

'Ik weet het. Maar dat was hij. Hij was een aardige, lieve man. Hij was iets jonger dan ik.' Ze trok haar benen onder zich op de bank en keerde zich naar hem toe. 'Hij gaf Engels op een *prep school*. Ik heb de herdenkingsdienst op zijn school bijgewoond, en al zijn leerlingen waren in tranen, geen jongen of meisje uitgezonderd. De hele dienst door. Niemand in de zaal hield het droog, behalve ik.' Ze lachte, luchthartig. 'Ik was me er bij hem altijd in niet geringe mate van bewust hoe verachtelijk ik was.'

'Tja.' Hij knikte verschillende keren. Hij dacht aan hoe verachtelijk hijzelf was, aan de verschillende manieren waarop hij elke dag tegenover Lauren tekortschoot.

Alsof ze zijn gedachten las, vroeg ze: 'En jouw vrouw? Wat is zij voor iemand?'

Hij haalde zijn schouders op. 'Ze was een zenuwpees. Geestig. Levendig.' Hij haalde zijn schouders nog eens op. 'Met geweldige benen.'

'Je spreekt in de verleden tijd.'

'Inderdaad. Zelfs de benen zijn een beetje...' Hij dacht eraan: ze waren bleek en slap. 'Wat als ik het goed begrijp de spierspanning heet, dat hebben ze niet meer.'

Ze zweeg even. 'Je maakt de indruk dat je heel ver van haar af staat.'

Hij vond dat ze bij die woorden een treurige klank in haar stem had, een meelevende klank misschien. In elk geval klonk ze niet alsof ze haar oordeel al klaar had. Hij had opeens het gevoel dat hij zich bij haar kon ontspannen. 'Ik sta noodgedwongen erg ver van haar af. Ze is... op dit moment staat eigenlijk alleen de ziekte heel dicht bij haar. En om het vol te kunnen houden moet ik de ziekte min of meer negeren. Onze doelen staan haaks op elkaar. Ik denk dat zij wel aanvoelt... dat ik haar alleen heb gelaten met haar ziekte. En dat is denk ik ook zo.'

'En wat voor ziekte is het?'

'*Lou Gehrig's disease*. Stephen Hawking,' zei hij. Hij glimlachte. 'Of "Als die klote Stephen Hawking", zoals zij hem noemt.

Weet je, ze schrijft erover.' Hij knikte. 'Jazeker. Memoires. Ze heeft complexe software die door haar stem wordt geactiveerd. Ik heb er zo hier en daar wat van gezien. Ik denk dat ze het prettig zou vinden als ik het lees. Maar ik wil het niet lezen. Het is het allerlaatste wat ik wil lezen. Zolang ze nog leeft. Misschien lees ik het na haar dood. Dan zal ik het zogezegd in tranen lezen. Voorlopig...' Hij schudde zijn hoofd. 'Ja, ik blijf op afstand.'

Er speelde een andere cd. Het pianospel was nu traag. Een oud nummer van Fats Waller, dacht hij. Waarschijnlijk hadden Lauren en hij de oorspronkelijke versie op een van Gracies 78-toerenplaten.

'Maar je houdt van haar.'

'Ik heb van haar gehouden. En daarom houd ik van haar. Ja.'

Ze keek hem aan, haar hoofd stond schuin. 'Je moet erg eenzaam zijn.'

Hij lachte, haastig. 'Misschien moet ik een hond nemen.'

Ze glimlachte. 'Weet je, het werkt. Een hond. Tot op zekere hoogte.'

'Wij hebben een kat. Maar die houdt vooral mijn vrouw gezelschap.'

Een paar minuten zwegen ze. Toen zei zij: 'Zou je willen vrijen? Omdat je geen hond kunt nemen.' Ze glimlachte, haar lippen waren iets geopend.

'Jawel,' zei hij. Hij keek haar recht aan. 'Ik weet niet zeker of ik het wel kan.' Hij glimlachte ook, maar treurig. 'Dit was niet de meest erotische opening die ik me kan voorstellen.'

'Je weet maar nooit,' zei ze en ze boog zich voorover om haar glas op tafel te zetten.

Rafe volgde haar naar de twee schuifdeuren. Terwijl hij de donkere kamer betrad, sprak zij tegen de hond, die ook achter hen aan was gekomen. 'Reuben, blijf.'

Reuben ging meteen liggen en legde zijn kop op zijn voorpoten. Hij liet een verontrust gejank horen.

'Hou je fatsoen,' zei ze.

Ze schoof de deuren dicht. Deze kamer was kleiner, misschien half zo groot als de woonkamer. Voordat het pand werd opgedeeld was het waarschijnlijk een achterkamer geweest. De hoge ramen zagen uit op een besloten ruimte achter het huis, een soort tuintje. Door de boomtakken was het zwakke schijnsel van negentiende-eeuwse gaslampen zicht-baar, en hun flauwe licht viel ook in de kamer. Tegen de muur stond een opgemaakt bed met een lappendeken erop.

Ze kleedden zich aan weerskanten van het bed uit, als een echtpaar dat al jaren getrouwd is. Billy trok de dekens weg en ging aan haar kant het bed in. Naar hem toegewend schoof ze naar het midden van het bed. Haar gezicht was beschaduwd, maar Rafe voelde haar blik op zich rusten.

Hij gleed naar haar toe en ze raakten elkaar aan. Haar li-chaam was klein – heel veel kleiner dan dat van Lauren – en gespannen, gespierd. Met een vorm van verbazing liet hij zijn handen over haar ledematen gaan, over haar billen en haar borsten. Overal was ze vlug en levendig, en reageerde ze. Haar spieren veerden op onder zijn aanraking, haar pezen waren gespannen als een koord. Er straalden warmte en energie van haar af.

Rafe kon wel huilen.

Hij kreeg een stijve, bijna meteen. 'Ik heb niets,' zei hij. Hij ademde hoorbaar en versneld. 'Geen condoom. Ik heb er geen.'

'Ik wel,' antwoordde zij. Ze rolde bij hem weg en tastte naar het nachtkastje. Hij hoorde dat de la opening. Ze draaide zich om, zwaaide een been omhoog en schoof over hem heen. Vervolgens ging ze schrijlings op hem zitten. In het zwakke licht zag hij dat haar borsten verrassend stevig waren. Ze nam plaats op zijn dijen en scheurde de condoomverpakking open. Ze was er zeer bedreven in: ze streelde hem met haar warme handen terwijl ze tegelijk het condoom over hem afrolde. Hij kreunde van genot.

Ze ging op haar knieën zitten en schoof naar voren. Hij keek naar wat haar handen deden: ze hielden zijn stijve penis vast en lieten hem voorzichtig bij haar naar binnen gaan. Toen ze zich volledig over hem heen had laten zakken en hij helemaal in haar was, kromde ze haar rug en begon langzaam op en neer te bewegen. Haar billen en dijen spanden zich ritmisch aan in het tempo van haar bewegingen.

Hij hield haar bij haar heupen vast en hielp haar om sneller te bewegen. Haar borsten schokten op en neer. Hij was wild van opwinding. Hij begon klaar te komen, veel te vlug en te snel. Terwijl hij zich harder en langer in haar duwde, antwoordde ze hem met haar lichaam, en ze bereed hem doorlopend totdat hij kapot was en ze allebei vertraagden – toen stopte hij. Een minuut lang zat ze alleen te hijgen. Toen lachte ze kort. Zwaar ademend kwamen ze zo even tot zichzelf. Billy bewoog nog, ze deinde langzaam op en neer.

Ten slotte gleed hij uit haar. Ze ging op hem liggen, sloot haar dijen om hem heen en bewoog haar heupen een beetje heen en weer. Hun ademhaling werd gelijkmatiger. Ze rustten even uit, en toen schoof Billy over zijn lichaam omhoog. Ze zoende hem. Hij hield haar vast. Ze had haar benen over hem heen geopend. Hij voelde haar knieën aan twee kanten tegen zijn ribbenkast drukken en voelde haar warm en vochtig op zijn buik. Even later gleed ze van hem af en lagen ze naast elkaar.

Rafe draaide zich op zijn zij om haar aan te kijken en aan te raken. In de donkere kamer leken haar ogen zwart. Wat was ze klein en volmaakt onder zijn handen. En toch die volle borsten en dat dichte, donkere schaamhaar. Zijn vingers streken over haar tepels en die werden hard.

'Er is iets wat ik je nog niet heb gezegd,' zei hij. Zijn stem klonk hees.

'O-o.'

'Nee. Ik vind je stuk goed. Dat is het.'

'Dat is het?' ze lachte. 'Dat betekent zo goed als alles voor me.'

'Dan ben ik blij dat ik ertoe gekomen ben om het te zeggen.' Hij raakte haar nu overal aan: haar borsten, haar tepels, haar heupen, haar buik. Hij kreeg er geen genoeg van hoe ze aanvoelde.

'Vreemd toch, dat de daad je tong heeft losgemaakt.' Haar stem klonk dromerig.

Hij liet zijn hand langs haar buik glijden en drukte door haar dichte, krullerige schaamhaar twee vingers haar gladde warme plekje in. Haar ogen waren gesloten. Hij vond haar clitoris met zijn duim en begon er een draaiende beweging op te maken. Nu opende ze haar ogen. Ze ademde sneller. 'Het fantastische van... de daad moet je eraan hebben herinnerd.'

'Ongetwijfeld.' Hij speelde een poosje met haar en verspreidde met zijn vingers haar vocht om alles glad en soepel te maken.

Rafe schoof naar beneden. Hij spreidde haar benen ver uiteen, opende haar met zijn vingers, legde zijn gezicht op haar, op haar smaak en haar geur, en gebruikte zijn mond en zijn tong. Haar heupen begonnen te bewegen en drukten tegen hem aan. Hij bewoog zijn vingers over haar clitoris, hij hield hem omhooggedrukt zodat hij er met zijn hele mond aan kon zuigen. Ze kreunde. Hij duwde zijn vingers in haar en trok ze er weer uit.

Toen ze klaarkwam schreeuwde ze het een paar keer achtereen uit. Ze hief haar heupen omhoog, en drukte zich met schokkende bewegingen tegen zijn mond en gezicht aan. Terwijl haar orgasme afliep nam de intensiteit van haar bewegingen af, en ten slotte bleef ze roerloos liggen. Hij draaide zijn gezicht opzij en voelde het zachte, nu natte haar op zijn wang. Hij hield zijn vingers in haar en bewoog ze langzaam naar binnen en naar buiten. 'O,' zei ze. 'Wat is dit lékker.'

Hij liet een luchtig lachje weerklinken. Na een poosje schoof hij omhoog, zodat hij naast haar kwam te liggen. Hij hielp haar de dekens over hen beiden heen te trekken. Hij sliep een poosje. Hij werd wakker. De rode cijfers van de wekker gaven aan dat het twaalf over twee was.

Toen hij opstond met de bedoeling te vertrekken, kwam zij in beweging en stond ook op. Hij had gedacht dat ze sliep. Ze trok de peignoir aan die aan de deur naar de badkamer hing en ging met hem naar de salon. Toen de deuren opengingen kwam de hond overeind. Waakzaam wachtte hij af wat er vervolgens ging gebeuren.

Billy liep samen met Rafe naar de deur van de hal. 'Wat was dit heerlijk,' zei ze. Ze fluisterde bijna.

'Dat wás het.' Hij kuste haar en zakte daarbij door zijn knieën om haar omhooggekeerde gezicht te kunnen bereiken. Hij was weer vergeten hoe klein ze was.

'Ik ben gek op je mond,' zei ze. 'Bedankt voor je mond. En voor al die andere heerlijke dingen van je.'

Hij wist niet wat hij moest zeggen.

Ze deed een stap naar achteren. 'Ga je hierover piekeren?' vroeg ze op zachte toon.

Hij antwoordde niet. Hij haalde zijn schouders een beetje op.

'Rafe, dit was een geval van twee eenzame mensen die elkaar troosten. Ik was eenzaam. Ik voel me fantastisch getroost. Ik hoop dat jij het ook zo voelt.'

Hij knikte. 'Ja. Ja, dat doe ik. Zeker wel.'

'Ga hier alsjeblieft niet over piekeren. Je maakt de indruk een piekeraar te zijn. Zorg dat... ik – of dit – geen stof tot piekeren wordt. Dat wil ik niet. Dat ben ik niet. Dat is het niet. Dit was alleen voor deze keer, alleen voor ons. Onze vrijpartij voor één keer. Gewoon een fantastische eenmalige gebeurtenis. Voor mij was het in elk geval fantastisch.'

'Ja, voor mij ook,' zei hij. Hij kuste haar en zij sloeg haar armen om zijn middel. Ze liet haar hoofd op zijn borst rusten.

Hij legde er even zijn hand op en vond dat haar gladde haar-
dos prettig aanvoelde.

'En dat is het dan,' zei ze zacht. 'Toch?'

'Ja, dat zal wel moeten,' zei hij. 'Bedankt. Bedankt dat je
dat hebt gezegd.'

Ze deed een stap terug en maakte een reverence.

Terwijl hij de deur naar de hal opende, keek hij naar haar.
Samen met de hond stond ze vlak achter de lichtstreep die
vanuit de hal naar binnen viel. Ze zag eruit als een kind, maar
een mythisch kind, een kind uit een sprookje, dat wordt be-
waakt door een wild dier: door een zwarte beer. Een griffioen.
Toen hij vertrok stak ze haar hand op.

De nachtlucht was koud en afgezien van een incidentele taxi
en een enkele voetganger waren de straten leeg. Er zat een bon
op zijn auto, die hij in het handschoenenkastje stak. Er lagen
nog verschillende andere bonnen in, hij moest ze snel betalen,
anders kreeg hij een wielklem.

Hij reed Massachusetts Avenue op, zijn auto was daar bijna
de enige op de weg. Alle verkeerslichten sprongen voor hem
op rood, de hele route door. Hij wist wat hem te wachten
stond: het gevoel van schaamte, het gevoel dat hij Lauren on-
recht had gedaan. Maar zolang hij hier reed, alleen onderwég
was, kon hij dat van zich af zetten en gewoon in het hier en
nu zijn, terwijl hij zich voor het eerst in ruim een jaar van zijn
lichaam bewust was en hij nog levendige, zintuiglijke herinneringen had, aan Billy's lichaam dat zich voor hem opende
en in respons op hem bewoog. Hij hoefde nog niet te denken
aan wat hij zichzelf niet mocht toestaan.

Op de brug van Massachusetts Avenue keek hij naar de
lichten van de stad, naar de paarse spijlen van Zakim Bridge,
waarvan het dubbele spiegelbeeld glinsterde in het deinende
water van de rivier. Hij reed langs het MIT. Bij Pearl nam hij
de afslag naar het zuiden. De slapende, stille straten van Cam-

bridgeport sloten zich om hem heen. Thuis was de veranda-verlichting gedoofd.

Binnen trok hij zijn schoenen uit. Marsh kwam naar hem toe en drukte zich tegen zijn been aan. Hij bukte zich om hem te aaien. In de donkere keuken waste hij zijn gezicht. Hij trok zijn overhemd uit en waste ook zijn bovenlichaam, huiverend van de kou. Terwijl hij de woonkamer in liep, klakten de botjes van zijn blote voeten tegen elkaar aan. Zijn spijkerbroek legde hij op een stoel.

Maar toen hij de slaapkamerdeur opende, de zwaarte van de warme, vochtige lucht voelde en het gezoem van de lucht-bevochtiger hoorde, wilde hij er niet naar binnen en wilde hij niet naast de roerloze gedaante gaan liggen die Lauren was. Voorzichtig sloot hij de deur, strekte zich uit op de bank en sloeg Gracies oude sprei om zich heen.

Om vijf uur schreeuwde Lauren het uit, met een paniekerige stem.

Toen hij haar uit bed hielp, zag hij dat ze kwaad was. Ze bromde zelfs geen begroeting en wilde hem niet in de ogen kijken.

Toen hij haar het toilet op hielp, zei ze: 'Je móet thuiskomen.'

'Ik was thuis,' zei hij. 'Ik ben thuisgekomen. Ik wilde je niet wakker maken, maar ik was hier.' Hoewel dat deels waar was, had hij bij die woorden het gevoel dat hij loog. Hij lóóg bij die woorden ook.

'Maar dat wíst ik niet.' Ze begon te huilen. Ze had in lang niet gehuild. 'Ik moet weten dat ik niet alleen ben,' zei ze.

Hij nam snel een deemoedige houding aan. 'Ja, je hebt ge-lijk,' zei hij. Hij tastte naar een tissue en veegde er haar ogen en neus mee af. 'Het spijt me, Lauren. Het spijt me zo.' Hij dacht zich in hoe het voor haar moest zijn geweest: de fysieke angst in de steek te worden gelaten, en dan dat andere, de gedachte aan wat hij misschien aan het doen was – aan wat hij wel aan het doen móest zijn. Wat had hij in godsnaam gedaan. En dan was er altijd de mogelijkheid – kon ze zich dat voorstellen? – dat hij gewoonweg niet meer terug zou komen, nooit meer. Ja, waarschijnlijk kon ze zich dat voorstellen. En dat was zijn verdiende loon.

Nadat ze had geplast en hij haar had afgeveegd, ondersteunde hij haar op de weg terug naar bed en ging naast haar liggen. Marsh kwam binnen en sprong op het bed, waar hij tussen hen heen en weer liep totdat hij een goed plekje had gevonden, dicht tegen Laurens zij aan.

Rafe vertelde Lauren een lang verhaal over een kroegentocht met Edmund en Serena.

Ze zei dat het haar speet. Ze had niet zo over hem mogen denken. Maar ze was zo alleen geweest, en zo bang.

Hij streelde haar over haar haar en haar gezicht, en hield haar handen vast. Hij had snel opvlammende herinneringen aan Billy's lichaam, aan zijn handen op haar lijf, maar met diezelfde handen bleef hij Lauren traag en troostend strelen. Hij fluisterde haar toe, zei haar naam en zei steeds weer dat hij van haar hield, net zolang tot ze allebei weer in slaap vielen. Pas meer dan twee uur later werden ze weer wakker.

Die avond kwamen er vrienden langs om een dessert met koffie en cognac bij hen te gebruiken. Zo hadden ze het probleem opgelost dat Lauren niet meer kon koken – en zelfs eigenlijk niet meer in het bijzijn van anderen kon eten. Ook werd de avond op die manier korter en minder vermoeiend voor haar.

Ze praatten over de Red Sox en over de nieuwe film van Ben Affleck, die zich in Dorchester afspeelde. Het gesprek ging van de hak op de tak. Problematisch was dat het zelfs deze goede vrienden – Mary was een van de leden van de Round Robin: ze zag Lauren ongeveer om de week – nu moeite kostte om haar te verstaan. Mary wist dat ze haar blik op Lauren gevestigd moest houden terwijl Rafe haar woorden vertaalde, maar Victor keerde zich telkens wanneer Lauren begon te praten naar Rafe toe. Geleidelijk aan gaf ze haar pogingen op.

In het licht van Laurens enorme rol in Rafes eigen bestaan stond hij er versteld van hoe snel ze in gezelschap simpelweg werd uitgewist, zelfs voor hem. Ze spraken verder zonder haar, achter haar om, alsof ze er niet was.

Op een gegeven moment zei ze iets duidelijks. Ze hadden het over de dood van Norman Mailer, en Lauren zei: 'Hij was een klootzak.'

Ze moesten allemaal lachen, en toen Rafe naar haar gezicht keek deed het hem hevig pijn om te zien hoe blij ze was dat ze werd begrepen en dat ze hen had geamuseerd, zelfs met deze onbeduidende, grove opmerking. Lauren, een van de amusantste mensen die hij kende.

'Hoe kun je dat zeggen?' zei Victor. 'Hij heeft ten minste een paar geweldige boeken geschreven.' Victor doceerde letterkunde aan Boston University.

'Dat kan me niet schelen,' zei Lauren en Rafe begon weer te vertalen. 'Hij is groot geworden in een tijdperk waarin de meeste mannen zich tegenover vrouwen als klootzakken gedroegen, en hij heeft nooit de moeite genomen die kant van zichzelf kritisch te bezien. Juist integendeel. Hij koesterde zijn houding. Hij verdedigde die.'

Maar na dat moment in de conversatie gingen ze verder. Mary informeerde naar Rafes stuk en hij vertelde dat het goed van de grond leek te komen. Nee, in andere steden waren geen aparte producties opgezet, maar na deze reeks voorstellingen gingen ze op tournee.

'Ah, dus dan ga jij mee?' vroeg Victor.

'Nee.' Hij schudde zijn hoofd en wierp een snelle blik op Lauren. Haar blik rustte onbewogen op hem. 'Nee, ik blijf hier. Ik ben nog met paar andere dingen bezig.'

Ze praatten nog wat langer. Lauren zei nu helemaal niets meer, en ten slotte keek Mary haar aan en zei: 'Het is al laat. En voor ons allemaal is er morgen werk aan de winkel, nietwaar?'

Victor en Mary stonden op. Ze zochten hun spullen bij elkaar. Allebei bogen ze zich om Lauren een afscheidszoen te geven, en Mary zei: 'Tot aanstaande donderdag, toch?'

Lauren knikte, en Mary en Victor liepen samen met Rafe al keuvelend naar de deur.

Rafe kwam terug en bracht Lauren naar bed. Ze was uitgeput. Rafe ruimde op. Vervolgens nam hij nog een glas cognac en las het tweede bedrijf van het stuk door. Daarbij dacht hij aan wat Billy had verteld over haar beweegredenen om Gabriel zo te laten zijn als hij was, en aan wat Gabriel wel en niet voelde.

Hij dacht aan Lauren. Gabriels herinneringen aan Elizabeth – vrolijke, grappige, moeilijke en opwindende herinneringen – moesten een beetje op zijn herinneringen aan Lauren lijken. Die lagen onder de oppervlakte, maar ze waren altijd aanwezig, onder de Lauren met wie hij samenleefde, de Lauren voor wie hij zorgde of probeerde te zorgen. Net zoals de Elizabeth in Gabriels herinneringen zich ophield onder de afstandelijke vrouw met wie hij samenleefde.

Zó lang had het geduurd voordat hij inzag dat het stuk over hem ging. Je mocht inderdaad van ontkenning spreken.

Hij legde de tekst neer en stond het zichzelf toe aan Billy te denken. Aan haar conversatie. Hij herinnerde zich ook hoe ze was klaargekomen, hoe haar kleine, sterke lichaam in het zwakke licht van haar slaapkamer schokkende bewegingen had gemaakt. Hij deed de lamp naast de bank uit. Hij was opgewonden, maar raakte zichzelf niet aan. Hij hield zichzelf voor dat het niet waarschijnlijk was dat ze nog eens met elkaar zouden slapen. Hij geloofde niet dat hij ertoe in staat was. Hij had zich te ellendig over Lauren gevoeld. Goed – pas na afloop en niet tijdens het vrijen, maar hij wist dat hij nog zo'n ochtend als deze niet aan zou kunnen – hoe zij zich had gevoeld en hoe hij zich voelde.

Het leek erop dat Billy vlak voor zijn vertrek had gemerkt dat die gevoelens bij hem opkwamen. De hele situatie in aanmerking genomen, was ze lief geweest. Hij schudde zijn hoofd: wat was hij een naargeestige sekspartner geworden. In alle mogelijke betekenissen van het woord.

Hij zuchtte en stond op. Hij kleedde zich uit. Hij ging de slaapkamer binnen en ging naast Lauren in bed liggen. Ze verroerde zich niet.

Toen hij de volgende avond de woonkamer in liep om afscheid te nemen, zei Lauren: 'We moeten het niet meer proberen.' Hij moest verbluft hebben gekeken, want snel zei ze: 'Sociale contacten.'

Hij ging zitten. 'Kijk eens,' zei hij, 'ik weet dat het gisteravond niet goed ging. Maar dat was mijn fout. Ik liet het gebeuren. Ik had het voor jou makkelijker moeten maken om aan het gesprek deel te nemen.'

'Nee,' zei ze. 'Dat moet je niet zeggen. Het is allemaal te veel voor jou om mee om te gaan.' Ze draaide een beetje in haar stoel, alsof ze niet lekker zat. 'Ik heb tenslotte vriendinnen. Ik kan met hen praten.' Ze maakte een kleine hoofdbeweging richting keuken, waar Carol, die haar vanavond gezelschap zou houden, de vaat deed en de kraan gestaag liet lopen. 'In een een-op-een-situatie krijg ik het voor elkaar. Zo wil ik voortaan mensen zien.'

'Ik ben het niet met je eens.'

Ze glimlachte. 'Dat is dan jammer. Want zo wil ik het.'

'Ik vind dat we moeten volhouden. Blijven proberen.'

Ze kreunde geërgerd. 'Ik wíl niet blijven proberen. En daarmee is de kous af.'

'Oké,' zei hij. Hij stond op en keek haar aan. Een ogenblik later zei hij: 'Maar als je van gedachten verandert...'

'Dat zal er niet van komen,' zei ze.

Hij trok zijn jas aan.

'Arme stakker,' zei ze. Ze glimlachte weer, de lach lukte bijna en herinnerde hem eraan hoe ze vroeger was geweest.

'Néé,' zei hij en hij beantwoordde haar glimlach.

'Jawel,' zei ze. 'Het is een heel zware klus, om Laurens mannetje te moeten zijn.'

'Ik hou van je.'

Opeens sprongen haar de tranen in de ogen. 'Dan moet het afschuwelijk zijn om mij soms dood te wensen.'

Hij was geschokt. Hij liep naar haar toe, knielde voor haar stoel neer en pakte haar gezicht vast. 'Ik wens nooit dat je dood bent.'

'Ach, léugenaar,' zei ze duidelijk. 'Ik wens soms zelf dat ik dood ben, dus ik weet dat jij het ook moet doen.'

De antwoorden kwamen hem voor de geest, alles wat hij zo vaak had gezegd. Dat ze, wat er ook gebeurde, voor hem altijd dezelfde was, dat hij van haar hield en dat hij nu niets minder van haar hield. Dat hij elk ogenblik met haar koesterde. Dat hij, zoals hij zojuist nog had gezegd, nooit wenste dat ze dood was.

Hij sprak niet een van deze zinnen uit.

Een ogenblik later zei hij: 'Dat is allemaal niet belangrijk.'

Heel even maakte ze een bijna geschrokken indruk. Toen zei ze: 'Dat weet ik.'

Toen hij de deur uit ging, zei ze: 'Maak er vanavond wat van.'

In het eerste bedrijf leken ze het niet helemaal te pakken te hebben en waren ze een beetje traag. Misschien omdat de volgende dag de première was. Zelf had hij het idee dat hij nieuwe informatie aan Gabriel toevoegde, Billy's informatie. En op de een of andere manier – en dit was een heel embryonaal, ondoordacht gevoel – tevens al zijn ervaringen van de afgelopen paar dagen, met Billy, en ja, ook met Lauren.

In het twistgesprek met Anita in het tweede bedrijf, tegen het slot van het stuk, de lange woordenwisseling over wat Gabriel naar zijn idee moest doen en voelen, hoorde hij de dialoog anders en reageerde hij anders. Daardoor werden haar reacties anders. Het had verkeerd kunnen uitpakken, maar hij ervoer het alsof er wat klíkte: het moment waarnaar hij bij het acteren altijd op zoek was, in elke rol – het moment waarop hij in elke regel de volledige betekenis van het stuk gewaarwerd. Net een wiskundig bewijs, had hij weleens gezegd als hij die gewaarwording tegenover een vriend probeerde te verklaren. Of een muziekstuk. Het was voor hem één geheel, zoiets. Als hij Gabriels regels uitsprak had hij het gevoel dat hij ze werkelijk begreep. Hij had het gevoel dat hij Gabriel wás; Gabriel, die de consequenties aanvaardde die Elizabeths lot voor hem had, hoe dat lot ook uitviel. Die de willekeur van het feit dat de terreur haar leven had getroffen als zíjn lot aanvaardde. Die dáárvoor – voor de aanvaarding – koos, en niet om zelf te handelen, wat plotseling zo'n futiele indruk maakte: ja of nee tegen zijn huwelijk zeggen. En hij ervoer dat niet als passiviteit, maar als een vermetele vorm van risico nemen, die voor hem onvermijdelijk was. In een staat van opwinding sprak hij de regels uit.

Hij merkte dat Anita verbaasd en in de war was, maar ook dat was in zijn ogen écht, de best mogelijke interpretatie.

Nadat zij was weggegaan liep hij traag en bijna verwonderd over het toneel, alsof het op de een of andere manier nieuw en ongewoon was. Alsof hij een nieuwe Gabriel was, die alles met een frisse blik bezag: zijn handen, het lege glas, de boeken die hij aanraakte. Hij staarde recht in het verblindende licht achter het raam in het decor, met een flauw glimlachje omdat hij voelde wat hij voelde.

Toen hij zijn naam hoorde, draaide hij zich om en zag tot zijn verbijstering Elizabeth, Elizabeth die bij hem was teruggekeerd; gewond, maar in levenden lijve. Het trof hem als een klap: de komst van het nieuws van zijn leven, van zijn eigen lot. Hij voelde de tranen opkomen. Hij was er nog niet aan toe, hij had niet geweten dat ze zouden komen. Geruime tijd hield hij zijn handen voor zijn ogen.

Toen besefte hij wat hij moest doen. Hij liet zijn handen zakken zodat ze zijn betraande gezicht kon zien; tenslotte was dit zijn geschenk voor haar. Hij liep naar voren, naar haar toe, en sprak, net iets luider dan op fluistertoon, zijn laatste regel uit. Haar naam. *Elizabeth.*

Billy

Toen het doek viel zat Billy onbewogen het applaus uit, dat geleidelijk wegstierf, en vervolgens het opstaan en de eerste gesprekjes van het publiek, en daarna het begin van hun trage, schuifelende uittocht. Haar hart bonsde zwaar in haar borst-kas, al vanaf de laatste ogenblikken van het tweede bedrijf. Bij het slot was ze bijna ademloos. Ze had het idee dat ze *Gabriel* zag, precies de persoon die hij was, zoals zij had gewild dat hij op dat ogenblik moest zijn. Terwijl ze hem gadesloeg begreep ze wat ze zelf had bedoeld, zo goed als ze het nooit eerder had begrepen, ook niet toen ze het stuk schreef.

De regieaanwijzing naast Elizabeths naam – het laatste woord dat in het stuk werd gesproken – was: 'Vreugdevol. Treurig.' Rafe was er vanavond in geslaagd beide emoties, vreugde en verdriet, over te brengen. Terwijl de scène zich voor Billy's ogen ontvouwde, voelde ze zich intiem verbonden met wat hij ervan maakte, alsof hij niet alleen het personage begreep, maar op de een of andere manier ook haar.

Ze sloot haar ogen en zag zijn gezicht weer voor zich op het moment dat hij zijn handen liet zakken om Elizabeth zijn ge-voelens te tonen – zijn achterovergebogen hoofd, de tranen die over zijn wangen stroomden, zijn mond die zich opende om iets te zeggen. Het was Gabriel die daar stond. Ze had Rafe helemaal niet gezien. Ze had niet gedacht aan wat hij deed of naliet.

Toen het doek opging voor het applaus, werd de betovering

verbroken: daar was Rafe, zijn gezicht nog nat van de tranen. Ze stond bijna perplex van dankbaarheid. Ze wilde hem zien en met hem praten. Hem bedanken. Hem zeggen dat ze had genoten van zijn spel. Misschien zelfs zeggen dat het haar speet.

Dat wat haar speet?

Ze wist het niet precies.

Ze herinnerde zich hoe hij eruit had gezien toen hij gisternacht bij haar was weggegaan – de niet-getransformeerde Rafe. Ze had voorvoeld dat hij door schuld en verdriet zou worden gekweld, gevoelens die voor hem in zijn trieste bestaan met zijn vrouw altijd op de loer lagen. Ze had meteen al gevonden dat het verkeerd was geweest om met hem te slapen – ze hadden het niet moeten doen.

Zíj samen: vergeet het maar. Zijzelf had het laten gebeuren. Zijzelf had het niet moeten doen.

Maar nu was ze blij dat ze het wel had gedaan. Ze was ook blij geweest toen ze het deed, maar dat was iets persoonlijks, iets zuiver seksueels. Ze was eenzaam, in seksueel opzicht. Het was als water waarmee ze haar dorst leste. Maar nu was ze blij omdat het haar – en hem – dit moment op het toneel had gegeven, daar was ze zeker van. Er was in hem iets opengegaan, er was iets veranderd. Iets waardoor Gabriel de naam van zijn vrouw kon uitspreken alsof het tegelijk een zegen en een bezoeking was – iets wat je verwelkomde en waaronder je moest lijden.

Ze stond op. Zich een weg banend door de laatste achterblijvers liep ze naar het toneel. Ze ging het trapje op en schoof het doek opzij. Terwijl ze naar de coulissen liep, hoorde ze stemmen. Ze draaide zich om en zag dat Edmund en Nasim, een van de belichters, op het toneel in gesprek waren. Even was ze bijna verschrikt omdat er anderen in Gabriels woonkamer waren. Ze zei Edmunds naam.

Hij keek naar haar en meteen verscheen er een grijns op zijn brede gezicht. Zijn hoofd bewoog al op en neer: ja!

'Heb je het gezien?' vroeg Billy aan hem. Hij knikte nogmaals. 'Was het niet fantastisch?'

'Ja,' zei hij. 'Dat was het zeker.' Hij hief zijn hand op en streelde vergenoegd door zijn baard.

'Waar is hij? Waar is Rafe? Ik wou hem spreken.'

'Weg. Niet hier. Hij moet ongeveer meteen nadat het doek viel zijn vertrokken. Hij was met zijn hoofd heel ergens anders.'

'Hé,' zei Nasim. 'Ik ga kijken wat er aan dat schakelbord mankeert, wat er aan de hand is.'

Edmund keerde zich naar hem toe. 'Dat is prima,' zei hij.

Billy was ook het toneel opgekomen en ging nu op de armleuning van de te dik gestoffeerde stoel zitten. 'Waarom?' vroeg ze Edmund. 'Waarom is hij vertrokken?'

'Ik denk dat hij... op de een of andere manier van zijn stuk was geraakt.' Edmund haalde zijn schouders op. 'Ik denk dat hij zelf ook perplex stond van zijn spel.'

'Ik hoop dat je hem hebt gezegd hoe geweldig het was. Voordat hij verdween.'

'Dat heb ik gezegd. Dat hebben we allemaal gezegd.' Een ogenblik zaten ze elkaar verbouwereerd toe te lachen.

'God, ik was zo... ontroerd,' zei Billy ten slotte.

'Het was fantastisch.'

Ze liet een korte stilte vallen. Toen zei ze: 'Ik had heel veel eerder met hem naar bed moeten gaan.'

Zijn gezicht betrok. 'Billy, dat heb je toch niet echt gedaan!'

'Nee.' Opeens schaamde ze zich. 'Nee,' zei ze. 'Ik maakte maar een grapje.'

'Goed! Want weet je, zijn leven is... echt heel moeilijk.'

'Ik weet het. Ik weet het. Hij heeft me erover verteld.'

Edmund keek naar haar. Ze wist dat hem niet duidelijk

was of ze loog of niet. Hij schudde zijn hoofd. 'Het zou voor hem... heel nare dingen met zich mee kunnen brengen,' zei hij.

'Ik weet het. Ik maakte maar een grapje.' Maar zijn gezicht stond streng. De angstaanjagende Edmund, waar iedereen bang voor was. 'Het was een grapje, Edmund,' hield ze vol, in een poging hem weer blij te maken.

'Niet echt een leuk grapje,' zei hij.

'Dan maak ik mijn excuses.' Een ogenblik legde ze haar hand op haar hart. 'Ik zei het alleen maar omdat ik zo opgetogen was. Het is bijna gênant, zo blij ben ik. Voor hem en voor mij.'

'Voor ons.'

'Inderdaad. Voor ons allemaal.'

Edmund plofte nu in zijn volle omvang op de bank neer en bromde wat. Hier zaten ze met zijn tweeën, ontspannen en blij in de treurige wereld van Gabriel. Het klopte niet.

Opeens kwam er een frons op Edmunds gezicht. 'De grote vraag is: zal hij het nog eens kunnen?'

'O, nu hij het te pakken heeft, wed ik van wel.'

'Ja? Maar misschien dan zonder dat element van verrassing.' Hij zette zijn bril af en veegde hem schoon aan de zoom van zijn enorme, vormeloze T-shirt. SONOMA JAZZ FESTIVAL, stond erop.

'Maar alleen wij waren verrast,' zei Billy. 'Ik bedoel, wie wist er verder dat hij het nooit eerder zo had gedaan?'

'Nou, hij was zelf ook verrast, daar gaat het om. Hij heeft zichzelf verrast. Het zal niet meevallen om dat nog eens over te doen.'

'O, probeer eens niet zo pessimistisch te zijn, Ed.'

'Dat valt voor mij niet mee,' zei hij. Hij zette zijn bril weer op, en zijn lichte, bijna kleurloze ogen werden weer groot.

Even zaten ze allebei zwijgend in het niets te staren. Billy zuchtte. Ze moest in beweging komen. Ze stond op en trok haar jas aan, haar vleermuisjas, zoals ze hem in gedachten noemde. Hij was zwart en had grote, wijde mouwen: net vleugels.

'Wil je iets gaan drinken?' vroeg Edmund. 'Om het te vieren?'

'Ik kan niet. Ik heb met vrienden afgesproken.'

'O.' Meteen gevolgd door: 'Misschien kan ik met je meegaan.'

Billy zag in gedachten snel het onmogelijke gezelschap voor zich. 'Het zijn nogal speciale, oude vrienden,' zei ze. 'Ik denk dat je ons stomvervelend zou vinden.'

'... "sprak zij, hem afschepend".'

'Ik ben dol op je, Eddie, dat weet je.' Ze bracht een hand naar zijn wang. Zijn baardhaar was verrassend zacht. 'Ik hoop dat je even gelukkig met jezelf bent als ik.'

'O, dat betwijfel ik.'

Ze lachte. 'Dat weet ik. Maar je moet het doen, Ed: gelukkig worden.' Ze pakte haar tas. 'Ik zie je in elk geval morgen.'

Plechtig boog hij zijn hoofd. 'Goedenacht dan, Wilhelmina.'

Billy liep door het lege theater naar buiten. Tussen de rijen stoelen was alleen de schoonmaakploeg nog bezig spullen op te rapen. In de deuropening naar de lobby draaide Billy zich om en keek naar de afhellende zitplaatsen en het gesloten doek. Ze dacht er weer aan terug: aan haar Gabriel, aan zijn zichtbare verdriet en vreugde, en aan hoe ze zich met beide gevoelens verbonden had gevoeld. Ze besefte nu dat ze zich er op de een of andere manier door getróóst had gevoeld.

Terwijl ze buiten de kille regen in stapte en haar paraplu opstak, werd ze zich ervan bewust dat ze het volgende deel van haar avond met fikse tegenzin tegemoet ging. Ze had er gewoon geen zin in, om samen te moeten zijn met Leslie en Pierce en die andere persoon, wie dat ook mocht zijn. Voor een deel speelde de gebruikelijke aarzeling op die ze tegenover Leslie voelde, hoe gek ze ook op haar was. Maar het kwam ook doordat ze vanavond zo door het stuk was geraakt. Ze wilde dat gevoel vasthouden en er uitvoerig over nadenken.

In plaats daarvan moest ze de onbenulligste prietpraat gaan uitkramen tegen degene met wie ze het allerliefst openhartig over alles had willen praten – maar met wie ze dat nooit had gedaan. En nooit zou doen, daar was ze zeker van.

Op de dag dat Leslie belde, was Billy alleen thuis en aan het werk. Toen ze Leslies stem aan de andere kant van de lijn hoorde, ervoer ze onmiddellijk wat ze was gaan herkennen als de gebruikelijke gemengde gevoelens ten aanzien van haar. De macht van de oude genegenheid, en vervolgens de wens om van die macht bevrijd te zijn. Maar toen Leslie zei dat Pierce en zij overkwamen om de voorstelling bij te wonen, had Billy alleen gezegd dat ze het heerlijk zou vinden om hen te zien. Ze noemde de naam van een zaak waar ze elkaar na afloop van het stuk konden ontmoeten. Vervolgens, net toen het erop leek dat het gesprek voorbij was en dat afscheid nemen en neerleggen de volgende stap zou worden, zei Leslie: 'Ik denk dat we ook nog iemand meenemen.'

'Geweldig,' had Billy gezegd.

Zodra ze had neergelegd, begon ze zich zorgen te maken over het stuk, hoe Leslie het zou opvatten. Het ging niet over Gus en het ging niet over haarzelf, maar ze kon de onderliggende gevoelens begrijpen vanwege Gus en haarzelf. Leslie zou daar waarschijnlijk raar van opkijken. Misschien zou het haar zelfs kwetsen. Billy had met haar werk een aantal mensen gekwetst, maar ze wilde niet dat Leslie daar ook bij zou gaan horen. Ze had zoiets opens en argeloos grootmoedigs over zich dat je haar wilde afschermen voor alles wat pijnlijk was.

Pas een poosje later, toen ze iets te eten klaarmaakte voordat ze in het theater de zoveelste repetitie ging bijwonen, drong tot haar door dat de 'iemand' waarover Leslie het had gehad weleens een man kon zijn, een man die ze aan Billy wilde voorstellen, in de ouderwetse betekenis van het woord.

Vast niet. Het was vast geen man. En al was hij dat wel, dan had het zeker geen enkel nut hem aan haar 'voor te stellen'.

Maar terwijl ze in de keuken haar crackers met kaas stond te eten, had Billy gedacht: hoe raar zou dát niet zijn?

Langzaam liep ze door een waas van regen Tremont Street af en probeerde zo lang mogelijk over de korte wandeling te doen. Maar uiteraard was het verlichte raam van het restaurant al van het begin af te zien, en na slechts een minuut of twee was ze er. Terwijl ze op de hoek stond te wachten tot de auto's voorbij zouden zijn en zij kon oversteken, zag ze Leslie en Pierce voorovergebogen aan hun tafel zitten, in gesprek met de derde persoon – inderdaad een man.

Oké. Oké, misschien zou dat het er gemakkelijker op maken. Een vreemde, om deze avond wat minder beladen te laten worden, om te zorgen dat ze allemaal uit de buurt van het voor de hand liggende onderwerp zouden blijven. Van het onderwerp dat voor Leslie en haar altijd voor de hand lag.

Amper was ze de deur door – ze stond haar ingeklapte paraplu droog te schudden – of Leslie sloot haar in de armen en overspoelde haar met het citrusachtige geurtje dat ze altijd op had. Ze zei iets over bloemen. Billy begreep het niet meteen. Ze voelde zich verward, alsof ze vanuit een diepe slaap was beland in een gesprek dat al op gang was gekomen. Maar kennelijk had Leslie bloemen voor haar gekocht en ze vervolgens vergeten. Ze excuseerde zich daarvoor.

Billy glimlachte. 'Als jij het me niet had verteld, zou ik van niets hebben geweten, Leslie. In godsnaam, vertel het me dan niet.'

'Maar ik kon mezelf wel voor mijn hoofd slaan.'

'Moet je niet doen. Het was zo'n lief idee. Ik ben blij dat je het bedacht hebt.'

Vervolgens stonden ze bij de tafel en werd er voorgesteld. Sam, heette de vreemde. Hij stond op – hij kwam traag en naar Billy's gevoel uiterst omstandig overeind. Ze moest haar lachen onderdrukken. Met geen mogelijkheid kon Leslie hen koppelen. Ze zouden er naast elkaar lachwekkend uitzien. Een visuele grap zou het zijn.

Leslie ging zitten. Billy moest op haar stoel klimmen – hij was zo hoog als een barkruk. Ze hing de grote tas die ze bij zich had aan de paal achter haar. Leslie had het nog steeds over de bloemen en vertelde de man – Sam – dat ze ze had vergeten. Pierce had intussen Billy aangesproken en feliciteerde haar met het stuk. Een paar minuten later richtten ze zich allemaal tot haar. Die Sam begon nog meer vragen te stellen dan Pierce. Hoe vond zij dat het vanavond gegaan was? Wanneer was de officiële première? Waren er al recensies verschenen? Billy gaf beleefd en volledig maar nerveus antwoord. Toen ze haar jas uittrok, voelde ze hoe de man – Sam – haar hielp en behoedzaam haar mouw wegschoof zodat ze haar arm eruit kon trekken. Het was prettig, deze kleine behulpzaamheid. Misschien zou hij zich als steun en toeverlaat ontpoppen.

De serveerster kwam, lang, blond en onderkoeld. Ze glimlachte niet, en naast een van haar neusgaten blonk een minuscuul diamantje. Billy vroeg om water en rode wijn, Pierce bestelde een kaasplateau voor de hele tafel.

Nadat de serveerster was weggegaan, richtten ze zich weer tot Billy. Nog meer vragen. Ze werd er zenuwachtig van, nog zenuwachtiger dan tijdens de wandeling hierheen. Toen de wijn kwam, hief ze onmiddellijk het glas en nam een slok. Ze wilde niet in het middelpunt staan.

Ze vroeg Sam waar hij woonde.

In Brookline, zei hij.

'O, daar heb ik gewoond toen ik pas in Boston was!' zei ze. Ze vertelde over haar toenmalige appartement en de vreselijke katten waarop ze moest passen. Ze gingen na waar hij ten opzichte van haar woonde. Ze praatten over restaurants waarop ze gesteld waren, en over de boekwinkel. Allebei waren ze grote liefhebbers van de Coolidge Corner, de onafhankelijke bioscoop.

Films. Altijd goed. Ook deze avond werkte het. Pierce had *No Country for Old Men* gezien en wilde het erover hebben. Hij zei dat hij niet wist wat hij ermee aan moest.

Dat was absoluut niets voor Pierce, zodat Billy nieuwsgierig werd: waarom niet?

Terwijl ze naar Pierce toegewend zijn verklaring zat aan te horen over wat er aan de film onlogisch was, zag ze buiten Rafes bleke gezicht voorbijzweven. Hij was blootshoofds en had geen paraplu – hij had zijn kraag opgezet en kneep zijn ogen samen tegen de regen. Hij keek niet naar binnen en zag haar niet. Ze voelde aanvechting om op te staan, naar de deur te gaan en hem te roepen, maar natuurlijk deed ze dat niet. Ze luisterde beleefd knikkend naar Pierce.

Leslie, die de film helemaal niet goed had gevonden, zei dat het hoogtepunt van de avond het moment was geweest waarop ze de kaartjes had gekocht, met de woorden: 'Twee maal ouderenkorting voor *No Country for Old Men*.' Billy had zich naar Leslie toegekeerd toen die het woord nam. Terwijl ze lachte wierp ze een blik op Sam, aan het hoofd van de tafel. Hij nam haar op met een strakke, taxerende blik, alsof hij had gemerkt dat ze geestelijk even ergens anders was geweest en misschien had gezien waar ze in die paar tellen naartoe was gegaan.

Maar toen wees Pierce opeens op de achterkant van de zaak. 'Lieve help, naar wat voor tent heb je ons laten komen,

Billy? Jezus, het lijkt wel... een sláchthuis.'

De anderen draaiden zich om en keken naar de achterkant van het restaurant, waar iets te zien was wat ze bij binnenkomst kennelijk niet hadden opgemerkt: achter de tafels en het grote, vierkante snijblok stonden naast elkaar drie omvangrijke koelkasten die van binnenuit fel verlicht waren. De transparante glazen deuren boden uitzicht op bloederige stukken rauw vlees, waartussen dikke strengen worst en obsceen ogend, naakt en geplukt gevogelte hingen.

'Ja,' zei Billy. Ze maakte een hoofdknikje naar Pierce. 'Een knekelhuis, voor de smakelijke lijken.'

'Vermakelijke lijken?' vroeg Leslie ongelovig.

Billy lachte. 'Smákelijk,' zei ze. 'Maar wie weet? Wie weet hoe de kapoen de kip nog kan vermaken?'

'Is er niet een mop die zo begint?' vroeg Sam.

'Die zou er moeten zijn,' zei Billy.

'Ik zal mijn best doen.'

Zijn gezicht was een beetje afgeleefd. Billy hield daarvan. Een gebruikte man, dacht ze. Ze wendde zich tot Pierce en zei: 'De zaak héét de Butcher Shop, de slagerij. Ter verklaring hiervoor.'

'Heel origineel,' zei Pierce. 'Ik denk niet dat zo'n zaak in Hanover zou lopen. Al die open en blote karkassen. Te veel onverhulde sterfelijkheid voor een keurig universiteitsstadje.'

'Ik word graag aan onze sterfelijkheid herinnerd,' zei Billy.

'Jij bent jonger dan wij,' zei Pierce. 'Wij niet.'

Billy glimlachte. Leslie beantwoordde haar glimlach en even voelde ze een vonk van de warme band die eens tussen hen had bestaan. Het maakte haar nerveus. Ze moest nog wat meer wijn drinken.

Leslie boog zich voorover, alsof ook zij de verbondenheid voelde. 'Je haar zit leuk,' zei ze. 'Zoals het nu geknipt is.'

Billy's hand ging uit eigen beweging omhoog en raakte haar

haar aan. 'Ik verf het tegenwoordig,' zei ze. *Volkomen irrelevant, Billy.*

Leslie zuchtte. 'Dat zou ik misschien ook moeten doen. Mijn haar is zo wit geworden.'

'Maar het is móói wit,' zei Billy. 'Zuiver als verse sneeuw.' Ze hoorde de nerveuze, onechte toon in haar eigen stem. Ze hoopte dat het niemand anders opviel.

Dat leek inderdaad het geval te zijn. Pierce en Sam waren dwars over de tafel in gesprek geraakt – ze zaten allebei aan een eind – over de ophanden zijnde voorverkiezingen en de merkwaardige verzameling kandidaten van de beide partijen. Leslie vertelde dat Pierce en zij in Hanover een spreekbeurt van Hillary Clinton hadden bezocht en van haar onder de indruk waren geraakt.

'Ik kan niet op Hillary stemmen,' zei Billy. 'Sinds ze voor de Irakoorlog heeft gestemd kan ik dat niet meer.'

'In jezusnaam, Billy,' zei Pierce. 'Iedereen heeft voor die oorlog gestemd.'

'Ja, de meerderheid duidelijk wel. Maar niet iedereen.'

'Wie dan niet?' vroeg Leslie.

'Wat vergeet iedereen toch snel,' zei Billy. 'Jouw vriendje Patrick Leahy. Mijn vriendje Ted Kennedy. Paul Wellstone. Barbara Boxer. Een stel goeien.'

'Mikulsky ook, meen ik,' zei Sam. 'En Chaffee.'

'Inderdaad.' Ze wierp hem een dankbare blik toe. 'En nog een paar anderen. Het was helemaal geen gelopen race. Het deed er wel degelijk toe wat Hillary stemde.'

'Maar móest ze eigenlijk niet?' vroeg Leslie.

'Hillary?'

'Ja, omdat ze vrouw is. Om geen watje te lijken.'

'Om geen vrouw te lijken, in elk geval,' zei Sam.

'Maar dat háát ik! Dat is zo strategisch gedacht.' Ze praatte te hard. *Dimmen, dimmen.* Ze bedwong zich en zei rustig:

'Nee, ik ben voor Obama. Al sinds die rede op de conventie. Bovendien komt hij uit mijn buurt – uit Hyde Park, net als ik.'

Sam begon over hoe idioot het was dat Mitt Romney zich kandidaat had gesteld en Pierce voegde daar weinig goeds over hem aan toe. Ze kwamen op Fred Thompson en ook die moest het ontgelden. Billy begon zich een beetje te ontspannen. Ze had het gevoel dat de avond nu openlag, in een spontane conversatie met de politiek als drijfveer – ze was dol op politiek, hierom en om andere redenen –, en dus verraste het haar dat Leslie plotseling naast haar stoel stond, haar jas ervanaf haalde en Pierce en zichzelf excuseerde. Ze was moe, ze gingen nooit zo laat naar bed. Nee, nee, Billy en Sam moeten blijven, zei ze. Pierce was nu ook opgestaan, haalde zijn portefeuille tevoorschijn en maakte grapjes over hun dure hotel. Hij zei dat ze zo snel mogelijk naar bed moesten om hun geld er nog een beetje uit te halen.

Sam en Pierce bakkeleiden even over het geld dat Pierce neer wilde leggen, maar Pierce won – hij wilde het handjevol biljetten eenvoudigweg niet terugnemen. Terwijl Pierce Leslie in haar jas hielp, liet Billy zich van haar stoel glijden. Vervolgens bracht ze haar gezicht omhoog naar Leslies wang en naar Pierce, en toen waren ze vertrokken, ze zwaaiden nog een laatste keer voordat ze de deur uit gingen, de donkere nacht in.

Met achterlating van Billy en de man met wie ze, naar ze aannam, een avondje uit was. Ze ging weer op haar hoge stoel zitten. Ze zwegen een poosje. Te lang. 'Als we nog blijven,' zei ze, 'wil ik graag nog wat drinken.' Ze wist dat dat geen goed idee was. Ze had 's avonds nauwelijks gegeten – staand in de keuken had ze een half broodje tonijn genuttigd, terwijl Reuben de kleinste bewegingen van de hand met het broodje volgde.

'Blijven we?' Hij wierp haar een oprecht vragende blik toe.

'Ik denk dat we dat maar moesten doen. In elk geval is dat ons opgedragen.'

Hij lachte en stak zijn hand op naar de serveerster.

Nadat ze was langsgekomen en hun bestelling had opgenomen, richtte Sam zich tot Billy. 'Nu ik hier alleen met je ben,' zei hij, 'zou ik je wat over het stuk willen vragen.'

'Oké.'

'Zou jij zeggen dat het een happy end heeft? Wij hebben daarover gediscussieerd.'

Het was haar niet duidelijk of hij er werkelijk belang in stelde, of het alleen uit beleefdheid vroeg, en daarom wist ze niet of ze een poging moest doen om hem uit te leggen wat ze had gewild en hoe verrassend het slot vanavond had uitgepakt. Ze zei: 'Misschien. Ik denk dat ik het sowieso niet echt als een einde beschouw. Misschien meer als een begin.'

'Je zegt vaak misschien.' Zijn blik was ondoorgrondelijk achter zijn ouderwetse bril. 'Maar ik neem aan dat het niet helemaal eerlijk is, toch, om de auteur te vragen wat het stuk betekent.'

Billy vond dat grootmoedig van hem. Zij had ontwijkend gereageerd en hij was grootmoedig. Zij moest grootmoedig zijn. Ze zei: 'Dat mag gerust. En waarschijnlijk is het hoog tijd dat de auteur een snelle, uitgekiende uitleg voor een breed publiek formuleert. Waar gáát mijn stuk eigenlijk over?'

'Nou?'

De serveerster kwam, met hun wijn.

Billy leunde achterover terwijl ze de glazen neerzette. Vervolgens ruimde ze het een en ander op: ze haalde de glazen, het bestek en de servetten van Pierce en Leslie weg en veegde met een doekje snel de tafel schoon.

'Een schone lei,' zei Sam toen de serveerster was vertrokken.

Ze zwegen enkele ogenblikken. Billy nam een slokje wijn

en liet haar blik door de zaak gaan. Het was al laat voor een dinsdagavond. Er was nog maar één andere tafel bezet, en aan de bar zaten twee stellen, terwijl er ook nog een eenzame drinker met de barkeeper zat te kletsen. Billy had hem vaak in zijn eentje in de bars in dit deel van de buurt gezien. Wanneer ik zelf in mijn eentje in diezelfde bars zit, hield ze zichzelf voor.

Ze keek naar Sam, die kennelijk over zijn wijn zat te peinzen. Opeens voelde alles ongemakkelijk. Ze moest iets doen, iets om het gemakkelijker te maken. 'Wat denk jij dat Leslie van plan is?' vroeg ze. 'Heeft ze ons aan elkaar geschónken?'

Hij keek verrast, maar slechts eventjes. Hij zei: 'Zo voelde het wel ongeveer, hè?'

'Is er dan sprake van dat zíj jou ten geschenke kan geven?'

Hij haalde zijn schouders op en trok zijn wenkbrauwen omhoog. *Wie weet.* 'Geldt dat voor jou?' vroeg hij.

Ze dacht erover na. 'Nou, misschien vindt zíj dat wel. Ik was de... het vriendinnetje van haar broer, zo moet je het denk ik zeggen. Maar dat is zo'n lachwekkend woord. Zijn verloofde, naar haar idee. Ik denk dat ze dus een aantal verschillende gevoelens voor me heeft. Genegenheid, vermoed ik, zoals ik die ook voor haar voel. Maar ze voelt zich ook bezorgd om me. En verantwoordelijk voor me.' Ze dronk nog wat wijn en zette het glas neer. 'Ik bedoel daarmee niet dat ik denk dat ze me iets van die gevoelens verschuldigd is. Maar zo is ze. Zo zit ze in elkaar. Zoals je ongetwijfeld weet, als je haar kent.' Hij knikte, met een flauw lachje om zijn lippen. 'Het zit zo: volgens haar moest Gus voor altijd van mij houden. Voor mij zorgen. Hij is overleden. Wie zorgt er dan nu voor mij? Ik denk dat het voor een deel zo in elkaar zit.' Ze wees naar hem. 'Nu jij,' zei ze.

'Ik wat?'

'Nu leg jij uit waarom zij denkt dat ze jou aan mij kan geven.'

'Dat is makkelijk,' zei hij. 'Ik ben een vrijgezel van de juiste leeftijd. Een oude vriend. Het is niet zo verrassend dat ze ons probeert te koppelen.'

'Maar jij wist er niet van.'

'Nee. Ze vertelde dat er een toneelstuk van een vriendin van haar werd opgevoerd. Vond ik het leuk om mee te gaan? Dan konden we na de voorstelling misschien met zijn allen wat drinken.'

Ze voelde zich opeens beter op haar gemak, nu ze wist dat hij niet van Leslies plannetje op de hoogte was geweest en er niet mee had ingestemd. Ze wierp hem een dankbare blik toe. 'Ben je nu een oude vriend van Pierce, of van Leslie?'

'Van allebei.' Ze vond dat hij er even wat schaapachtig uitzag. Waarom dát nu? 'Het meest van Leslie. Ik heb haar eerder leren kennen. Ik ken haar het best.' Zijn blik was gefronst, hij dacht ergens over na. 'Ze is lief voor me geweest toen het misging met mijn huwelijk. Pierce en zij allebei. Maar Leslie het meest, ja.'

'Wanneer speelde dat?'

'O, alweer jaren geleden. Mijn vrouw en ik lieten bij hen in de buurt in Vermont een huis bouwen – ik ben architect. Maar ons huis was nog niet af, of het ging al mis met ons huwelijk. Leslie had ons de grond verkocht – ze werkte destijds als makelaar – en zij bleek meer belangstelling voor het huis te hebben dan Claire, mijn vrouw. Ze had belangstelling voor de hele procedure, voor het ontwerp, voor de bouw, enzovoort. In die periode van zo'n anderhalf jaar zagen we elkaar vaak. Ik was daar om de paar weken.' Zijn gezicht stond anders. Het flitste door haar heen dat hij leek op Gabriel – op Rafe – wanneer die aan Elizabeth terugdacht. 'Ik denk dat je kunt zeggen dat ik wel... op haar viel. Al klink ik dan net als een kind van tien.' Met een treurige glimlach liet hij zijn hoofd voorover zakken. 'En misschien was ik dat in die paar maanden na het stuklopen van mijn huwelijk ook wel.' Hij keek haar aan. 'Maar er is tussen ons nooit iets voorgevallen.'

'Dat hoef je me niet te vertellen.'

'Nou, er is niets gebeurd.'

'Ik bedoel: ik denk dat ik dat wel weet. In elk geval lijkt het me onwaarschijnlijk – zou het me onwaarschijnlijk lijken – dat Leslie Pierce ontrouw was.' Ze snoof zachtjes. 'Van bemoeizuchtige overbezorgdheid gesproken.'

'Ook wel bekend onder de naam liefde.'

'Ik vat hem.' Ze vond dit leuk. En hem ook. 'Een vreselijk woord is het, hè? "Bemoeizuchtige overbezorgdheid."' Ze nam wat brood van het plateau dat Pierce had besteld en besmeerde het met zachte, blauwgeaderde kaas. 'Een vreselijk begrip,' zei ze. Ze schoof het plateau naar hem toe. 'Een vreselijke frase. Hoe lang ben je getrouwd geweest?'

'Die keer? Al met al ongeveer vier jaar.' Hij nam ook wat brood en kaas.

' "Díe keer." Zijn er ook nog andere keren geweest?'

'Eén andere keer.' Hij wierp een snelle blik op haar. 'Mijn eerste vrouw is overleden.'

'O, dat spijt me.' Alweer. 'Dát zal me leren mijn mond te houden.'

'Nee, het is al lang geleden. En jij?' Met een stuk brood in zijn hand leunde hij achterover. Fysiek maakte hij een ontspannen indruk. Hij had zich opzij gedraaid en zijn benen gestrekt. Heel ver uitgestrekt, dacht Billy.

'Of ik getrouwd ben geweest?' vroeg ze.

'Ja.'

'Eén keer. Ik was jong. Het was rampzalig. Een dwingeland.' Het snerende gezicht van haar man trok aan haar geestesoog voorbij. 'Ik was dwaas genoeg om te denken dat het romantisch was om met een absolute hufter getrouwd te zijn.'

'Je zult me moeten uitleggen wat daar romantisch aan is.'

'O.' Billy haalde zich snel voor de geest hoe ze ertegenover had gestaan om met Steve te trouwen. Het was moeilijk te geloven dat ze zo dom was geweest. 'De moeilijke man. Je weet wel. Er is vrouwen over moeilijke mannen allerlei moois aangepraat. Heathcliff. Rochester. Marlon Brando in *A Streetcar Named Desire*. Nou ja, Marlon Brando in al zijn films. *On the Waterfront*. God. Ze nam een hap brood met kaas. *One-Eyed Jacks*,' zei ze met volle mond.

'Je personage van vanavond was moeilijk.'

'Gabriel?' zei ze. Ze stak hoofdschuddend haar hand op om hem duidelijk te maken dat hij even moest wachten. Toen ze het brood had doorgeslikt, zei ze: 'Ik denk dat zijn vrouw eigenlijk weleens moeilijker zou kunnen zijn. Dat hij mede in reactie op haar moeilijk is geworden. Zo zag ik het tenminste.'

'Tja, jij bent de schrijfster. Is jouw visie niet noodzakelijkerwijs de juiste?'

'Ja. Maar ook weer niet. Ik bedoel, ik schrijf het stuk op een bepaalde manier. Ik denk er op een bepaalde manier over na. Maar het kan vervolgens veranderen, afhankelijk van de acteurs en hoe zij de dingen uitspreken. Hoe zij ze ervaren. Het hangt zelfs af van degene die de regie voert. Misschien dat wel in het bijzonder.' Ze dacht aan Edmund, aan het gefronste gezicht waarmee hij haar had aangekeken omdat ze naar bed was geweest met Rafe. Ze dacht aan Rafe. Opeens wilde ze aan Sam uitleggen wat er op het toneel was gebeurd en wat een wonderbaarlijke indruk dat op haar had gemaakt.

'Neem nu vanavond.' Met haar ellebogen op tafel boog ze zich een stukje voorover. Hij ging iets verzitten, alsof hij op haar reageerde. 'Neem nu de manier waarop Rafe – de acteur die Gabriel speelde – die laatste regel uitsprak: *Elizabeth*. Voor mij was dat fantastisch. Ik bedoel, ik heb het natuurlijk geschreven. Ik heb zelfs geschreven hoe ik wilde dat hij het zou uitspreken. Maar als puntje bij paaltje komt, is het alleen maar een woord.' Hij nam haar aandachtig op. 'Eigenlijk zelfs niet eens een woord. Een naam. En hij deed het... perfect. Schitterend. Het was...' Ze liet het begin van een lachje horen, een ademstoot, en zijn gezicht lichtte op. 'Ik had een gevoel van: "Dát bedoelde ik dus." Opeens was alles zo duidelijk voor me. Een openbaring.' Absurd genoeg kon ze opeens wel huilen. Ze voelde zich daardoor gegeneerd, en daarom sloeg ze een stoere toon aan en zei: 'Misschien moet ik voor elke voorstelling met hem naar bed.'

Sams uitdrukking veranderde. Hij ging rechtop zitten. 'Tja,' zei hij. Hij schraapte zijn keel. 'Ja. Dan moest je dat misschien maar doen.'

'O jee,' zei ze. Ze raakte bijna zijn mouw aan. 'Dat had ik niet moeten zeggen.' Haar lippen verstrakten. Tot mijn laatste snik, dacht ze, zal ik dit soort blunders begaan. Ze dacht weer aan Edmund. 'Ik heb dat eerder op de avond ook tegen iemand anders gezegd. Kennelijk is het een regel die ik aan het uitproberen ben.'

Hij keek haar een ogenblik aan en glimlachte vervolgens. Op zijn best was het een aarzelende glimlach.

Billy besefte dat hij dacht dat ze een grapje had gemaakt. Dat ze de spot met de hele zaak had gedreven. Ze kon niet toelaten dat hij dat dacht. 'Ik bedoel, het is wáár. Ik bén met hem naar bed geweest.' Ze keek toe hoe zijn uitdrukking weer veranderde. 'Niet dat het iets te betekenen had.' Ze zuchtte en schudde haar hoofd. 'Ik bedoel, het had wel iets te betekenen, maar het... heeft niets veranderd, voor hem niet en voor mij niet.' Ze keek hem in de ogen, neutraal achter de bril. Het leek of ze ergens op wachtten. Ze tilde haar handen een beetje op. 'We waren eenzaam. We zijn met elkaar naar bed geweest. Eén keer. Maar ik maakte mijn niet grappige grapje omdat ik hem werkelijk, oprecht, erg dankbaar ben voor de manier waarop hij vanavond die regel, die laatste regel, heeft uitgesproken. Ik heb het idee dat ik het zo bedoelde, maar zonder te weten dat ik dat bedoelde. Dat hij er erg veel... in wist te leggen. Liefde, ja. Maar ook dat hij de strijd opgaf, dat hij zich gewonnen gaf, zwichtte. Een gevoel van verlies.' Ze herinnerde zich het moment weer, ze zag Rafes gezicht voor zich. 'Verdriet om zichzelf en om haar. En opluchting. Liefde. Heb ik dat al gezegd? Een vorm van vreugde.' Ze haalde haar schouders op. 'Ik weet het niet.' Ze zweeg. Een ogenblik later vroeg ze hem: 'Vond jij niet dat dat er allemaal in zat?'

'Zeker, ja. Ik denk van wel. Maar ik had gedacht dat... jij dat zo bedoeld had. Dat allemaal.'

'Het lijkt nu heel duidelijk dat ik het zo bedoeld moet hebben. Of dat ik dat wilde bedoelen. Maar Rafe heeft het gezien. Hij heeft het zo geïnterpreteerd. Hij heeft dat erin gelegd.' Ze legde haar hand op tafel. 'Gód, ik ben verzot op het theater.'

Een ogenblik later zei hij: 'Tja. We hebben beslist heel wat overhoop gehaald.'

'Mea culpa. Jij was een toonbeeld van zelfbeheersing.'

'Ik was een open boek. Niet dat ik dat wilde.'

'Nee! Je hebt me niet meer dan het absolute minimum verteld. Hoe vaak je getrouwd bent geweest en hoe dat is afgelopen.'

'En over Leslie.'

Ze maakte een wuivende handbeweging. 'Leslie.'

'Nee, eigenlijk vind ik dat ik me tegenover jou daar te gemakkelijk vanaf heb gemaakt. Omdat jij zo eerlijk bent geweest...'

'Zo verschrikkelijk eerlijk,' zei Billy.

Hij knikte. 'Ik denk dat ik moet zeggen dat mijn gevoelens voor Leslie een tijdje – of eigenlijk een hele tijd – van dien aard waren dat ik van haar hield.'

Ze keek hem aan. 'O,' zei ze. Kijk eens aan!

'Terwijl ik wist dat ik er niets mee zou doen.'

Ze hield de toon luchtig. 'Ach, wie zou er niet van Leslie

houden? Ík hou van haar. Een liever mens bestaat er niet.' Was ze jaloers? Ze kon niet jaloers zijn. Ze kende hem niet eens, deze té lange man.

'Zo voelde ik het destijds ook. Dat ze zo lief was.'

'Kijk eens, als je niks ergers hebt gedaan...'

'Natuurlijk doelde ik niet daarop.'

'Natuurlijk niet.' Er viel een stilte. Achter Billy zat iemand op te luide toon mobiel te telefoneren over een conflict dat ze met iemand had gehad. Ze deed verslag van de beide standpunten. Ze zei nu: 'Dus ik zeg: "Ik vind van niet." En hij zegt: "Wat kan mij dat schelen? Wat kan mij dat eigenlijk schelen?"'

Billy zei: 'Wat is het ergste dat je ooit hebt gedaan?'

Sam lachte.

'Nou, wat?'

'Echt?'

'Absoluut. Waarom niet? We zijn nu toch dingen overhoop aan het halen. We zijn nu toch bezig onszelf in verlegenheid te brengen. Jij moet jouw bijdrage leveren.'

'Ik denk dat het iets met mijn kinderen is.'

'Aaah! Kinderen.' Maar waarom was dit nieuws? Dit zag je altijd. Mensen en hun moeilijke verhalen. Iedereen van boven de dertig had ze. Tenslotte deden haar verhalen niet voor de zijne onder.

'Ja. Ik heb drie jongens. Mannen, moet ik zeggen. Die... het in verschillende opzichten moeilijk hebben gehad met de dood van hun moeder. Van mijn eerste vrouw. Niet bepaald iets verrassends. En daarna met mijn huwelijk met Claire. En vervolgens met het stuklopen dáárvan.' Hij maakte een hoofdbeweging om het woord extra te accentueren. 'Daarom heb ik denk ik... sindsdien geprobeerd mijn leven wat simpeler te houden. Al maakt het nu natuurlijk niets meer uit. Nu ze volwassen zijn. Maar ik moet zeggen dat ik... niet wist hoe ik ze moest helpen toen ze nog jonger waren. En erger nog, ik ben er niet zeker van dat ik het nu beter zou doen.'

'Mmm. Maar ze hebben het overleefd.'

'Natuurlijk. In dat opzicht gaat het uitstekend met ze. Maar er zijn wel littekens, denk ik. Ze zijn beschadigd.'

'Ach, geldt dat niet voor iedereen die op de wereld iets voorstelt? Waarom zou je willen dat het met hen anders gesteld is?'

'Dat wil ik ook niet. Maar ik zou, denk ik, willen dat ik het ze makkelijker had gemaakt, dat is alles. Dat ik hen beter had aangevoeld, of meer voor hen had kunnen betekenen.'

Zijn gezicht stond zo zorgelijk dat Billy zich er vervelend bij voelde, ze had het idee te onnadenkend te zijn geweest. 'Het spijt me,' zei ze. 'Dat was ondoordacht van me. Alweer. Ik denk dat ik vanavond niet helemaal goed bij mijn hoofd ben. Ik ben opgefokt. Daar zijn een hoop ingewikkelde redenen voor.' Ze haalde diep adem. 'Hoe dan ook, ik weet – ik veronderstel – dat het zwaar moet zijn om zulke gevoelens over je kinderen te hebben.'

'Nou, ik heb er bijna nooit last van. Alleen zo nu en dan.' Hij draaide zich naar voren in zijn stoel. Opeens glimlachte hij. Dat maakte hem jonger. 'Maar genoeg over mijn zonden. Wat is het ergste dat jij ooit heb gedaan?'

Er kwamen haar heel wat mogelijkheden voor de geest, en geruime tijd zweeg ze. Toen zei ze: 'O, mijn leven is een bodemloze put vol met vreselijke dingen. Ik ben met die acteur naar bed geweest. En hij is getrouwd.'

'Daar was hij anders zelf bij.'

'Mm,' zei ze. Ze dacht aan hoe Rafe eruit had gezien, naast haar weggezakt op de bank. Hoe hij in het halfdonker van de slaapkamer over haar heen was gaan liggen. 'Ik heb hem min of meer verleid.'

'Nogmaals: daar was hij zelf bij.'

Billy keek naar haar glas. Ze dronk wat wijn. Ze keek Sam aan. Rustig keek hij haar in de ogen. Na een poosje zei hij opeens: 'Waarom voeren we dit gesprek? Ik ken jou niet. Ik ken jou niet eens.'

'Nou, daar heb ik een theorie over. Uiteraard.'

'Je meent het.' Hij glimlachte, afwachtend.

'Ik denk dat er ten minste twee dingen meespelen. In de eerste plaats heb jij het stuk gezien, dus feitelijk denk je dat je mij ként. Dat denken mensen altijd.'

'Is dat zo?' vroeg hij.

'Dat is zo. Ze extrapoleren. Jij ook, dat weet ik zeker.'

'Ik zal het nooit zeggen. En in de tweede plaats?'

'In de tweede plaats heb ik je verteld dat ik met Rafe heb geneukt. Daarmee was het ijs gebroken.'

'Dat moet je niet zeggen.' Hij trok een raar, misnoegd gezicht, alsof hij iets bedorvens rook.

'Wat? Dat ik met hem heb geneukt?' Ze was verrast.

'Ja.'

'Waarom? Zo denk ik erover. En zo zeg ik het. Dat doe ik nu eenmaal. Doe dus alsjeblieft niet pietluttig omdat' – ze ging rechtop zitten – 'je vindt dat ik een dame ben, of iets in die geest. Uiteindelijk is het mijn vak om géén dame te zijn. Om te weten hoe de mensen praten. Wat voor dingen ze zeggen die voor dames zeer ongepast zijn. Hoe ze denken.

'Zo zal het wel zijn,' zei hij. En een ogenblik later: 'Je bent een beetje... moeilijk voor mij.'

'Waarom?'

'O, je leven verschilt zo sterk van het mijne. Mijn leven is... was... geordend, dat is het woord, denk ik. De kinderen, de huwelijken, het huis, het werk. Die dingen.'

'Ja, dat verschilt inderdaad van mijn leven. Heel erg zelfs. Maar waarom ben ík daardoor moeilijk? Misschien ben jij wel moeilijk.'

'Dat is goed mogelijk.' Ze zwegen een poos. 'Ik denk dat ik alleen bedoelde dat jij gewend bent aan... een wilder bestaan.

Minder geordend.'

'Ah.' Ze lachte. '*La vie bohème*.'

'Ja. Vergeleken met mijn leven wel.'

'Je slaat de plank vreselijk mis. Ik zou het niet aankunnen. Mijn leven is eerder stomvervelend, ben ik bang. Meestal lig ik 's avonds om elf uur in bed, met mijn hond en een kop thee.' Plotseling kwam haar een teder beeld van haar slaapkamer voor ogen, waar Reuben op de quilt lag en achter het raam de bekoorlijke oude gasverlichting brandde. 'Ik sta om zeven uur op. En ik ben de hele dag alleen.' Ze schudde haar hoofd. 'Eigenlijk is het meelijwekkend.'

'Maar je bent ook in het theater, samen met anderen.'

'Ja, eens in de zoveel jáár.' Vervolgens knikte ze. 'Maar je doelt op seks, hè? Dat soort samenzijn met anderen.'

'Vermoedelijk. Vermoedelijk wel.'

'Iedereen heeft seks. Daar hoef je geen bohémien voor te zijn.'

'Nee, ik denk van niet.' Ze zwegen even. Hij schoof met zijn hand over het tafelblad. Nu boog hij zich voorover en legde een elleboog op tafel. 'Gus en jij pasten op het eerste gezicht niet bij elkaar,' zei hij.

'Heb jij Gus gekénd?' Die mogelijkheid was niet bij haar opgekomen.

'Niet echt. Ik heb hem één keer ontmoet. Bij Leslie. Maar... was hij niet veel jonger dan jij?'

Ze lachte. 'O, véél jonger zou ik niet zeggen.' Toen herinnerde ze zich wat een kinderlijke indruk hij vaak op haar had gemaakt. 'Ik weet niet. Misschien ook wel. Maar uiteindelijk ben ik nu zes jaar ouder dan toen. En dat zou hij ook zijn geweest.'

'Maar hij leek ook... ik weet niet. Jullie leken heel verschillende... types.'

'We wáren ook heel verschillend. Het was... soms ging het daardoor niet zo geweldig tussen ons. Soms...' Ze keek uit het raam in het donker, naar de verlichte luifel verder op in de straat.

'Soms?' drong hij aan.

Ze keek weer naar hem en ontmoette zijn onverstoorbare blik. 'O, niets.'

'Goed. Ik denk dat we wat informatie voor de volgende keer moeten bewaren.'

'O. Komt er een volgende keer?'

'Nou, wat mij betreft graag.' Toen ze niet meteen antwoordde, veranderde zijn blik achter de bril. 'En we zijn het Leslie min of meer verschuldigd om samen bijvoorbeeld een kop koffie te drinken of een keer te gaan eten.'

Een ogenblik zat ze roerloos op haar stoel. Waar was ze mee bezig geweest? Was ze niet tot een gesprek in staat zonder iemand uit te nodigen haar te versieren, zelfs iemand die niet de bedoeling of de mogelijkheid had om een verhouding met haar te beginnen? Ze schoof haar glas weg. Er stond nog een bodempje wijn van ongeveer een centimeter in. 'Ik moet gaan,' zei ze. Ze liet zich van de stoel af glijden.

'Hé,' zei hij. 'Ik wilde me niet opdringen of me iets aanmatigen...'

'Nee,' zei ze. 'Nee, dat moesten we maar doen. Ergens koffiedrinken of zo. Ik moet gewoon naar huis, weet je. Ik heb een hond.'

Hij stond ook op en haalde zijn portefeuille uit zijn achterzak. Hij gebaarde dat hij de rekening wilde.

De serveerster kwam meteen naar hen toe – waarschijnlijk had ze op hun vertrek staan wachten zodat ze haar dienst kon afronden – en Sam gaf haar het geld van Pierce en geld van

zichzelf. Billy begon haar spullen weer op orde te brengen.
'Wilt u het wisselgeld?' vroeg de serveerster.

'Nee, het is goed zo,' zei hij. 'Dat is voor jou.'

Hij ging achter Billy staan om haar in haar jas te helpen.
Het was een ogenblik ongemakkelijk doordat ze de mouwen
niet kon vinden, ze voelde hoe hij in een poging haar te helpen
het vormloze kledingstuk heen en weer bewoog. Toen had hij
het voor elkaar. Ze liet haar armen in de mouwen glijden.

Buiten was het opgehouden met regenen. Het was kouder.

Hij vroeg of hij met haar mee naar huis mocht lopen, maar
ze zei dat dat niet hoefde, dat het maar een heel klein stukje
was. Hij sprak over de tijd dat het in deze buurt niet pluis was.
Ze wist dat hij probeerde haar niet te laten gaan. Hij zei dat
hij nog zou bellen. Ze knikte en stak hem haar hand toe. Ze
schudden elkaar de hand. Ze glimlachte naar hem. 'Nou dan,'
zei ze, en toen draaide ze zich om en liep weg.

Ze was er zeker van dat hij haar nakeek, maar ze keek niet
om.

De volgende ochtend had ze hoofdpijn. Een tijdje lag ze in bed
medelijden met zichzelf te hebben, terwijl ze zich herinnerde
waar ze het de vorige avond over hadden gehad. Haar mededeling dat ze met Rafe naar bed was geweest. God. Ze had het
tot tweemaal toe gezegd. Waarom? Waarom, Billy? En vooral,
waarom die tweede keer, tegen Sam? Had ze geprobeerd hem
aan te trekken? Of hem af te stoten?

Allebei, veronderstelde ze, ze was zo onrustig geweest.

En misschien kwam het ook doordat ze dat tweede glas
wijn had gedronken. De wijn die ze had genomen om tot rust
te komen. De wijn die ze naar haar idee nodig had gehad omdat ze na het stuk een beetje over haar toeren en een beetje
kwetsbaar was. Omdat ze altijd van haar stuk raakte als ze
Leslie zag, en Leslie ook nog eens een nieuwe man voor haar

had meegenomen. Ja, duidelijk, ze had hen aan elkaar vóórgesteld. Omdat ze hem aardig had gevonden, die nieuwe man, en daaraan weerstand wilde bieden.

Maar waarom had ze weerstand aan dat gevoel willen bieden?

Omdat ze niet een paar nachten nadat ze met Rafe had geslapen al met een ander naar bed wilde. Omdat hij bereid leek te zijn haar leuk vinden en zij in haar leven geen 'aardige man van de juiste leeftijd' wilde, zoals hij zich in haar herinnering had genoemd. Ze vond het prettig om alleen te zijn. Als ze gezelschap wilde, vond ze dat meestal bij mensen die ze door haar werk leerde kennen.

Omdat het zo ingewikkeld was doordat Leslie het had bekokstoofd, door alles wat dat ten aanzien van Leslie in haar leven zou betekenen. Gus.

Omdat ze alleen moest zijn. Het was beter voor haar om alleen te blijven.

Vanwege Gus. Vanwege Gus.

Ergens in haar bureau had Billy nog een foto van Gus. Herstel: van Gus en Leslie. De foto was genomen lang voordat ze Gus had leren kennen. Hij was toen waarschijnlijk pas een jaar of vijfentwintig, dus moest Leslie rond de veertig zijn geweest. Haar haar was toen nog donker en viel dik en steil over haar schouders. Ze droeg een zonnejurk met brede bandjes. Gus hield zijn arm om haar middel. Hij was op blote voeten en had een kaki broek aan. Hij grijnsde ontspannen naar de camera. Leslie keek naar hem, naar zijn profiel. Ze keek naar Gus zoals Billy haar in werkelijkheid tientallen keren naar hem had zien kijken: vol liefde en bewondering. Achter hen vormden de bloemen in Leslies tuin een vlekkerig waas in de zon. Billy wist precies op welke plek ze stonden.

Ze dacht graag aan Gus zoals hij op de foto stond: bewonderd en aanbeden. Ze dacht ook graag aan Leslie zoals zij op de foto stond: knap en gelukkig.

Toen ze alle andere spullen in een grote plastic zak had gestopt – alle andere foto's, en de brieven en de dingetjes die hij haar had gegeven – had ze besloten deze foto te bewaren. De zak had ze op de stoep gezet, samen met de andere spullen die ze bij haar verhuizing uit Gus' appartement had achtergelaten.

Billy was nooit op eenzelfde manier een verhouding met iemand begonnen als met Gus. Moeiteloos, zou ze het hebben genoemd. Gedachteloos, misschien. En zeker snel. Ze was verrast en zelfs opgetogen door hoe vlot het ging. Dat had misschien een waarschuwingssignaal moeten zijn, maar ze negeerde het. Misschien ben ik aan de beurt voor iets pijnloos, had ze gedacht.

Eerder waren sombere mannen haar specialiteit geweest. Duistere mannen die schade aanrichtten en zelf beschadigd waren. Mannen vol ambitie en bittere gevoelens. Ze was zelfs voor zo'n man uit Chicago weggevlucht. O, er waren zeker ook professionele redenen voor die verhuizing. De aanstelling die ze aan Boston University had gekregen, haar gevoel dat ze de stad waar ze altijd had gewoond moest verlaten wilde haar iets groots kunnen overkomen, en het idee dat ze in haar werk in overbekende patronen was vastgelopen. Ze was zelf niet zonder ambitie. Maar ze was ook erg blij dat ze aan Tom kon ontsnappen, aan zijn stalkerachtige gebrek aan bereidheid om haar los te laten. Hij had gehuild en hij had haar vervloekt. Hij had haar zeker vijftien à twintig keer per dag gebeld. Hij had om twee uur 's nachts bij haar voor de deur gestaan, kwaad, verbitterd en smekend.

En opeens, bijna meteen nadat ze naar Boston was verhuisd – verscheen daar, licht en luchtig, Gus.

Ze ontmoette hem in mei, ongeveer een maand nadat ze

uit Chicago was weggegaan, op de trage veerboot naar Provincetown, die charmante, misschien iets jongere man die haar aansprak over het boek dat ze niet van ganser harte aan het lezen was. Deels omdat hij zo knap was en deels vanwege hun bestemming veronderstelde ze dat hij homoseksueel was. Zulke fouten maakte ze altijd, ze beoordeelde anderen altijd verkeerd, in het bijzonder met betrekking tot zichzelf. Ze had het omgekeerde ook al eens gedaan, ze had verondersteld dat een homoseksuele man hetero was en bovendien interesse in haar had. Het resultaat van haar onjuiste aanname over Gus was echter dat ze, toen hij haar voor het eerst zoende, zo verrast was dat ze onwillekeurig een kreetje slaakte.

Later maakte ze er een erotisch grapje van: ze slaakte een gil toen hij voor het eerst bij haar naar binnen ging. En om hen allebei aan het lachen te maken, gilde ze later zo nu en dan als hij weer iets voor het eerst deed.

Ze begonnen met elkaar af te spreken, aanvankelijk eens in de twee, drie weken. Na korte tijd werd het eenmaal per week. Hij zat achter haar aan en probeerde iets van de grond te krijgen – dat voelde ze. En zij besloot het van de grond te láten komen. Ze had het naar haar zin.

Er speelden ook andere redenen mee. Ze kende in Boston nog niet veel mensen – ze was een beetje eenzaam – zodat ze alleen al met zijn gezelschap ingenomen was. Ook vond ze het heerlijk om met hem naar bed te gaan. Het was alsof de seks een sport was waarin hij uiterst bedreven was en die zich gemakkelijk en opgewekt liet beoefenen. Ze vertelde hem dat.

'Maar hoort het zo dan niet te zijn?' vroeg hij.

Ze lachte.

Billy kon niet geloven dat hij wilde dat ze zijn zus zou ontmoeten. Bijna van meet af aan bleef hij daarop aandringen. Het was lachwekkend, dat verlangen van hem. Zijn zús, alsjeblieft.

Maar hij stelde het zo vaak voor dat ze er uiteindelijk mee instemde.

Eind juli reden ze op een zaterdag in Gus' oude gele Volkswagen kever naar Vermont, met de raampjes open omdat de verwarming niet uit kon. Toen ze vaart minderden en het stadje waar Leslie woonde in reden, keek Billy om zich heen en bedacht hoe belachelijk volmaakt het was: het zonlicht dat gefilterd door hoge esdoorns en eiken over de brink in het centrum viel, de witte huizen die eromheen stonden. Terwijl ze Leslies onverharde oprijlaan opreden, zag Billy op de brink kinderen spelen.

Het huis zelf was oud, apart en leuk. De ramen stonden wijd open, zodat de zachte lucht door het huis kon trekken. Binnen waren de vloeren scheef en de plafonds laag. Ze bleven geruime tijd in de hal staan. Billy bekeek de gordijnen, die schots en scheef voor de ramen in de woonkamer hingen. Toen er niemand kwam, stak Gus zijn hoofd in het trapgat naar de eerste verdieping en riep Leslies naam.

'O!' riep iemand. Boven hoorden ze het geraas van voetstappen, en vervolgens kwam Leslie de smalle trap af, waarna op de steile, laddcrachtige trap haar voeten het eerst in beeld verschenen. Toen Leslie naar beneden kwam, stond Billy er versteld van dat ze zo veel van Gus verschilde: zij was vol, op het mollige af, terwijl hij heel gespierd was, en ze was donker, terwijl hij blond was. Ook had ze iets ernstigs, iets serieus over zich, wat je van Gus niet kon zeggen. Maar toen ze zich, na haar broer omhelsd te hebben, naar Billy wendde om haar een hand te geven, opende haar gezicht zich in een verbluffend warme glimlach. 'Billy,' zei ze. 'Ik denk dat ik je overal zou hebben herkend.' Haar hand was warm, haar handdruk ferm. Billy mocht haar meteen, precies zoals Gus haar had verzekerd.

Ze gingen in de tuin naast het huis zitten, en Leslie nam

een blad met een kan limonade mee naar buiten en schonk die voor hen in. Net toen ze hun glazen had ingeschonken, riep een van de kinderen aan de overkant tegen een ander kind: 'Dat is tegen de regels.' Het andere kind antwoordde: 'Nou, de regels deugen niet.'

'Helemaal waar,' zei Billy en Leslie lachte.

Het schaduwpatroon om hen heen was vlekkerig en veranderde wanneer de bomen op de wind bewogen. Vanaf haar zitplaats zag Billy aan één kant uit op de brink en de spelende kinderen, en aan de andere kant op de tuin: brede stroken hoge, ver uitgegroeide planten met lichte kleuren. Leslie bestookte haar met vragen over haarzelf: waar ze was opgegroeid, hoe haar jeugd was verlopen en hoe ze ertoe was gekomen toneelstukken te gaan schrijven. Maar ze sprak ook over zichzelf, haar familie en Gus. Laat in de middag stond ze op 'om iets aan het eten te gaan doen', maar het zou blijken dat ze daar al heel veel aan had gedaan. Na een paar minuten kwam ze terug, liet de hordeur achter zich dichtvallen, en overhandigde Billy en Gus twee blikken emmertjes. Ze vroeg hun om op het veldje achter de bloementuin een paar kopjes frambozen te plukken.

Toen Pierce uit het ziekenhuis thuiskwam, schonk hij hun onder de bomen gin and tonic, en kwam Leslie weer bij hen zitten. Billy kon zich niet goed voorstellen dat Leslie en Pierce bij elkaar hoorden, ze leken zo'n eigenaardig stel. Leslie viel in Pierce' nabijheid bijna stil, en hij leek zich er volkomen prettig bij te voelen dat alles om hem draaide. Gus hield hem ook flink aan de praat: hij stelde hem allerlei vragen en zat hem soms bijna te plagen. Een poosje vertelden ze om beurten moppen, en Pierce lachte hard om elke mop, zelfs om die van zichzelf. Billy mocht dat wel, iemand die om zijn eigen grappen lachte.

Ze gingen naar binnen om te eten, net op tijd om te ontkomen aan de insecten die hun opwachting hadden gemaakt. Vooraf was er koude soep, gemaakt van gepureerde erwten met munt, en vervolgens in plakken gesneden lamsbout met aardappels. Langzaam werd het donker om het huis. Ongeveer halverwege de maaltijd stak Leslie op tafel kaarsen aan. De geconcentreerde, gracieuze manier waarop ze dat deed had iets liefdevols en plechtigs over zich. Toen Billy haar blik van Leslie afwendde, waren de ramen opeens zwart. De weerspiegelingen van de kaarsen dansten heen en weer en op en neer in de oude, ongelijke en kromgetrokken vensterglazen.

Leslie ruimde de borden af – Gus stond op om haar te helpen – en diende vervolgens *poundcake* met ijs en pitloze frambozensaus op.

Na het eten ging Pierce nog wat werken in zijn studeerkamer. Gus, Leslie en Billy brachten het vaatwerk naar de keuken. Leslie wilde niet dat ze haar zouden helpen met de afwas, en dus ging Gus een eindje met Billy wandelen, om de buren te bespioneren, zei hij. Langzaam liepen ze een rondje over de brink. Tot Billy's verbazing waren nergens gordijnen voor de ramen getrokken. Gus en zij konden ongehinderd de ogenschijnlijk rustige en aangename bezigheden van de bewoners gadeslaan: tv-kijken en lezen. Sommige gezinnen zaten nog aan tafel in hun keuken of eetkamer. Terwijl Gus en Billy hun wandeling maakten, schoot in het donker een paar keer een groepje jongens op de fiets langs hen heen. Ze reden op hun achterwiel en schreeuwden elkaar toe – van een afstand waren alleen hun witte T-shirts zichtbaar. Er hing een frisse geur van bomen en planten.

Ze gingen op de brink in het gras liggen. Het voelde koel en vochtig tegen Billy's rug. Boven hen twinkelden en fonkelden meer sterren dan ze voor mogelijk hield. Een verre groep sterren was zo dik uitgestrooid dat het leek of er poeder was gemorst. Iemand riep naar een kind dat het binnen moest komen, een vage kreet die Billy diep verdrietig in de oren klonk: 'Louey. Lou-ey.'

Er reed een auto voorbij, het licht van de koplampen streek over de witte huizen en de bomen – vervolgens was het verdwenen en was alles weer donker. Billy zei: 'Ik weet waarom je me met je zus wilde laten kennismaken.'

'Ja? Waarom dan?'

'Omdat je deze hele omgeving, en ook Leslie, aan jezelf wilde verbinden. Omdat je mijn beeld van jou wilde uitbreiden met deze... dimensie, wat het ook mag inhouden: liefelijk Amerika.'

'Ik ben niet zo sluw als je denkt. Ik dacht gewoon dat je haar aardig zou vinden.'

'Dat vind ik ook. Hoe zou je haar niet aardig kunnen vinden?'

Toen ze terugkwamen, was het stil in huis. In de woonkamer was nog maar één lamp aan. Leslie en Pierce waren naar bed gegaan.

Gus en Billy deden het licht uit en liepen op de tast de smalle, krakende trap op naar Gus' oude kamer uit zijn studententijd. Het plafond liep er extreem schuin af. Boven het bed bevond zich een dakraam. Toen Billy omhoogkeek, zag ze de maan net in beeld verschijnen. Door het heldere maanlicht verflauwden de sterren, en achter de maan leek de nachthemel zwarter.

Billy ging als eerste naar de badkamer en liet zich vervolgens tussen de koele lakens glijden. Ze hoorde hoe Gus zijn tanden poetste en een plas deed. Hij kwam terug en strekte zich naast haar uit. Hij rook naar pepermunt en naar een lichaamsgeur die alleen hij had, een vaag grasachtig luchtje. Hij bracht zijn handen naar haar borsten, maar Billy zei: 'Nee, Gus.'

Een ogenblik later vroeg hij: 'Waarom niet?'

'Ze kunnen ons horen.'

'We houden het stil. We vrijen heimelijk.'

'Dat kan ik niet, Gus. Het is te dichtbij. Ze zijn te dichtbij.'

Was het daarom? Billy was er niet zeker van.

Fluisterend lagen ze in het zilverachtige licht. Na een poosje hoorden ze van de andere kant van de overloop, door de muren heen, zwakjes een licht, steeds herhaald gekreun – afkomstig van Leslies stem. Na enkele ogenblikken sloot Pierce zich bij haar aan, aanvankelijk met een zacht, ritmisch gebrom onder Leslies kreunen, dat vervolgens harder werd en erboven uitsteeg terwijl ze allebei naar een hoogtepunt toe werkten. Een definitief hoogtepunt, hoewel dit alles gedempt was, misschien vanuit de welopgevoede hoop dat ze niet te horen waren. Langzaam vervielen ze tot stilzwijgen. Een minuut of twee later hoorde Billy hun stemmen een slaperig gesprekje voeren, een zacht, beurtelings gemompel.

'Hmm!' zei Gus toen het een poosje stil was. Ze zag dat hij grijnsde. Zijn gebit oogde in dit licht vervaarlijk.

'Interessant,' antwoordde ze.

'Toch wel een precedent, vind je ook niet?' Hij draaide zich opnieuw op zijn zij, naar haar toe.

'Gus, nee. Nu helemaal niet meer. Ik zou me opgelaten voelen. Het zou een wedstrijdje lijken.'

'O, en jij doet daar nooit aan mee.'

'Ik kan het gewoon niet, Gus.'

Nadat Gus in slaap was gevallen, lag ze nog lang wakker. Het maanlicht dat over het bed scheen weerhield haar ervan de slaap te vatten, maar ze besefte ook dat ze een licht ongemakkelijk gevoel over hem had – ze wist niet precies waarom.

Nee, het zat hem hierin. In de loop van de middag en avond was hij in haar ogen langzaam maar zeker jóng geworden. Te jong. Onvolwassen. Het had met Leslie te maken, met de houding die hij in haar buurt aannam. Hij leek de dingen zo gemakkelijk van haar gedaan te krijgen. Hij had Billy verteld dat Leslie een soort moeder voor hem was, maar ze vond dat dit iets was waaraan je in de wederzijdse strijd met een moeder ontgroeide.

Toen ze de volgende dag naar huis reden, zei ze: 'Ik zou er een lieve duit voor overhebben als iemand mij zou adoreren zoals je zus jou adoreert.' Ze had haar blote voeten tegen het dashboard gezet om de warme lucht die daar gestaag onder vandaan werd gepompt niet te hoeven voelen.

'Dat is nergens voor nodig. Ta-dá! Je hebt mij.'

'Dat is anders. Jij bent je bewust van bepaalde, laten we zeggen: tekortkomingen.'

'Ik kan er niet één bedenken,' zei hij.

'Zie je wel? Je moet er een grapje van maken.'

Het jaar daarop gingen ze regelmatig naar Vermont, gewoonlijk eens in de maand. Als Pierce en Gus waren gaan slapen, bleven Billy en Leslie samen vaak nog lang op. In het warme weer zaten ze op de afgeschermde veranda naast de eetkamer. Later – in augustus en september, toen de avonden snel frisser en uiteindelijk koud werden – zaten ze binnen, in de woonkamer met het lage plafond. Ze wisselden in die gesprekken gemakkelijk van onderwerp: van toneelstukken en films gingen ze over op boeken waarvan ze hielden en op steden die ze hadden bezocht. Leslie stelde vragen over Billy's vreselijke huwelijk en haar jeugd als dochter van een beroemd man.

'Een groot man,' zei Billy. 'Dat werd ons in elk geval ingeprent. Door mijn moeder, die arme, onzichtbare vrouw. En natuurlijk door hemzelf.' Het gaf haar een ontspannen gevoel om het hier met Leslie over te hebben, al had ze het nooit met Gus besproken. 'Ik heb nooit een grotere narcist gezien. De grote Pooh-Bah, noemde ik hem. Achter zijn rug om, natuurlijk.'

Op haar beurt vertelde Leslie over Pierce en hoe zij elkaar hadden leren kennen, en over de nare jeugd die Gus en zij hadden gehad. Over de onredelijke woede van hun moeder: ze vertelde dat ze op een keer schrammen op Gus' gezicht had gezien. Hij zei dat het niks voorstelde, dat hun moeder hem een klap had gegeven omdat hij na het opstaan zijn beddengoed op de slaapbank had laten liggen en dat haar ring in zijn wang was blijven haken en de huid daardoor kapot had getrokken.

'Dat was níks, volgens hem.' Haar intonatie was van pijn vervuld. Terwijl ze haar hoofd schudde, verstrakte haar mond.

Ze vertelde dat ze altijd versteld stond van Gus' luchthartigheid. 'Ik heb het idee dat we de manier waarop we op ons gezin reageren langs een heel strakke scheidslijn hebben verdeeld. Ik heb alle harde, akelige dingen in me opgenomen. Ik merkte ze op. En ik weet dat dat me tot de mens heeft gemaakt die ik ben,' zei ze. 'Ik weet ook wat voor mens dat is. Ik weet hoe ik de dingen graag heb – ordelijk en rustig – en ik besef dat dat een minder moedige kant heeft en dat ik bang word wanneer ik me daarin bedreigd voel.'

Ze voerden dit gesprek buiten, op de veranda. Het was donker, en in de avondlucht leken hun stemmen uit het niets te komen. Misschien zouden ze elkaar anders niet zo veel hebben verteld.

'Maar in alle eerlijkheid,' zei Leslie, 'ik weet niet waar Gussies temperament vandaan komt. Hij is zo... zorgeloos. Misschien was mijn vader in zijn jonge jaren een beetje zo, maar vanaf de tijd dat Gus zich van hem bewust was, was hij voornamelijk een dronkenlap.'

Toen Billy en Gus in het najaar aan het werk moesten – Gus op de prep school waar hij lesgaf en Billy op Boston University –, kregen ze het zo druk dat ze afspraken elkaar gedurende de week helemaal niet te zien. Billy gaf twee curricula die nieuw voor haar waren, en Gus moest uiteraard elke dag lesgeven en 's avonds lessen voorbereiden en werk nakijken. Meestal waren ze echter elk weekend een dag samen, soms in het grote appartement in Brookline waar Billy onderhuurster was, en ook weleens in de kleinere woning van Gus in Somerville. Ze verkenden de stad of sliepen uit, ze kookten samen en gingen naar een toneelstuk of een film, ze luisterden naar muziek. Ze vrijden. Ze gingen bij Leslie en Pierce op bezoek. Alles leek even ontspannen en onbezwaard.

Bijna alles.

Zo nu en dan ervoer Billy Gus' voorkomendheid jegens haar als verstikkend, en zijn bereidheid om van gedachten te veranderen over een onderwerp waarover zij een uitgesproken mening had, als zwak. Wat vond hij zelf? Waarvan was híj vurig overtuigd? Ze sloot zich dan voor hem af, werd soms zwijgzaam en nors, en nam dat zichzelf kwalijk, maar kon het niet in de hand houden. Ook bleef ze weleens een paar weken bij hem vandaan – op een keer zelfs bijna een maand – en verzon daarvoor het excuus dat ze moest werken. Dat was ook altijd waar, ze probeerde heel veel voor elkaar te krijgen.

Eens in de zoveel tijd had ze ook het ongemakkelijke besef dat zich voor het eerst van haar had meester gemaakt toen ze Gus en Leslie samen had gezien – het idee dat hij een soort onrijp jongetje was. En als ze dat voelde, werd ze zich bewust van de afstand tussen hen, van het feit dat ze hem bijna gebruikte. Dat ze de tijd met hem verdreef, alsof hij een prettige vorm van vermaak was waarin ze even kon opgaan – het equivalent van de uit popcorn en ijs bestaande maaltijden waaraan ze zich weleens te buiten ging als ze alleen was.

Maar vervolgens deed hij iets heel aardigs of zei hij iets leuks. Of ze dacht aan zijn vreselijke jeugd en vergaf hem alles. Of ze raakte plotseling opgewonden van zijn mooie lichaam, waarna ze een middag of een avond in bed doorbrachten en elkaar het ene orgasme na het andere bezorgden.

Ze hield niet van hem. Ze wist dat ze niet van hem zou gaan houden. Ze wist ook dat dat voor hem anders was. Op een keer had hij tegen haar gezegd: 'Ik denk dat ik verliefd op je word, Billy Gertz.'

Ze had bijna met hem te doen, het had zo'n puberale indruk op haar gemaakt: de woorden van iemand die de verzekering verlangt dat zijn gevoel wordt beantwoord, voordat hij het werkelijk uitspreekt. In haar antwoord had ze een lichte, stoere toon aangeslagen. Ze zei: 'O, dat moet je niet zeggen. Zoals het nu is, is het veel leuker.'

Als er problemen waren, ging het meestal hierom: Billy was zich bewust van haar afstand tot Gus en reageerde daarop met irritatie jegens hem omdat hij zich aan haar opdrong, of met irritatie jegens zichzelf omdat ze haar leven niet wat serieuzer nam, haar tijd verdeed en daarmee, zoals ze zichzelf zo nu en dan op het hart drukte, ook de zijne.

Een enkele keer echter, een heel enkele keer, was er iets aan Billy of haar leven wat Gus dwarszat. Soms beklaagde hij zich erover dat ze totaal in haar werk opging, en dat ze, als ze met een project bezig was, verstrooid en maar half aanwezig was. Hij vond het niet prettig als ze met andere mannen uitging, wat ze eens in de paar weken deed – soms in een groepje, soms alleen met één man. Ze wees hem erop dat het om collega's ging. Om andere schrijvers, om mensen die ze leerde kennen terwijl ze dieper in het Bostonse theaterwereldje doordrong.

Eén keer was hij misnoegd omdat ze iets persoonlijks van hen in een stuk gebruikte: het kreetje dat ze had geslaakt toen hij haar voor de eerste keer had gekust. Ze zat naast hem tijdens een lezing van het stuk, op een avond waarop voor de faculteit werk op het toneel werd gelezen. Toen het moment daar was, sloeg ze hem welbewust gade. Hij lachte, maar algauw betrok zijn gezicht. Ze zag dat hij gekwetst was.

De volgende avond spraken ze erover. Hij kwam rond zessen naar Billy toe. Afgezien van een bezoek aan de kruidenier om benodigdheden voor het avondeten in te slaan, was ze de hele dag alleen thuis aan het werk geweest. Gus was voor een belangrijke voetbalwedstrijd naar zijn school gegaan – hij was coach van het elftal. Alle docenten op school waren coach bij een bepaalde sport of gaven leiding aan een buitenschoolse activiteit. Billy kon het aanvankelijk niet geloven, die flauwekul over een gezonde geest in een gezond lichaam, maar ze bedacht dat het misschien zinvol was als je een stel pubers in het gareel probeerde te houden.

De hele dag door had ze van tijd tot tijd aan het gezicht gedacht dat Gus in het theater had getrokken. Ze dacht daaraan, en aan de lichte spanning, de beleefdheid, die daarna tussen hen had bestaan. Ze waren allebei naar hun eigen woning gegaan, maar omdat hij vroeg op moest was dat steeds het plan geweest. Nu zaten ze na het eten tegenover elkaar. Billy dronk wijn, Gus bier. Ze droeg nog het schort dat ze had voorgedaan toen ze ging koken, een slonzig ding dat echter volledige bescherming bood en dat ze jaren geleden van haar grootmoeder had gekregen. Gus droeg een blauw-wit gestreept overhemd met open kraag en oogde fris en jeugdig. Ze besefte dat ze zich bij hem in het nadeel voelde. Ze voelde zich lelijk.

Ze hadden het gehad over de recensies van een film waar ze misschien de volgende middag naartoe wilden, maar waren stilgevallen.

Billy zei: 'Volgens mij schrok je gisteravond bij het stuk.'

'Hmm?' Hij wierp haar een gefronste blik toe.

'Ja. Als Jay ertoe overgaat Elena te kussen en zij haar gilletje slaakt.'

Hij keek naar zijn glas en meed haar blik.

'Míjn gilletje,' verbeterde ze zichzelf.

Heel even keek hij op. 'Óns gilletje, zou ik zeggen.'

'Dat betekent dat jij vond dat het... privé was. Iets van ons.'

'Ja, dat vond ik zeker.' Hij knikte een aantal keren snel achtereen. Hij glimlachte niet.

'Het spijt me,' zei ze.

'Maar het wás toch privé, vind je niet?'

'Nou, dat is het nog steeds.'

Hij ademde nadrukkelijk uit, bij wijze van lachje. 'Verklaar je nader.'

'Nou, jij bent Jay niet, jij komt niet aan de kost met gokken, jij bedriegt je vrouw niet. En ik ben Elena niet. Ik ben niet... afhankelijk van de goedhartigheid van vreemden.'

'Maar je hebt ze iets laten doen wat tussen ons is gebeurd. Iets wat privé is.'

'Maar doordat zij het doen wordt het iets anders.' Ze zat over de tafel gebogen, maar hij keek haar nog altijd niet recht aan. 'Bij hen is het anders. Het heeft een andere betekenis. Bij hen – als zij het slaakt – is het niet ons gilletje. Het heeft een ander karakter gekregen.'

'Niet genóeg.'

'Hoezo? Denk je soms dat de mensen zullen zeggen: "Weet je, ik denk dat dat is voorgevallen tussen de schrijfster en die leuke jongen die naast haar zat"?'

'Het maakt me niet uit wat de mensen zeggen. Dit gaat om mij, om ons. Het gaat erom dat jij ons gebruikt.' Een kwade Gus. Een verrassing.

Maar meteen werd ze zelf ook kwaad. 'Ik gebruik mezélf, Gus,' zei ze. 'Ik gebruik alles van mezelf. Dat heb ik allemaal nodig, en als jij met mij gaat, betekent dat dat ik jou ook gebruik. Ik gebruik alles. Wat zou ik anders moeten? Als ik iets niet gebruik, is dat omdat het niet werkt. Niet omdat het heilig is.' Ze sprak met stemverheffing. 'Niks is heilig. Zo is het nou eenmaal.'

Een minuut lang zwegen ze. Billy hoorde dat ze sneller

ademde. Bewust ging ze langzamer ademhalen. Ze sloeg een andere, speelse toon aan. 'Zoals het spreekwoord zegt: als je niet tegen de warmte kunt, moet je uit de keuken wegblijven.'

Hij keek haar aan. Opeens glimlachte hij. 'Ach, Billy,' zei hij. 'Natuurlijk komt dat van een vrouw die een schort voor heeft. Jij had de rekwisieten al. Niet eerlijk!'

Was het eerlijk? Hoe zij alles gebruikte? Billy dacht er vaak over na. In haar eerste stuk had ze haar ellendige vroege huwelijk gebruikt, in het bijzonder de honende manier waarop haar ex over hun huiselijk leven sprak. 'Meneertje en mevrouwtje, en hun leuke appartementje en alle leuke spulletjes die meneertje en mevrouwtje samen hebben verzameld.' Binnen enkele weken na hun bruiloft was hij verbitterd van spijt en was hij niet meer in staat haar vriendelijk te bejegenen. Ze kon vrijwel geen liefdevol gebaar maken of het lokte een ironische reactie bij hem uit. Omdat Billy dat drie jaar had ondergaan, vond ze dat het haar goede recht was om er naar believen gebruik van te maken.

Ze had met name een handgemeen tussen hen gebruikt.

Feitelijk was zij begonnen. Zij had hem eerst geslagen. Ze had hem met haar vuist een neerwaartse klap op zijn bewegende mond gegeven, met de eenvoudige bedoeling een einde te maken aan de afgrijselijke woordenstroom die daar uit kwam. Zuiver reflexmatig sloeg hij terug, met al zijn kracht. Hij was ruim vijfentwintig kilo zwaarder dan zij. Ze vloog een stukje de lucht in en sloeg vervolgens tegen een muur aan. Het was alsof je een scène uit een tekenfilm in het echt naspeelde. Het ontbrak er alleen nog aan, had ze later aan een vriendin verteld, dat er sterretjes en planeetjes om haar hoofd heen cirkelden.

De choreograaf voor vechtscènes beleefde er veel plezier aan, en op de planken zag het er overtuigend uit. De actrice had de rest van het stuk een blauw oog en vertelde een reeks vrolijke en steeds idiotere leugens over hoe dat was gekomen – leugens waarin ze zelf zogenaamd geloofde, in elk geval voor een deel. Het was een soort absurdistische eenakter over zelf-bedrog, en aan het slot zong het paar fraai, tweestemmig en innig verstrengeld 'Tea for Two'.

Toen ze er eenmaal aan was begonnen had ze het stuk in een roes geschreven, en ze had in dit geval niet tegen Gus kunnen aanvoeren dat ze de dingen een duidelijk ander karakter had gegeven. Hoogstens misschien door de toon en de humor, die volledig hadden ontbroken toen zij de hele geschiedenis beleefde.

Maar voor haar ex-man zou het geen verschil hebben gemaakt. Hij was toen al vertrokken, om in Phoenix te gaan werken. Hij had het stuk met zekerheid niet gezien, want het was alleen opgevoerd in een klein, experimenteel theater in de North Side van Chicago. De trieste waarheid was dat bijna niemand het had gezien.

Billy's tweede stuk was bijna even rechtstreeks uit haar leven gegrepen en maakte voor anderen in Billy's bestaan wel degelijk verschil. Het ging over een familiebijeenkomst rond Thanksgiving. Vijf volwassen kinderen kwamen een paar dagen in hun ouderlijk huis logeren. De vader was een hoogleraar met emeritaat die door zijn vrouw bijna volledig aan het oog werd onttrokken. Zij had de behoefte om altijd in het middelpunt te staan, het deed er niet toe hoe. Ze gebruikte alle methoden die ze tot haar beschikking had: meer weten dan alle anderen, je erotisch uitdagender gedragen dan alle anderen en meer praten dan alle anderen. Indien nodig dieper gekwetst zijn dan alle anderen – in één scène volbracht de actrice die haar speelde binnen enkele seconden de omslag van knorrige minachting naar tranen van smart.

In de loop van het stuk werden de volwassen kinderen ieder

op hun beurt de invloedssfeer van dit monsterlijke personage in gezogen en veranderden ze daardoor. De oudste broer, een arts, raakte met haar in een doelloze en steeds kinderlijker aandoende ruzie over tuberculose verwikkeld, waarin zij niet wilde toegeven dat hij er misschien wat meer van wist dan zij. Ze deed een beroep op een van de dochters om haar te troosten omdat hij zo wreed was geweest om ruzie met haar te maken. Ze werd dronken en probeerde de jongste zoon te verleiden. Samen dreven ze de spot met de tweede dochter, die deed alsof ze niet gekwetst was en samen met hen zichzelf uitlachte. En gedurende het hele stuk voorzag de wellevende blindheid die de vader voor deze staaltjes van wreedheid en manipulatie aan de dag legde in een soort dekmantel voor het gedrag van de moeder, en bevestigde de leugen dat het om een normale, heel plezierige familiebijeenkomst ging.

Uiteraard was dit Billy's gezin, waarbij het geslacht van de ouders was omgekeerd – in haar geval was haar vader de narcist en trok haar moeder zich zo ver terug dat ze onzichtbaar werd. Maar geen van de gezinsleden liet zich daardoor voor de gek houden – afgezien van haar moeder waren ze indertijd allemaal nog in leven, en drie van hen woonden in Chicago en kwamen naar de voorstelling. Het had tot gevolg dat ze daarna nog lange tijd van hen vervreemd was geweest en zich niet met haar vader had verzoend toen hij enkele jaren later overleed.

Nadat hij het stuk had gezien, had hij haar gebeld om er kritiek op te geven. Ze had het stuk en zichzelf verdedigd. Op een gegeven moment zei hij: 'Weet je wat jouw probleem is, Billy?'

Billy besefte vrij goed wat haar problemen waren – ze had door de jaren heen genoeg therapieën gevolgd –, maar ze betwijfelde of haar vader daaraan dacht. 'Nee,' zei ze.

'Jouw probleem is dat je denkt dat je beter bent dan alle anderen.'

Billy lachte. 'Denken we dat niet allemaal?' zei ze.

Hij had opgehangen.

Sindsdien was ze in haar werk niet meer zo dicht bij haar eigen leven gekomen, niet uit angst om mensen te kwetsen of kwijt te raken, maar omdat ze niet meer zo kwaad was. Als gevolg daarvan zat er in haar stukken ook minder boosheid – minder neiging tot aanklagen, veronderstelde ze. Ze was daar enigszins bezorgd over. Ze had het idee gehad dat haar werk en zijzelf interessant waren door haar woede. Ze was bang dat ze zonder die woede gewoontjes zou worden. In haar ogen was dat haar broers en zussen ook overkomen. Doordat ze zich zo hadden moeten inspannen om te doen alsof alles in het gezin in orde was, hadden ze niet alles uit zichzelf gehaald wat erin zat. Zij was daaraan ontsnapt door kwaad te zijn, en ze vroeg zich af wat er van haar en haar schrijven zou worden als die woede afnam.

Ze ontdekte dat haar stukken in wezen minder buitenissig werden. Conventioneler, in elk geval. 'Diepgravender' en 'wijzer', volgens de critici. Ze kreeg een breder publiek. En meer succes. Maar soms miste ze die vroege, kwade stukken en vooral het vuur waarmee ze ze had geschreven. Ze moest nu harder werken – aan het schrijven zelf en aan het uitzoeken waarom ze schreef. Ze zou dat tegenover Gus nooit hebben toegegeven, maar zelfs toen ze tegen hem haar hartstochtelijke betoog hield over de noodzaak om in haar werk alles te gebruiken, wist ze dat haar angst over dit alles bepalend was voor de heftigheid waarmee ze zich tegenover hem verdedigde.

In maart, tien maanden nadat ze Gus had leren kennen en drie maanden voordat de eigenaars van het appartement waar ze in onderhuur woonde zouden terugkeren en het zelf weer zouden betrekken, ging Billy op zoek naar een andere huurwoning. Als onderhuurster had ze niet veel betaald, omdat ze moest passen op twee onvriendelijke, achterbakse witte katten die, zolang ze het geluid van de elektrische blikopener niet hoorden, geen enkele belangstelling voor haar hadden. Nu ze de opgeprikte woningaanbiedingen op Boston University en de advertenties in de zondagsbladen doornam, ontdekte ze tot haar ontzetting hoe duur woningen zonder vervelende bijkomende voorwaarden in Boston waren; veel duurder dan in Chicago. In juni had ze nog niets gevonden wat haar beviel en wat ze zich kon veroorloven.

Uiteindelijk liet ze zich door Gus overhalen om die zomer bij hem in te trekken. Zij was van plan intussen te blijven zoeken en iets te vinden voor september, wanneer in deze universiteitsstad weer een grote wisseling van de wacht plaatsvond. Gus was van plan haar te overreden om te blijven, en zij wist dat, maar deed alsof ze het niet wist. In elk geval kwamen hij en een vriend van hem op een zonnige woensdag begin juni in een Econoline-busje naar Brookline, laadden daar Billy's aardse bezittingen in – voornamelijk boeken, papierwerk en kleren –, reden vervolgens naar Somerville en droegen alle spulletjes de trap naar Gus' appartement op, naar de kamer die hij had ontruimd zodat zij er zou kunnen werken.

De eerste paar dagen, toen Gus nog lesgaf – hij vertrok 's ochtends vroeg en kwam pas met etenstijd weer thuis – richtte ze deze ruimte in. Ze sloot haar computer aan en rangschikte haar aantekenboeken en de toneelstukken die ze graag wilde kunnen opslaan als ze aan het werk was. Vervolgens werkte ze een paar dagen – en góed. Dit zou weleens prima kunnen uitpakken, dacht ze. De kamer, met rechtstreeks uitzicht op een welig tierende boom, beviel haar. Ook het geluid van de kinderen die 's middags op straat speelden beviel haar. Haar straat in Brookline was chic, leeg en stil geweest. Als er al kinderen waren, waren ze ergens anders, naar les.

Aan het eind van de week haalde Gus haar over om met

hem mee te gaan naar de diploma-uitreiking van zijn school. 'Het is leuk,' zei hij. 'Het zal je bevallen.'

Het was leuk. De uitreiking vond plaats in de buitenlucht, op een podium dat op het grote gazon midden op de campus was opgesteld. De toeschouwers zaten in rijen op klapstoeltjes die op het gras waren neergezet. De vrouwen – moeders, oma's en zussen – droegen grote witte of felgekleurde strohoeden om zich tegen de zon te beschermen. 'Het is net of ik eindelijk naar de Kentucky Derby ga,' zei Billy tegen Gus. 'Maar ik mis de paarden wel.' De meisjes die waren geslaagd waren in het wit gekleed en hadden allemaal een rode roos in hun hand, en de jongens droegen een roos op de revers van hun witte jasje. Billy pinkte zelfs een traantje weg toen ze hun diploma kregen en over het podium schreden: zo triomfantelijk, zo vol verwachting en zonder besef van wat er voor hen in het verschiet lag.

Na afloop van de plechtigheid, terwijl Gus zijn leerlingen feliciteerde, liep ze onopgemerkt rond en luisterde gesprekken af, zoals ze dat in elke mensenmassa graag deed, waarbij ze bepaalde opmerkingen zorgvuldig onthield. Van tijd tot tijd ving ze te midden van de rondsjouwende mensen een glimp van Gus op. Hij praatte en schertste met verschillende groepjes geslaagden – hij plaagde de meisjes, hield de jongens voor de gek, gaf zo nu en dan een leerling een speelse tik tegen de arm, lachte en was volkomen op zijn gemak.

Toen Billy echter op een gegeven moment haar blik over het gazon door de kleiner wordende menigte liet gaan, zag ze hem, maar zonder hem te herkennen. Het duurde ruim een seconde voordat ze besefte dat de jongen naar wie ze keek geen leerling was. Dat hij Gus was. Ze stond daar en staarde hem aan. Hij draaide op een rare manier met zijn hoofd, hij was duidelijk iemand aan het nadoen, en vervolgens lachte hij. De jongens die om hem heen stonden, lachten ook. Hun groepje viel even uiteen en kwam toen weer bij elkaar.

Krijg nou wat, hij is een jongen! dacht ze. Hij is net zo oud als zij.

Een ogenblik was ze geschokt, daarna volgde snel een gevoel van afkeer. Die had echter betrekking op haarzelf, omdat ze dit niet eerder had beseft. Of omdat ze zichzelf niet had toegestaan het te beseffen. Ze had het gezien, ze was zich ervan bewust geweest – dat erkende ze nu tegenover zichzelf –, maar desondanks was ze doorgegaan. Omdat het makkelijk was, omdat de seks goed was, omdat ze het verder druk had en Gus iemand was over wie ze niet hoefde na te denken.

Wat vreselijk, om iemand zo te gebruiken. Om iemands liefde te gebruiken.

Want Gus hield van haar, dat wist ze. Wat liefde voor hem ook mocht betekenen, hij voelde liefde voor haar. Die liefde was aanwezig in zijn bewondering, zijn aandachtige opmerkzaamheid bij alles wat zij deed. Ze was aanwezig in de manier waarop hij haar reacties op de dingen gadesloeg en haar meningen overnam. In alles wat haar irriteerde, als ze heel eerlijk was. En dat was ze nu niet bepaald geweest.

Ze stond perplex van dit alles en werd overweldigd door woede op zichzelf. Op de terugweg bracht ze in de auto nagenoeg geen woord uit. Gus verkeerde nog in een roes vanwege de uitreiking, zodat het er niet toe deed. En toen hij stilviel – in reactie op haar, veronderstelde ze –, zette ze de radio aan, waar een wedstrijd van de Red Sox werd verslagen, en daar luisterde hij met alle genoegen naar.

Hierna deed alles wat haar soms aan Gus had bekoord – dat hij goed, aardig, attent en lief was, dat ze het fijn vond om met hem te vrijen, dat ze graag naar hem keek en dat hij geestig en pienter was – er niet veel meer toe. Niet genoeg, in elk geval. Ze zag nu wat haar stoorde, wat haar altijd had gestoord. Maar ook zag ze nieuwe aspecten. Ze zag dat hij geen diepere dimensie had, geen duistere kant. In elk geval niets van dien aard dat voor haar bereikbaar was. Zo leek het alsof hij ieder besef van de verontrustende kanten van zijn jeugd eenvoudigweg had weggedrukt. Op de lange avonden waarop Billy met Leslie had zitten praten had ze daarvan van haar een eerlijker beeld gekregen dan van Gus. Ook was het een feit dat Leslie de moeite had genomen hun jeugd nauwgezet onder de loep te nemen. Had geprobeerd die te begrijpen. Ze erkende dat haar eigen behoefte aan vriendelijkheid en rust een bijna bewuste reactie was op de moeilijke en nare kanten van haar jeugd. Ook zag ze in dat haar reactie evenzeer een beperking als een kracht was.

Gus vond niet dat hij een treurige jeugd had gehad. Of hij wilde dat niet vinden. Op een keer noemde hij zijn jeugd tegenover Billy 'afwijkend'.

'Afwijkend in de zin van pijnlijk,' zei Billy.

Na de diploma-uitreiking werd het erger. Gus had vakantie. Billy niet. Ze moest werken, maar Gus wilde dat ze hem gezelschap hield, hij zag niet in waarom ze elke dag achter haar bureau moest zitten. Het was zomer. Waarom ging ze niet met hem mee naar Martha's Vineyard? Naar Vermont? Naar West-Massachusetts? Naar een toneelvoorstelling, dan? Naar Williamstown, om een toneelvoorstelling te zien, dat was voor haar toch het belangrijkste wat er bestond?

Ze kreeg het gevoel dat hij wat zij deed in bepaalde opzichten niet als werk beschouwde. O, hij had bewondering voor haar stukken – dat zei hij in elk geval wel. Maar hij leek geen verband te kunnen leggen tussen die stukken en haar behoefte om vier of vijf uur per dag alleen achter haar bureau door te brengen.

Voortaan ging ze naar haar werkkamer op Boston University om te schrijven. Dat was een nogal troosteloos hok. Je keek er uit op een luchtkoker, en er was een onaangenaam felle, fluorescerende verlichting. De kamer had lang geleden voor het laatst een verfkwast gezien, en op het plafond zaten vochtplekken. Maar je was er op jezelf. Het was er stil. Doodstil nu, in de zomer – nu het merendeel van het faculteitspersoneel was verdwenen uit de doolhof van kamers waar ze in het academisch jaar waren ondergebracht.

Boven alles was van belang dat Gus er niet was.

Toen Billy op een ochtend naar haar werkkamer toe fietste, besefte ze dat ze het uit moest maken. Ze moest niet alleen een eigen woning vinden en verhuizen. Ze moest hem ook vertellen dat het niets zou worden – dat het nooit wat zou worden. Dat het nu ook niet goed ging. Het was nog vroeg, rond halfzeven. Er was nog niet veel verkeer, en afgezien van de joggers was er nauwelijks een mens op straat. Ze fietste langs de rivier en keek hoe iemand in een roeiboot soepel stroomopwaarts voer en hoe het water gestaag en rustig langs de hoge grassen aan de oever kabbelde. Ze bleef staan. Ze keek naar de skyline van Boston en de elegante tuien van de Zakim Bridge. Dit vond ze heerlijk: alleen zijn, zich alleen bewust zijn van zichzelf. Ze wilde niet dat Gus opmerkte hoe zij dingen opmerkte, haar bewonderde, alles wat onprettig aan haar was negeerde en vasthield aan zijn visie op haar.

Ze zou het hem zeggen. Dat zou ze doen.

Maar nu nog niet. Het was beter om te wachten totdat ze een eigen woning had – het zou te ongemakkelijk zijn om met hem samen te moeten wonen als hij het wist. Dat zou voor hen allebei te moeilijk zijn. Maar ze zou het hem zeggen.

De opluchting die ze voelde toen ze dit op een rijtje zette, toen ze een plan maakte, tekende zich scherp en duidelijk af, alsof een mist waarin ze maandenlang had geleefd was opgetrokken. Meeuwen cirkelden krijsend boven de boomtoppen rond, hun witte kleur stak af tegen de blauwe lucht, en een ogenblik was Billy bijna duizelig van geluk. Toen ze in haar lelijke werkkamer aankwam, nam ze daar enthousiast plaats en begon door te lezen wat ze de dag daarvoor had geschreven. Ze zou haar leven terugkrijgen.

Alsof Gus dit aanvoelde – Billy's gedrag moest ook zeker enigszins zijn veranderd, zo veel lichter voelde ze zich – leek hij haar dichter naar zich toe te willen halen. Toen ze slechts een paar weken later op een middag thuiskwam en de deur opende, trof ze hem op de grond in de woonkamer aan. Hij zat daar te spelen met een jong hondje, een middelgrote zwarte pup, echter met enorm grote poten. Hij was voor haar, zei Gus. Een cadeau.

Hij had dit duidelijk al een tijd lang voorbereid – in een hoek van de woonkamer had hij een box neergezet, en hij vertelde dat hij iemand had aangenomen die dagelijks halverwege de ochtend of laat in de ochtend langs zou komen om de hond uit te laten. Gus zei dat hij het beestje 's ochtends vroeg zou uitlaten, voordat hij naar school ging, en nog een keer als hij weer thuis was – hij zou dan lange wandelingen met hem maken. Billy hoefde alleen maar rond twee of drie uur naar huis te komen, wat ze toch elke dag al deed, om hem vervolgens uit te laten. Een klein eindje maar.

Terwijl Billy ging zitten, van verbazing met stomheid geslagen, ging Gus op nerveuze toon verder. Hij stelde de hond aan haar voor. Het was een bastaard, vertelde hij. Zijn moeder was een newfoundlander, de hond van een collega-docent op zijn school. Zij had geen idee wat de vader voor hond was.

Billy keek naar het hondje. Hij kauwde op een groot speeltje van ongelooide huid dat Gus voor hem had gekocht. Natuurlijk was hij absoluut en hartverscheurend onweerstaanbaar. Gus glimlachte naar hem. Ze voelde een vlaag van hevige woede jegens Gus en vervolgens ook medelijden. Ze vroeg zich af of hij wel enig besef had van de complexe beweegredenen achter dit geschenk, die zij meteen had onderkend.

Ze wist dat ze hem dat ook moest vertellen, en ze wist dat nee zeggen tegen het hondje onderdeel was van het grotere nee dat ze hem moest overbrengen. Ze keek hem aan. Ze zag aan zijn gezicht dat hij zich op zijn minst een beetje schaamde omdat hij haar de hond had gegeven. Omdat het zo'n vreselijke manier was om haar aan hem te binden, om haar te laten blijven.

Het hondje stond op, trilde een beetje en liep dartel maar onvast naar haar toe. Ze stak haar hand uit, en hij liet zijn achterlijf zakken en begon over haar hand te likken.

'Hoe zullen we hem noemen?' vroeg Gus en Billy slaakte een zucht en gaf zich gewonnen.

Dat was in augustus gebeurd. Toen Gus zich opmaakte om weer op school te beginnen, was Billy nog op zoek naar een appartement. Ze had een oogje op een woning in Cambridgeport, waar ze ook weer zou kunnen onderhuren, maar het appartement zou pas in januari beschikbaar zijn. Dan zouden de bewoners, die aan de universiteit verbonden waren, verlof nemen, en daarom nam ze nog bijna dagelijks de lijsten met woningen op Boston University door en liep ze op zondag de advertenties in de bladen na.

Op 11 september werd Billy vroeg wakker. Feitelijk was ze al eerder wakker geweest, toen Gus opstond om naar de luchthaven te gaan, maar ze had toen gedaan alsof ze sliep. Dit keer kon dat niet. Het hondje zat te janken. Reuben. Ze had hem Reuben genoemd. Ze deed een plas, poetste haar tanden, kleedde zich snel aan en ging naar de woonkamer. Zodra ze Reuben zag, leverde ze zich aan hem over, net als op de dag van zijn komst. Hij was bekoorlijk, zelfs nog bekoorlijker dan de meeste jonge hondjes. De innemende onhandigheid die uit zijn grootte voortkwam, zijn treurige bruine ogen, zijn immense poten, de bolle vorm van zijn kop, zijn lange roze tong en zijn frisse lichaamsgeur, alles aan hem verschafte haar plezier. Hij zat nu in zijn box, de box waar hij al bijna uitgegroeid was. Hij maakte een geluid dat klonk als het geweeklaag van een oude vrouw.

Nu hij haar zag, kefte hij. Hij begon als een bezetene over de bodem van zijn box te krabben. Billy pakte een paar plastic zakken en de sleutels, en haalde de hondenlijn van de kapstok. Ze draaide de deur van Reubens box van het slot. Hij sprong eruit en rende naar de voordeur van het appartement. Toen ze die opende, stormde hij de trap af en ging ongeduldig voor de buitendeur staan. Ze hoorde dat hij een nerveus gejank voortbracht. 'Brave hond,' zei ze en ze opende de laatste deur.

In zijn haast viel hij bijna van de trap van het portiek. Zodra zijn poten het trottoir raakten, hurkte hij neer om te plassen.

Ze zwaaide hem de lof toe die onderdeel van zijn opvoeding was, aaide hem en haalde haar vingers langs zijn lange hangoren. Vervolgens bevestigde ze de lijn aan zijn halsband en begonnen ze aan het ommetje van drie blokken dat ze twee keer per dag met hem maakte.

Het was een prachtige dag, zacht en wolkeloos. Een hond hebben had veel prettige kanten, ze erkende het allemaal met tegenzin, maar een ervan was simpelweg dat ze veel vaker de deur uit kwam. Natuurlijk wist Billy dat het in januari of februari niet zo'n genoegen zou zijn als vandaag, maar vooralsnog beviel het haar.

Zeker vandaag, nu Gus weg was. Vandaag, morgen en donderdag. Hij zou pas donderdagavond laat thuiskomen. Vanochtend vloog hij naar Los Angeles. Zijn vader was overleden – Leslie had zondag met dat bericht gebeld.

Voor hen allebei was het vreemd. Geen van beiden wilden ze gaan. Ze hadden hem in geen jaren gezien. Ze kregen te maken met zijn tweede vrouw, en ook zij was in Leslies woorden 'een zeer goed functionerende dronkenlap'. Omdat Gus echter tot executeur-testamentair was benoemd en er op woensdag een soort dienst werd gehouden, waren ze het erover eens geweest dat ze aanwezig hoorden te zijn. Na het telefoontje hadden Billy en Gus er nog over nagepraat, in een sfeer van grotere genegenheid en kameraadschap dan in maanden mogelijk was geweest. Voor haar, in elk geval.

Het moment had voor hem niet ongelukkiger kunnen uitvallen: zijn school begon die week. Hij had echter meteen de rector en het hoofd van zijn sectie gebeld. Gisteren – maandag, de eerste lesdag – was hij de hele dag op school geweest. Hij had zijn leerlingen gezien en hun uitgelegd aan welke speciale projecten ze in de drie dagen van zijn afwezigheid moesten werken.

En vanochtend was hij om halfzes de deur uit gegaan om op tijd op de luchthaven te zijn, terwijl zij deed alsof ze sliep.

Ze ervoer zijn afwezigheid als een enorme opluchting. Drie dagen waarop ze zich niet hoefde te gedragen alsof ze niet wist dat het voorbij was. Drie dagen waarop ze niet de avondmaaltijd met hem hoefde uit te zitten. Drie dagen waarop ze niet kwaad hoefde te zijn op hem, en vervolgens op zichzelf omdat ze deze narigheid liet gebeuren, omdat ze van meet af aan alle duidelijke tekenen had genegeerd dat het niets zou worden. Drie heerlijke lange ochtenden waarop ze kon werken zonder naar Boston University te hoeven fietsen.

En 's middags zou ze gericht en gedisciplineerd op zoek gaan naar een appartement. Dat moest. Misschien was het te duur, misschien lag het in een sjofele buurt, maar ze moest. Toen Gus en zij zondagavond naar bed waren gegaan en zij naast hem lag terwijl hij al sliep, had ze het gepland: de lijsten die ze zou nalopen, de buurten die haar interesse hadden.

Toen ze na de wandeling met Reuben weer thuiskwam, gaf ze hem te eten, zette koffie voor zichzelf, roosterde brood en ging op het achterbalkon zitten. Reuben kwam achter haar aan en vlijde zich aan haar voeten neer. Als ze wegging zou ze hem meenemen, dat had ze al besloten. Tenslotte was hij van haar. Zij had hem gekregen. Ze had hem gekregen om het haar moeilijker te maken om op te stappen, en het zou zeker moeilijker zijn. Maar op een rare manier had het haar gesterkt in haar overtuiging dat ze het moest doen.

Met haar voeten op de reling zat ze koffie te drinken en keek door de bomen naar de andere daken in de buurt. Gus woonde op de middelste etage van een pand met twee verdiepingen aan de overkant van de spoorlijn van North Cambridge naar Somerville, vlak bij de forensenlijn waarlangs hij elke dag naar school ging. De huizen stonden hier dicht op elkaar, soms paste er maar net een smalle oprijlaan tussen. Van de meeste huizen waren de buitenmuren met aluminium bekleed. Voor elk huis lag een tuintje, een gazonnetje of een perkje met grind, veelal afgeschermd met harmonicagaas. De achtertuinen waren echter diep en stonden vol bomen. Je vergat er bijna dat je in een stad zat. Terwijl Billy erover uitkeek, bedacht ze hoe ze dit zou missen. Alsof de jonge hond begreep wat ze voelde, slaakte hij een diepe zucht.

Ze dronk haar koffie op en ging naar binnen. Reuben volgde haar. Ze zette hem in zijn box en keek naar de keukenklok. Halfacht. Over een paar uur moest hij weer worden uitgelaten. Ze ging naar haar werkkamer en zette de computer aan.

Rond kwart voor acht ging haar mobieltje. Ze klapte het open en bekeek het nummer. Het was Gus. Even voelde ze een hevige vlaag van de irritatie die ze had geprobeerd te beheersen, en zonder op te nemen klapte ze het toestel dicht.

Het werk ging goed. Ze probeerde het stuk over Jay en Elena en Jay's grote bedrog te herschrijven en worstelde met het begin van het tweede bedrijf, dat in haar ogen te uitleggerig was. Toen ze stopte om de hond nogmaals uit te laten, was ze naar haar idee goed opgeschoten – ze had een derde van haar vroegere regieaanwijzingen en haar aantekeningen voor zichzelf in dialoog omgezet.

Reuben sliep. Zodra ze de deur van de box aanraakte, werd hij wakker. Vlug nam ze hem mee naar buiten. Opnieuw begon hij toen hij op het trottoir kwam meteen te plassen, en zij beloonde hem met iets lekkers.

Het was stil op straat. Alle kinderen zaten zeker weer op school, dacht Billy. Toen ze de hoek om ging bij de Ell-Stan Spa, het buurtwinkeltje waar de kleine plaatselijke winkelstraat begon – met een wasserette en een pizzeria – zag ze dat er binnen een groepje van zes, zeven mensen naar de tv aan de muur stond te kijken. Op het scherm zag ze een gezicht van iemand die sprak, en vervolgens kwamen er rondwervelende, rollende rookwolken in beeld. Ze dacht onmiddellijk aan Waco, aan de verschrikkelijke beelden van de brand. Zoiets moest het zijn, iets afschuwelijks dat ergens ter wereld had plaatsgevonden.

Ze liet Reuben omkeren en liep snel terug naar Gus' appartement. Binnen ging ze meteen naar de tweede slaapkamer, Gus' werkkamer, waar de kleine tv stond. Ze zette hem net op tijd aan om een herhaling te kunnen zien van het instorten van de zuidelijke toren, van de aanzwellende stof- en puinwolken en de vreemde, spookachtige mensen die onder het witte stof uit de dichte, voortrollende wolk tevoorschijn kwamen – die al rennend in doodsangst achterom keken.

Lange tijd keek ze verbijsterd en vol afgrijzen toe hoe de gebeurtenissen zich voltrokken en vervolgens steeds weer werden herhaald. Pas enkele uren later ging haar aandacht voor het eerst uit naar de herkomst en de bestemming van de vliegtuigen. Toen drong tot haar door dat Gus weleens in een van de toestellen had kunnen zitten.

Dat kon niet, dacht ze. Dat was te onwaarschijnlijk.

Ze pakte haar mobieltje en beluisterde zijn boodschap. 'Hoi, liefje. We stappen nu in, en dus wilde ik je stem nog even horen. Je zult Rube wel aan het uitlaten zijn. Ik denk aan je. Ik spreek je vanavond.'

Ze beluisterde de boodschap nog eens. Toen drukte ze op TERUGBELLEN. Aan de andere kant weerklonk geen geluid. Niets.

Over haar toeren nam ze nu de papieren op zijn bureau door, op zoek naar een aantekening die hij misschien over de luchtvaartmaatschappij of het vluchtnummer had neergepend. Ze kon niets vinden.

Ze ging te snel, dat was het. Ze dwong zichzelf ermee op te houden en nam alles nu langzamer door. Hier lag zijn papierwerk, zijn argeloze papierwerk. Plannen voor het semester. Haastig neergekrabbelde aantekeningen over wat de leerlingen tijdens zijn afwezigheid konden doen. Rekeningen. Een ansicht van een vriend die deze zomer een reis door Europa maakte, met op de voorkant een detail van een fresco van Fra Angelico.

Er lag niets over de vlucht, de reservering of de luchtvaartmaatschappij.

Ze probeerde Leslie thuis te bellen. Het toestel ging steeds opnieuw over, en vervolgens weerklonk er een boodschap, ingesproken door Leslies rustige, keurige stem. Ze wist niet wat ze na de piep moest zeggen, en dus hing ze op. Toen schoot haar ineens te binnen dat Leslie ook onderweg moest zijn naar Californië. Ze had willen vertrekken vanaf de kleine luchthaven in New Hampshire. Manchester, dat was het. Vanaf Manchester ging ze waarschijnlijk naar een grotere luchthaven, om vandaar aan de laatste etappe naar Los Angeles te beginnen.

Ze probeerde een paar luchtvaartmaatschappijen te bellen – American, United en Delta – maar kreeg geen verbinding. Alle lijnen waren bezet. En wat zou ze hebben moeten vragen? Ze wist niet wanneer Gus precies was vertrokken, of het om een rechtstreekse vlucht ging en zelfs niet met welke maatschappij hij vloog. Duizenden mensen moesten in precies dezelfde situatie verkeren als zij en proberen iets te weten te komen.

Ze belde Gus' school. Misschien wist daar iemand iets.

Ook die lijn was bezet.

Ze beluisterde zijn boodschap nog een keer.

Op weg naar het toilet zag ze dat Reuben een plas in de hal had gedaan. Hoe lang was het geleden dat ze hem had uitgelaten? Ze wist het niet meer. Waar was hij eigenlijk? Hoe laat was het?

Ze liep de keuken in en keek naar de klok op het fornuis. Halftwee.

Toen ze naar het toilet was geweest, ging ze naar de woonkamer. Reuben lag weer in zijn box – hij was er uit eigen beweging in gestapt. Hij sliep, zijn kop stak door de open deur naar buiten en rustte op zijn voorpoten. Pas nadat ze de urine had opgeruimd, maakte ze hem wakker. Over zijn box heengebogen zei ze zijn naam. Meteen kwam hij volop tot leven, en ze nam hem weer mee naar buiten. Het was nog altijd stil op straat – ze veronderstelde dat iedereen binnen voor de televisie of naast de telefoon zat. Behalve in New York, waar iedereen in paniek was en de deur uit was gegaan.

Om halfdrie belde Leslie. Haar vlucht was geannuleerd en Pierce had haar naar huis teruggebracht. Ze belde om te vragen of Gus daadwerkelijk was vertrokken en om te zeggen dat Gus inderdaad een van de vliegtuigen had geboekt. Ze had het vluchtnummer gehoord en herkend – ze hadden over de reistijden overlegd en toen had ze het nummer opgeschreven.

Toen Billy bevestigend antwoordde, weerklonk er een zacht gekreun over de lijn, gevolgd door een stilte.

'Leslie?' zei Billy.

Toen Leslie weer sprak, klonk haar stem onevenwichtig. Ze zei: 'Hij moet dood zijn. Ik denk dat hij onmogelijk niet dood kan zijn.' Ze ademde hoorbaar en onregelmatig. 'O, Billy, ik denk dat dat waar is. Dat denk ik,' zei ze. Ze begon te huilen en probeerde zichelf vervolgens weer in de hand te krijgen.

Billy wist niet precies wat ze terugzei. Ze vond het heel erg, dat zei ze. 'Ik kan het niet geloven.' Dat zei ze.

Leslie zei dat ze was blijven hopen dat hij niet aan boord was, dat hij niet op tijd was geweest, maar toen ze had geprobeerd hem op zijn mobieltje te bellen kwam er geen respons. En hij zou beslist hebben gebeld, als hij kon. Als hij nog leefde.

'Hij heeft gebeld,' zei Billy.

'Hij heeft gebeld?'

Het deed Billy pijn om de hoopvolle toon in haar stem te horen. 'Hij heeft gebeld toen hij instapte,' zei ze snel. 'Precies op het moment dat hij instapte.'

Leslie begon weer te huilen. 'O, en wat heeft hij gezégd?' Ze was moeilijk te verstaan.

'Alleen dat. Dat hij instapte. Hij zei dat hij me vanavond nog zou spreken.'

'O. Goed.' Ze vermande zich. Ze snoot haar neus. 'Ik ben zo blij dat je hem nog hebt gesproken.'

'Ja,' zei Billy en ze voelde al in wat voor valse positie ze verkeerde.

'Ik weet... ik weet,' zei Leslie. 'Dat het nu... een vreselijk moment is. Om te praten. Maar we zullen nog... als ik iets hoor, bel ik je. Ik bel je. Als er iets is.'

Billy zei ja. Ja, zij zou ook bellen.

Ongeveer een halfuur later ging de telefoon weer. Billy sprong bijna op. Het was Leslie. Haar stem klonk krachtiger. Ze vond dat Billy naar Vermont moest komen. Dat ze niet alleen mocht zijn. 'Alleen hiermee,' zei ze. Als ze niet wilde rijden, zou Leslie regelen dat ze door een taxi werd opgehaald.

'We kunnen elkaar helpen, denk je ook niet?' vroeg ze.

Billy kon zich niets indenken wat haar minder aanstond, maar ze bleef rustig en zei dat ze in het appartement wilde blijven; zo formuleerde ze het. Ze zat met het hondje, zei ze. Ze wilde bij hem blijven.

Toen ze had opgehangen, zette ze de televisie af. Ze liep naar de slaapkamer en ging op bed liggen. Voor haar geestesoog herhaalden zich onontkoombaar steeds weer de beelden van de torens. Ze wist niet meer wat de zuidelijke en wat de noordelijke toren was. In welk vliegtuig Gus zat. Ze dacht aan Leslies brekende stem. Ze dacht aan Gus, aan hoe het moest zijn geweest, de verwarring, de paniek en de chaos in het toestel. De wetenschap – hoe lang van tevoren? – van wat er te gebeuren stond. En vervolgens was je met zekerheid op slag dood. Met zekerheid.

Of misschien niet.

Haar maag knorde. Ze realiseerde zich dat ze sinds het begin van de ochtend niets meer had gegeten. Ze stond op. Staand in de keuken nam ze een paar happen van een appel. Ze legde wat over was voorzichtig op het aanrecht, liep naar het toilet en gaf over. Ze bleef geknield boven het toilet hangen tot haar knieën pijn begonnen te doen.

Een poosje later liet ze de hond weer uit. Ze gaf hem te eten. Vervolgens nam ze hem mee naar beneden en liet hem nogmaals uit, ze besefte dat ze de dingen in de verkeerde volgorde had gedaan. Ze had hem te eten moeten geven voordat ze hem de eerste keer uitliet.

Nu, aan het eind van de dag, waren er mensen buiten. Ze liepen rond en stonden in groepjes op veranda's en op de trottoirs met elkaar over de gebeurtenissen te praten. Een oude vrouw kwam Billy op het trottoir tegemoet. Toen ze elkaar even in de ogen keken, zei ze: 'Het is toch verschrikkelijk?' Ze had een gepijnigde uitdrukking op haar gezicht.

'Ja,' zei Billy.

Terug in het appartement ging ze naar Gus' bureau. Ze ging zitten. Ze nam opnieuw zijn spullen door. Ze pakte de foto waarop zijzelf glimlachend stond afgebeeld, en die hij in een standaard van transparant plastic op zijn bureau had gezet. Ze bekeek hem lange tijd en liet hem vervolgens in de prullenbak vallen. Ze draaide de Fra Angelico-kaart om. Op de achterkant stond in zwarte inkt gekrabbeld: 'We zien hier zo veel! Ik hoop dat jij het ook eens kunt zien. Wij drinken het in, samen met wat we echt drinken. Theo en Nina.'

Ze had geen idee wie Theo en Nina waren.

Van veel van Gus' leven wist ze niets. Wie zou zich over dit alles ontfermen? Van wie zou het zijn? Wie zou het wegdoen? Wie ging er nu over Gus?

Leslie, ongetwijfeld.

Ik niet, dacht Billy. En voor het eerst begon ze te huilen.

Toen het donker was geworden, liet ze de hond nog een keer uit en nam hem vervolgens mee naar bed. Het was rond tienen. Reuben had nooit eerder bij haar – bij Gus en haar – in bed mogen slapen en was in de war. Hij kwam verschillende keren overeind en ging naast haar hoofd staan. Dan blies hij haar zijn hete adem toe en kwispelde met zijn staart.

Ze sprak hem telkens streng toe, en ten slotte ging hij liggen en vlijde zijn lijf tegen haar romp aan. Ze hoorde hoe zijn ademhaling veranderde toen hij in slaap viel. Ze lag lang wakker. Ze stond twee keer op om een plas te doen. Eén keer moest ze huilen, stilletjes maar zo lang dat haar gezicht na afloop dik en gezwollen aanvoelde en ze niet door haar neus kon ademen. De laatste keer dat ze naar de rode cijfers van de klok keek, gaven die 1:10 aan.

Kort na drieën wekte Reuben haar. Hij jengelde en krabde dicht bij haar gezicht over het kussen.

Tot nu toe had Gus hem 's nachts uitgelaten. 's Nachts,

's ochtends vroeg, voor het avondeten, vlak voor het naar bed gaan: dat alles om Billy te laten zien hoe makkelijk het met een hondje zou zijn, hoe makkelijk het leven zou zijn als zij gewoon bij hem bleef.

Ze trok haar spijkerbroek en een trui aan en stak haar voeten in een paar sandalen, waarna ze de hal uit en de trap af gingen. Op het moment dat ze de buitendeur achter zich dicht hoorde vallen, wist ze dat ze een stommiteit had begaan. Ze had zichzelf buitengesloten. In gedachten zag ze de sleutel op de tafel liggen. Op de tafel waar hij had moeten liggen maar niet lag, naast de lijn en de plastic zakjes. Waar hij niet lag omdat ze vandaag achteloos was geweest. Ze had zich niet aan Gus' ordelijke gedragspatronen gehouden, ze had de dingen niet teruggelegd op de plek waar ze thuishoorden. En nu kreeg ze de rekening gepresenteerd.

Reuben plaste. Billy zat een poosje op de trap van het portiek. De hond nam haar aandachtig op in een poging iets te begrijpen van wat er aan de hand was. Ten slotte stond ze op en begon aan een wandeling met hem. Een lange wandeling. Dat was maar het beste. Een van de buren in het pand zou haar wel binnenlaten, maar het zou nog uren duren voordat ze met goed fatsoen bij hen kon aanbellen.

Ze liep door de donkere, uitgestorven straten. Overal was het rustig, afgezien van het blauwige licht dat hier en daar in een slaapkamer of woonkamer flikkerde; daar was iemand wakker, kon iemand het niet laten de gebeurtenissen steeds weer te bekijken, daar vond misschien iemand troost in de theorieën, in de meningen van de experts.

Ze liep naar het zuiden en het westen, over de straten van Cambridge richting Harvard Square, met de gedachte dat ze naar de rivier kon gaan en daar in het gras kon zitten totdat het licht aan de hemel werd. Onder het wandelen gingen er onberedeneerde en zinloze gedachten door haar heen, die varieerden van een diep ongeloof – het idee dat zoiets als nu was gebeurd met geen mogelijkheid kon gebeuren – tot het zich alsmaar weer vol afgrijzen indenken hoe het voor Gus was geweest om het gebouw in te schieten, het te vermorzelen en zelf te worden vermorzeld.

Om aan die voorstellingen te ontvluchten dwong ze zichzelf om over uiterst praktische kwesties na te denken. Ze vroeg zich af of de huur was betaald, waar Gus de auto had gelaten en wat ze met al zijn bezittingen moest doen. Zij zou het appartement verlaten, dat wist ze. Ze kon er absoluut niet blijven. Het was Gus' woning. Zij hoorde er niet.

Met een zekere opluchting bedacht ze dat ze met niemand had gesproken over haar voornemen de relatie met Gus te verbreken – met als enige uitzondering een oude vriendin in Chicago met wie ze regelmatig mailde en belde. Dat maakte het gemakkelijker voor haar om alles te volbrengen, om de schijn van verdriet op te houden, want dat moest ze doen.

Nee! Het zou meer om het lijf hebben, meer dan alleen de schijn ophouden. Natuurlijk wel. Ze treurde wel degelijk om Gus. Haar keel deed pijn van verdriet om hem. Het was afschuwelijk, werkelijk afschuwelijk. Dat hij was omgekomen. Dat hij er niet meer wás. En hoe hij was omgekomen. Zo wreed, zo monsterachtig, zo volkomen willekeurig. Zo fout – want hoe kon Gus zo aan zijn einde komen? Gus, die zo opgewekt en zo onschuldig was.

Toen ze ongeveer tweeënhalve kilometer had gelopen – vanaf Ware Street naderde ze Harvard Square –, realiseerde ze zich dat de hond was verslapt, en dat ze hem, zonder zich daarvan bewust te zijn, min of meer langs de laatste paar blokken had voortgesleurd. Ze had Reuben nooit eerder uitgeput – ze had zich op korte wandelingen toegelegd. Gus maakte de wandelingen waarbij hij zich flink moest inspannen, waarvan hij vermoeid raakte.

Zodra ze bleef staan, ging hij zitten. Dat deed hij op een manier die de indruk wekte dat hij nooit meer overeind zou komen: dankbaar zeeg hij ineen, alsof hij van rubber was. Ze trok hem niet overeind, en een ogenblik later ging hij op het trottoir liggen en legde zijn kop op zijn enorme voorpoten.

Ze hurkte naast hem neer, aaide hem over zijn kop en streelde de zachte, krullerige vacht op zijn lijf. Hij sloeg met zijn staart op het trottoir. Hij keerde zich op zijn zij, pakte haar hand in zijn bek en likte en knauwde eraan.

'Mag niet, maatje,' zei ze. Met één hand hield ze zijn snuit dicht en met de andere krabde ze langs zijn buik. Lange tijd aaide ze hem en praatte tegen hem, en soms huilde ze een paar minuten. Ze moest haar ogen en haar loopneus afvegen aan de boord van haar trui – waarom ook niet? Ze bleef gehurkt zitten totdat haar benen gevoelloos werden. Toen ze ophield met aaien en opstond, ging Reuben ook rechtop zitten. Hij keek haar aan, zijn staart kwispelde wild heen en weer, hij wilde meer.

Ze begon terug naar het noorden te lopen, naar huis, en een paar blokken huppelde hij met haar mee. Vervolgens ging hij langzamer lopen en daarna wilde hij weer stoppen.

Ze gaf hem zijn zin. Terwijl hij een paar minuten uitrustte, stond ze naast hem, om vervolgens weer neer te hurken en hem te aaien. Op deze manier, waarbij Billy huilde terwijl ze Reuben liefkoosde, en Reuben uitrustte, keerden ze langzaam terug naar huis, naar het huis van Gus.

Toen ze op de bovenste trede van de trap van het portiek gingen zitten, werd het licht aan de hemel. Reuben ging liggen en viel meteen in slaap. Billy besefte dat ze ook doodop was. Ze leunde tegen de balustrade boven aan de trap. Hij voelde koud tegen haar huid. Onder haar handen voelden haar armen kil aan. Ze dacht weer aan Gus in het vliegtuig. Ze onderdrukte het. Ergens kraaide een haan. Aan de overkant van de straat zag ze de grote bloemen van roze plastic die door de oude vrouw uit het appartement op de begane grond in de voortuin waren gezet. Zo kostte tuinieren niet veel moeite.

Ze dacht aan haar benedenbuurman, hoe hij haar zou aantreffen als hij de deur uit kwam. Wat zou ze zeggen? Ze zou hem over Gus vertellen. Ze moest wel. Ze kenden elkaar al heel lang. Hij was de eigenaar van het pand en bezat nog twee panden in het blok. Hij kende al zijn huurders, maar was bijzonder op Gus gesteld. Hij zou geschokt en ontsteld zijn. Zij ook, weer helemaal opnieuw. Ze zou het zijn, want ze wás het: geschokt en ontsteld.

Maar een deel ervan – een deel van haar, en voortaan een deel van alles – zou vals zijn. Dat zou een leugen zijn.

Op zaterdag kwam Leslie zelf met de auto naar haar toe. Billy had haar er tot dan toe van weerhouden, maar kreeg dat niet langer voor elkaar – ze bleef aandringen. Leslie zei dat ze niet wilde blijven overnachten. Ze wilde zich niet opdringen, maar ze wilde Billy zien, ze wilde in Gus' woning zijn en zijn spullen bekijken.

Billy was geschokt door haar verschijning. De openheid en warmte die altijd van haar waren uitgegaan waren verdwenen, als het ware weggewist, ook al zei ze dezelfde woorden, dezelfde Leslieachtige dingen. Maar Billy vond dat ze kleiner was. Uitgeput.

Uiteraard waren de allereerste ogenblikken de ergste. Leslie omhelsde Billy alsof die meer troost nodig had dan zijzelf. 'Lieveling,' zei ze. 'O, lieveling.' Ze ging door en geruime tijd wiegde ze Billy bijna in haar armen. Billy hoorde en voelde Leslies onregelmatige ademhaling. Toen ze elkaar loslieten, zag ze dat Leslie tegen de tranen vocht.

Billy was echter ook vol tranen, want het was afschuwelijk dat Gus dood was. Dat er zo veel mensen waren omgekomen.

Dat Leslie zo zichtbaar leed. Leslies blik, die op haar rustte, was zacht, vol medeleven en genegenheid.

Dat maakte Billy beschaamd en ze wendde zich af. Ze ging thee zetten en ze namen plaats in de keuken en praatten. Zoals iedereen in die dagen – ook mensen die niet rechtstreeks bij de gebeurtenissen betrokken waren – hadden ze het erover hoe zij het nieuws hadden ondergaan. Over hoe Leslie zich op de luchthaven had gevoeld toen ze van de aanslagen hoorde en nakeek wat ze over Gus' vliegtuig had opgeschreven. Over de vreselijke terugrit naar huis, terwijl ze naar de radio had geluisterd. Pierce had hem ten slotte afgezet, vertelde ze, en daardoor was het nog erger geworden, was het definitief geworden.

Billy was zich bewust van zichzelf en haar reacties terwijl ze Leslies verhaal aanhoorde en Leslie over haar dag vertelde, hoe ze langzaam tot het besef was gekomen dat Gus weleens in een van de vliegtuigen had kunnen zitten. Ze was zich ervan bewust dat ze haar verdriet probeerde af te stemmen, dat ze probeerde nog een laatste restje eerlijkheid te behouden door Leslie niet te laten denken dat ze door verdriet werd of was overweldigd. Zodra het mogelijk was, excuseerde ze zich omdat ze de hond moest uitlaten.

Gedurende de dagen en weken die volgden begreep Leslie bijna elk gebaar dat Billy maakte en elk woord dat ze zei verkeerd. Hoe meer Billy probeerde afstand te nemen van de rol van de door verdriet geteisterde geliefde en hoe meer eerbied ze aan Leslie betoonde, des te meer benadrukte Leslie dat Billy's rechten voorop stonden. Zíj moest bepalen of de dienst in Boston op school moest plaatsvinden. Zij wist beter dan Leslie welke vrienden er moesten worden uitgenodigd. Zij moest Gus' spullen doornemen en beslissen wat ze wilde houden. Zij moest spreken bij de dienst.

Billy's nee tegen het merendeel van deze voorstellen leek Leslies idee dat ze was overmand door verdriet alleen maar te bevestigen. Billy hield zichzelf steeds opnieuw voor dat ze zo eerlijk zou zijn als met goed fatsoen mogelijk was. Ze zou proberen niet te liegen, niet te veinzen wat ze niet voelde. Maar uiteindelijk scheen het haar toe dat ze geen enkel waarachtig gebaar kon maken. Ze had het gevoel in een dikke laag van onoprechtheid te zijn ingepakt. Leslie vatte haar droge ogen op als een teken van geschoktheid. Dat ze een te duur appartement in het South End had gevonden wees erop dat ze de woning waar Gus en zij samen gelukkig waren geweest, wilde ontvluchten.

Had ze haar de waarheid kunnen vertellen? Iemand die moediger was dan Billy had het misschien wel gekund. Maar Billy wist dat Leslie enige troost putte uit het geloof dat zij van Gus had gehouden en dat zij om hem rouwde, en daarom zweeg ze. Dat was het minste wat ze Leslie kon bieden, wat ze voor haar kon doen. Langzaam kwam ze tot het besef dat het het enige was wat ze voor haar kon doen.

De dienst zou op de eerste zaterdag van oktober in de kapel van Gus' school worden gehouden. Billy had niets aan de voorbereiding gedaan en voelde zich daardoor bezwaard: omdat Leslie, die zo onder haar onmiskenbare verdriet gebukt ging, het alleen had moeten doen. Natuurlijk had Pierce haar geholpen, dat wel. En volgens Leslie had Gus' oude vriend Peter ook geholpen en was hij 'een geschenk uit de hemel'.

Billy kocht voor de dienst een nieuw pakje, een donkergrijs pakje. Ze veronderstelde dat dit de enige officiële gelegenheid van haar leven zou zijn om Gus te gedenken, en ze wilde hem met haar verschijning eer bewijzen. Op de dag van de dienst besteedde ze veel tijd om zich in orde te maken. Ze maakte zich zorgvuldig op en föhnde haar normaal gesproken slordige kapsel glad. Ongeveer een halfuur voordat Leslie en Pierce haar zouden komen ophalen, liet ze Reuben uit en stopte hem in zijn box. Vervolgens schoof ze een stoel naar een van de erkerramen van haar salonappartement en hield daar in de gaten of de oude Volvo van Leslie en Pierce er al aankwam – ze zouden nergens kunnen parkeren. Toen ze hen zag komen aanrijden en dubbel parkeren, pakte ze haar handtas en snelde naar de deur. Toen ze hem stilletjes achter zich sloot, slaakte Reuben een gepijnigde kreet, langgerekt en treurig. Ze kon hem niet meer troosten. Ze kon voor de buren alleen maar hopen dat het niet te lang zou duren.

Billy verscheen meteen nadat Leslie was uitgestapt om haar te gaan halen. Billy vond dat ze er smaakvol uitzag: helemaal in het zwart, met een koningsblauwe sjaal over de schouders van haar pakje geslagen. Haar gezicht was afgetobd maar knap, haar haar was in een eenvoudige staart achter in haar nek samengebonden, alsof ze niet de moeite had willen nemen om het op te steken. Ze had iets reusachtigs, iets bijna monumentaals over zich. Billy voelde zich vergeleken met haar een meisje, een kind.

Ze omhelsden elkaar – haastig, want achter de Volvo stond een auto te wachten waarvan de bestuurder hen gadesloeg met een uitdrukking die in deze buurt voor geduldig doorging. Billy ging achterin zitten, waar een kind tenslotte thuishoorde. Pierce draaide zich om en begroette haar, om vervolgens de auto in de versnelling te zetten en weg te rijden. Zijn toon miste de uitbundigheid die hem doorgaans kenmerkte. Hij klonk teder, zoals hij vermoedelijk tegen de kinderen in zijn praktijk praatte.

Hun conversatie was beleefd en neutraal. Hoe was de rit hiernaartoe verlopen? Hoe ging het met de hond? Met het nieuwe appartement? Wat een heerlijke buurt was dit. Pierce vertelde dat zijn favoriete restaurant vlak in de buurt lag, en

Billy zei dat ze het eens ging proberen. Leslie vroeg hoe het dit jaar met haar werk als docent aan Boston University ging. Billy wist zeker dat ze allemaal opgelucht waren toen ze de snelweg op reden, waar het lawaai conversatie overbodig maakte.

Op een gegeven moment boog Billy zich echter naar voren en vroeg: 'Is er nog iets speciaals aan de dienst of de receptie dat ik moet weten?'

Leslie draaide zich opzij, zodat Billy haar bijna en profil zag. 'Ik denk dat het allemaal soepel zal verlopen,' zei ze. 'Zonder verrassingen. Peter heeft geregeld dat een aantal vrienden zal spreken, en de leerlingen wilden met een koor iets zingen. Ik geloof dat een van hen ook gaat spreken.'

Billy werd meteen overspoeld door schuldgevoel omdat ze niet had aangeboden om te spreken of iets anders te doen.

'De rector leidt de dienst, en daar ben ik dankbaar om. Meneer Willis. Hij heeft gezorgd dat het in de krant kwam en gezorgd dat iemand contact heeft opgenomen met alle mensen die ik op een lijst had gezet. Hij heeft het fantastisch gedaan.'

Leslie wendde zich af, maar niet voordat Billy had gezien dat de tranen haar in de ogen sprongen. Ze leunde weer achterover en voelde zich klein, beschaamd en lelijk.

Ze reden zwijgend verder, zelfs Pierce had geen aanvechting om te praten. De bomen waren wat kaler geworden – binnenkort zouden de bladeren serieus gaan vallen. Vooralsnog waren ze op hun allermooist, de kleuren op de heuvels waren verbazingwekkend. Ze verlieten de snelweg en reden over bochtige, bijna landelijke wegen. Ze reden langs oude huizen die op ruime afstand van elkaar stonden. De gazons lagen bezaaid met gevallen bladeren, en het jonge, lage licht danste door de boomtoppen. Ze passeerden acht of tien fietsers die in een groepje langs de kant van de weg reden. Met hun driftige bewegingstempo en hun glanzende helmen maakten ze een geslachtsloze, insectachtige indruk. Billy zag dat er voor een open schuur tweedehands waren te koop werden aangeboden, een wonderlijke verzameling spulletjes. Er waren borden, stoelen en twee ijzeren ledikanten die tegen een paar oude hutkoffers aan stonden. Er liep een groepje mensen rond dat de dozen met spullen doorzocht. Billy dacht aan de spulletjes die ze in Somerville op de stoep had gezet, spulletjes die onderdeel van haar bestaan met Gus waren geweest.

Ze reden door de hoofdstraat van het stadje. Hij was omzoomd door winkels en restaurants, en het was er druk met mensen die op zaterdagochtend hun boodschappen deden. Aan het einde van deze strook sloegen ze een zijstraat in, waar de eerste schoolgebouwen stonden. De woonverblijven voor de leerlingen onderscheidden zich nauwelijks van de witte huizen in georgian stijl in het stadje, maar vervolgens doemde opeens de campus op en zag je de nieuwe, grotere schoolgebouwen rond het centrale gazon met zijn kriskras door elkaar lopende wandelpaden staan. Achter de bomen in hun intense herfsttinten, de witte huizen en het glinsterende groen van het gras had de lucht een grootse kleur blauw, als op een schilderij. Billy voelde een felle pijn in haar maag, een soort misselijkheid of plankenkoorts. Ze drukte haar vuisten in haar middenrif. Nu begon haar voorstelling.

Pierce parkeerde op het parkeerterrein voor bezoekers, en samen liepen ze over een van de paden naar de kapel. De smalle, witte torenspits boorde zich in de blauwe hemel. De rector, meneer Willis, die maar iets ouder was dan Gus, stond in het halletje, misschien om hen op te wachten. Hij was in hemdsmouwen, maar droeg wel een das. Hij begroette hen en ging hun voor naar een besloten vertrek. Peter, Gus' vriend, was er al, samen met zijn zwangere vrouw en een ander stel dat Billy weleens had ontmoet. Naast Leslie en Pierce wachtte ze haar beurt af om te worden begroet. Gus en zij hadden een keer of drie met Peter en Erin gegeten. Nu mompelde ze iets als: bedankt, ja ze zou bellen als haar iets te binnenschoot dat ze voor haar konden doen. Leslie maakte er veel meer van. Ze sprak over Gus en haalde een herinnering op aan hoe Peter en Gus op een keer hadden geprobeerd naar Boston terug te liften nadat ze de bus hadden gemist. Ze had hen toevallig gezien terwijl ze boodschappen deed, was uiteindelijk het hele stuk met hen teruggereden en had vanuit een restaurant bij een afslag Pierce gebeld om hem te vertellen dat ze die avond pas laat thuiskwam. 'Weet je nog?' vroeg ze aan Peter. Hij knikte.

'Moet je je voorstellen,' zei Leslie tegen Billy en het groepje, 'ik die iets zomaar in een ingeving doe! Maar zo ging het als Gus erbij was.'

Zodra zich de mogelijkheid voordeed, zei Billy tegen Leslie dat ze in de kapel wilde gaan zitten.

'O, Billy... o, ja natuurlijk,' zei Leslie. 'Daar heb ik het volste begrip voor.'

Niet doen, wilde Billy zeggen. Geen begrip hebben. Maar ze zei niets in die trant. Ze zei helemaal niets.

In de kapel waren geen religieuze symbolen of decoraties aanwezig. Gus had Billy verteld dat het eigenlijk helemaal geen kapel was. Hij werd zo genoemd omdat al deze oude prep schools ooit bij een bepaalde geloofsrichting hadden gehoord. De dag werd er met een dienst geopend, waarna de dagelijkse mededelingen werden gedaan. Daarom werd de plaats van samenkomst voor deze mededelingen nog altijd de kapel genoemd. Allemaal anachronismen, had hij verteld. Net als veel andere aspecten van de school.

Het was een grote ruimte en er stonden genoeg banken voor de complete schoolgemeenschap. Door de hoge ramen waren de bomen en de gazons van de campus te zien. Voor aan het podium was een rij hoofdzakelijk witte bloemen neergezet. Te midden ervan was een katheder opgesteld. Bijna achteraan op het toneel stond een vleugel, waarvan de donkere, harpvormige klep openstond.

Billy liep naar een bank op de derde rij. Op de zitkussens waren met vaste tussenruimten programma's neergelegd. Op elk ervan stond een foto van Gus. Steeds weer een glimlachende Gus, zijn ogen half dichtgeknepen tegen de felle zon, zijn blonde haar verwaaid. Ze pakte een programma en met het ding in haar handen ging ze zitten. Onder haar kraakte de bank.

Ze was niet lang alleen. Enkele minuten later druppelden de eerste mensen binnen. Al fluisterend en gedempt pratend gingen ze verder naar achteren zitten. Na een minuut of tien liep een jongeman over het zijpad naar het podium en ging het trapje op. Hij ging achter de piano zitten, zette een paar muziekboeken neer en begon te spelen. Billy wist niet precies van welke componist het stuk was, misschien van Schubert. Vervolgens liepen de banken sneller vol. Voornamelijk met leerlingen, maar ook met mensen van de leeftijden van Leslie en Gus. Billy kende niemand.

Leslie en Pierce kwamen binnen in gezelschap van de rector en Gus' vrienden, en namen op de voorste rijen plaats. Erin, Peters vrouw, ging recht voor Billy zitten. Ze boog zich voorover alsof ze bad, maar misschien las ze alleen het programma door.

Toen het pianospel ophield, stond de rector op en beklom hij het kleine trapje naar het podium. Hij begroette de aanwezigen. De leerlingen – en enkele anderen, die ongelijk invielen – beantwoordden in koor zijn 'goedemiddag'. Een ogenblik viel er een stilte, en vervolgens zei de rector: 'We zijn hier bijeen om onze dierbare vriend Gus Forester te herdenken, die, tezamen met vele anderen, bij de wrede gebeurtenissen van 11 september is omgekomen. Maar Gus was van ons, en daarom missen wij vooral hem en beseffen we maar al te goed wat een leegte zijn dood in ons leven zal achterlaten.'

Ergens begon iemand zachtjes te huilen, en hier en daar snoten mensen hun neus. Billy sloot even haar ogen. Voortdurend was het gekraak van de banken hoorbaar, het geritsel van de programma's en het geluid van de kleding van mensen die gingen verzitten.

De rector sprak nog enkele minuten, en vervolgens nam Peter zijn plaats in. Hij stelde zich voor en sprak, zich kennelijk vooral tot de leerlingen richtend, over de vriendschap die hij op de universiteit met Gus had gesloten, en vertelde hoe belangrijk en onvervangbaar die vriendschap voor hem was. Hij memoreerde Gus' trouw en levensvreugde. Hij noemde Leslie, en Billy zag dat ze haar hand naar haar mond toe bracht.

Na Peter beklom een groepje leerlingen het toneel. Ze stelden zich in twee rijen op, de meisjes vooraan. De pianist speelde een kort intro, en de leerlingen zongen 'Swing Low, Sweet Chariot'. Zodra ze uitgezongen waren, stortte een van de meisjes in. Meteen werd ze door drie andere meisjes omringd, en met hun armen om elkaar heen geslagen liepen ze het trapje af en het pad door, langs Billy, die droge ogen had en niet naar hen keek.

Een van de jongens uit het koor was op het podium gebleven. Hij ging achter de katheder staan en sprak over Gus als docent en als vriend, als iemand die hen in hun werk naar het allerbeste liet streven en hun ook respect daarvoor bijbracht. Hij noemde Gus 'een van de grote docenten'.

De rector verscheen weer. Hij kondigde psalm 23 aan en ze stonden op en lazen hem samen, die prachtige woorden over een vast godsvertrouwen. Was Gus gelovig geweest? Zelfs dat wist Billy niet.

Alle aanwezigen gingen zitten, en vervolgens stond Leslie op, liep naar het trapje en besteeg het podium. Billy keek naar haar handen, die gevouwen op het programma op haar schoot lagen en op Gus' gezicht op de foto rustten. Ze wilde Leslies blik niet ontmoeten, ze kon niet naar haar gezicht kijken.

Leslie legde een velletje papier dat ze bij zich had voor zich neer. Ze zette haar bril op. Daarna las ze haar aantekeningen voor, en toen ze begon hoorde Billy haar typische toon: een tikje formeel en zeker beheerst. Leslies stem was echter onvast, en verschillende keren viel ze stil.

Ze sprak over het leeftijdsverschil tussen Gus en haar, over de vreugde die hij haar als zus – en bijna als moeder – had gebracht. Tegen het einde van haar toespraak zei ze: 'Ik denk met zo veel blijheid aan hem in zijn laatste jaar, waarin hij zo bijzonder gelukkig was in zijn werk met velen van jullie, en in zijn leven met de vrouw van wie hij zo veel hield, Billy Gertz.'

Billy haalde diep adem en maakte haar handen los van elkaar. Ze zag de afdrukken van haar nagels in haar vlees, donkere halvemaantjes die een boog in haar handpalmen beschreven.

Er was een muzikaal intermezzo, en vervolgens nodigde de rector iedereen die dat wilde uit om te spreken en een bijdrage te leveren. Ruim een minuut lang leek het of er niemand zou reageren, maar toen stond er een vrouw op die zichzelf voorstelde. Er weerklonk een gedruis doordat iedereen zich naar haar toekeerde. Ook Billy draaide zich om. Het was een lange, magere vrouw die ergens halverwege de kapel zat. Ze had een wilde bos lang, grijzend haar. Ze vertelde dat ze Augusta Sinclair heette: 'Dus uiteraard waren wij de twee Gussen. En voor Gus was dat op de een of andere manier genoeg om bevriend te raken. Soms vroeg hij me: "Hoe is het in het andere Gus-universum?" En altijd nam hij dan de tijd om naar mijn antwoord te luisteren.' Ook vertelde ze hoe belangrijk het lesgeven voor hem was, hoeveel hij van zijn werk en de kinderen hield. 'En telkens wanneer ik een dosis nodig had van wat ik beschouw als emotionele cafeïne ten aanzien van mijn werk, zocht ik hem op, en dan kreeg ik die van hem. Feitelijk gaf hij me die emotionele cafeïne ook in andere contexten. Ik zal hem heel erg missen.' Ze ging zitten.

Na haar spraken enkele leerlingen, en vervolgens een oud-leerling, een jongeman die zich naar zijn zeggen 'verplicht had gevoeld om te komen'. Meneer Forester had zijn leven veranderd. Hij had hem doen inzien dat de taal het denken vormgaf en verhelderde. Dat je iets nog niet helemaal onder de knie had als je het niet mondeling of schriftelijk tot uitdrukking kon brengen. 'Hij was veeleisend, en langzamerhand heb ik geleerd dat werkelijk te waarderen. En het heeft me op het punt gebracht waar ik nu ben.' Vervolgens zei hij: '"Formuleer dat eens duidelijk!"' En de aanwezigen lachten.

De rector stond weer op en kondigde een leerlinge aan. Een jonge vrouw stond op en las psalm 103, die Billy niet zo goed kende – hij ging over de macht en de goedertierenheid van God, over hoe klein de mens vergeleken met God was, en over Gods barmhartigheid jegens de mens. Het meisje droeg de regels met een krachtige stem voor. Tegen het einde van de psalm las ze: 'De sterveling... zijn dagen zijn als het gras. Als een bloem des velds, zo bloeit hij: wanneer de wind daarover is gegaan, is zij niet meer, en haar plaats kent haar niet meer.'

Natuurlijk dacht Billy aan Gus, maar ze dacht ook waarschijnlijk net als alle anderen aan de torens, aan de lege plek in de skyline waar ze hadden gestaan. Zo, zó definitief was zijn dood. Ieders dood. 'Haar plaats kent haar niet meer.'

Het geluid van gesnik verspreidde zich door de ruimte – dat verstikte geluid –, en tevens van mensen die hun neus snoten. Vervolgens werd er een gezang aangekondigd, waarvan de tekst in het programma stond afgedrukt. Terwijl iedereen overeind kwam, speelde de piano een intro. Het was 'Now the Day is Over', een avondzang in mineur. Billy kende het van de kerkbezoeken uit haar jeugd. De coupletten waren zorgvuldig gekozen – Christus werd niet vermeld. Het couplet dat vroeg om troost 'voor een ieder die lijdt en op een laat uur gepijnigd toeziet' was er echter nog wel bij, en het deed Billy aan Leslie denken. Ze voelde dat de tranen opkwamen, maar bedwong zichzelf. Het waren sentimentele tranen, en die stond ze zichzelf niet toe. Het laatste couplet dat werd gezongen ging over de dageraad:

Als de ochtend ontwaakt,
Dat ik dan herrijzen moge,
Zuiver, nieuw en zondevrij
In Uw geheiligde ogen.

Gus. Het leek voor hem te zijn geschreven. Leslie moest het hebben uitgekozen. De laatste toon van het 'Amen' bleef in de lucht hangen en stierf vervolgens weg. Iedereen ging weer zitten.

De rector stond op en nodigde iedereen uit voor een receptie in de vergaderzaal naast de eetzaal. De piano zette weer in, en de mensen op de eerste rijen stonden op en liepen achter elkaar naar de uitgang. Vervolgens kwam iedereen overeind, met hetzelfde geritsel en gedruis als een theaterpubliek. Terwijl ze allemaal al pratend, anderen begroetend en soms alleen hun ogen afvegend vanaf de banken de zijpaden en het middenpad op liepen, zwol het volume geleidelijk aan.

Billy liep in haar eentje het trapje op, de felle zon in. Leslie kwam naar haar toe. 'Billy, liefje,' zei ze. 'Je bloedt. Je hebt je lip kapotgebeten.' Ze tastte in haar tas en haalde een pakje tissues tevoorschijn. Daaruit trok ze een tissue voor Billy. Billy pakte het aan, drukte het tegen haar lip en hield het voor zich. Een felgekleurde vlek.

'Je hebt gelijk,' zei Billy. Ze was er blij om, en op een bepaalde manier blij dat Leslie het ook had gezien.

'O, Billy,' zei Leslie. 'Ik wou dat ik je op de een of andere manier kon helpen.'

'Ik ook,' zei Billy. Voor één keer sprak ze de waarheid.

Leslie kuste haar, en vervolgens sloot Pierce zich bij hen aan terwijl ze een van de paden naar de eetzaal op liepen.

De receptie vond plaats in een kleinere, mooiere ruimte naast de reusachtige eetzaal voor de leerlingen. De tafels waren tegen de muren geschoven, en er waren allerlei etenswaren op neergezet, voornamelijk vierkante sandwiches met afgesneden korst en verschillende desserts en soorten fruit. Op een van de tafels stonden kannen en enkele grote, saai ogende ketels – met koffie, heet water en waarschijnlijk ook cafeïnevrije koffie. Billy wilde niets, maar anderen vulden een bord, en sommigen stonden al met een bord in hun handen te eten en te praten.

Erin, Peters vrouw, kwam naar haar toe en begon een gesprek. Ze praatte graag. Billy had daar na hun avonden met Peter en haar tegen Gus over geklaagd, maar nu was ze er dankbaar voor. Korte tijd voelde ze zich op haar gemak. Zolang Erin vriendelijk tegen haar stond aan te kletsen, hoefde zij niets te zeggen. Maar toen ging Erin weg en was Billy alleen.

'Waar kende u Gus van,' vroeg iemand op beleefde toon aan haar. Bij wijze van begroeting had hij haar een bord met koekjes voorgehouden.

'Feitelijk heb ik hem op de veerboot leren kennen,' zei ze, met voorbijgaan aan de grotere vraag achter de kleine vraag: wat voor band had u met hem? 'En u?'

Hij was de vader van iemand die in het door Gus gecoachte voetbalelftal had gespeeld. Hij was geregeld naar de wedstrijden komen kijken en had Gus wat beter leren kennen. Hij vertelde over Gus' gedrevenheid om te winnen en memoreerde hoe hij van lichamelijke activiteit genoot.

'Ja,' zei Billy treurig en ze dacht aan zijn lichamelijke activiteit met haar.

Het hoofd van de sectie Engels kwam naar haar toe en zei: 'Dus u bent de beroemde Billy, over wie we allemaal zo veel hebben gehoord.'

'Ik denk van wel,' zei ze. 'Ik geloof tenminste niet dat er nog andere Billy's waren.'

'Gus had het zo vaak over u,' zei hij.

'Dank u. Dank u dat u me dat hebt verteld,' zei ze.

Ze had steeds het gevoel dat ze meer moest zeggen, en dat haar stilzwijgen en haar onvermogen om aan de dienst deel te nemen door de mensen werden opgemerkt en vreemd werden gevonden. Maar vervolgens hield ze zichzelf voor dat dat blijk gaf van eigendunk en dat niemand aan haar dacht, dat de mensen aan Gus dachten – aan Gus alleen.

Ze maakte kennis met twee broers van Pierce en hun vrouwen. Leslie stelde haar aan verschillende oude vrienden en vriendinnen voor, en toen Billy met hen praatte kreeg ze de indruk dat ze voornamelijk voor Leslie waren gekomen. Gus hadden ze niet erg goed gekend. Ze stelden haar vragen over hem en vroegen daarna hoe het volgens haar met Leslie ging.

Toen Pierce haar op haar rug tikte en vroeg of ze nog wist wat Leslie met haar sjaal had gedaan: 'Had ze hem om toen ze uit de auto stapte?' greep Billy dit aan als excuus om te ontkomen.

'Ik ga wel even kijken. Misschien heeft ze hem in de kapel laten liggen.'

'Dat is lief van je. Dankjewel, Billy.'

Terwijl ze de koelte in liep en aan de wandeling over het gazon naar de parkeerplaats begon, vroeg Billy zich af of Pierce had opgemerkt hoezeer ze de kluts kwijt was en haar daarom wilde ontzetten. Het was waarschijnlijker dat Leslie het had opgemerkt en Pierce naar haar toe had gestuurd. Hoe het ook zij, ze voelde hoe haar lichaam zich ontspande nu ze voor de eerste keer die dag alleen een wandeling maakte. Ze haalde diep adem. De lucht was strakblauw, even blauw als op 11 september, maar het was koeler en er hing al iets herfstachtigs in de lucht. Ze begon na te denken over wat ze over Gus had kunnen zeggen als ze had gesproken.

Nee, ze was blij dat ze dat niet had gedaan. Ze had veel goeds kunnen vertellen, natuurlijk wel, maar ze zou het hebben verteld om de indruk te wekken dat het goed zat, en niet uit het verlangen hem eer te bewijzen en te gedenken.

Maar natuurlijk zou ze aan hem blijven denken. Ze zou goede herinneringen aan hem hebben, maar zich ook het beklemmende gevoel herinneren dat ze langzamerhand had gekregen toen ze met hem samenleefde. Wellicht zou ze zich hem langer en smartelijker herinneren dan iemand met minder ambivalente en complexe gevoelens. Telkens wanneer ze de hond uitliet, telkens wanneer ze een vliegtuig door een azuurblauwe lucht zag gaan, telkens wanneer ze Leslie zag en telkens wanneer het 11 september was, zou ze zich hem herinneren. Ze zwoer bij zichzelf dat te zullen doen. Ze was er zeker van dat ze hem zich nog zou herinneren lang nadat ze was vergeten hoe hij er precies uitzag en waarom ze het idee had gehad dat ze niet meer met hem kon samenleven.

De sjaal lag niet in de auto. Ze liep langs dezelfde route als eerder die dag naar de kapel en ging er naar binnen. Nu er geen mensen op de banken zaten, maakte hij weer een reusachtige indruk. Overal lag de foto van Gus, zelfs op de grond. Ze liep naar de bank waar Leslie had gezeten. Ze zag een fel blauw hoekje van de sjaal onder de bank uitsteken. Ze raapte hem op. Leslies parfum zat erop, en daardoor voelde je op de een of andere manier Leslie erin. Ze had meer van Leslie gehouden dan van Gus, dat wist ze. En ze besefte dat ze evenveel verdriet had om Leslie als om al het andere, het maakte haar verdrietig dat ze altijd bang zou zijn om haar te zien en in haar nabijheid te zijn, ook al miste ze dat alles. Ze vouwde de sjaal netjes op en liep het felle zonlicht weer in.

Toen ze over het pad terugliep, kwam haar een stel tegemoet. Toen ze dichterbij waren, zag ze dat het Peter en Erin waren. Erin hield haar schoenen in haar handen. Toen ze elkaar hadden bereikt, bleven ze staan. Erin legde uit dat ze absoluut niet meer kon staan. Ze wees op haar voeten. Billy keek omlaag. Ze waren vormloos en zagen er niet meer als voeten uit. 'Ik moet zo snel mogelijk naar huis om met mijn benen omhoog te gaan liggen,' zei ze.

In een impuls vroeg Billy of ze even konden wachten. Ze woonden in de Back Bay, een paar straten ten noorden van Billy's nieuwe buurt. Het zou voor hen dan ook heel makkelijk zijn om Billy op Copley Square af te zetten. Vandaar was het maar een kwartiertje lopen naar huis. 'Ik moet Leslie haar sjaal brengen en haar laten weten dat ik ga, maar ik ben zo terug.'

Ze zeiden dat ze bij hun auto op haar zouden wachten.

Het aantal aanwezigen op de receptie begon af te nemen. Leslie praatte met twee leerlingen. Billy stak haar de sjaal toe, en Leslie keerde zich van de leerlingen af.

'Waar lag hij? Heel erg bedankt!'

Billy vertelde het aan haar. Vervolgens zei ze: 'Ik wil me nu excuseren, Leslie. Ik moet gewoon naar huis, en Peter en Erin zeiden dat ik met hen mee kon rijden.' Ze wist hoe Leslie dit zou opvatten, haar behoefte om weg te gaan, en ze was kwaad op zichzelf en tegelijk verdrietig omdat ze de gevoelens die ze niet had, maar had kunnen en moeten hebben, gebruikte om ervandoor te gaan.

'Dit was zwaar, dat weet ik,' zei Leslie vol medeleven.

'Ja,' zei Billy. 'Voor jou ook.' Wat ze ook zei, het deed ongeloofwaardig en meelijwekkend aan.

In een gebaar van ontkenning stak Leslie haar hand omhoog. 'Ik bel je morgen, goed?' zei ze. 'Ik wil er zeker van zijn dat het in orde is met je.'

'Maak je geen zorgen,' zei Billy. 'Ik ben in orde. Ik ben gewoon moe, denk ik.'

'Natuurlijk. En natuurlijk komt het in orde met je. Alleen... mis ik je.'

Opnieuw werd ze in Leslies omhelzing verzwolgen.

Peter en Erin lieten haar op de achterbank plaatsnemen. Ze vonden het kennelijk niet erg dat ze zweeg. Ze praatten samen een poosje over Gus, over de dienst en over 11 september, maar schakelden toen op andere onderwerpen over. Erin had een afspraak met de dokter. Ze zou vragen wat er aan haar voeten mankeerde. Ze gingen zachter praten. Erin zei iets over bloedingen. Billy draaide haar raampje een stukje open en verschool zich in het windgeraas.

In plaats van Billy op Copley Square af te zetten, zoals zij had voorgesteld, wilden ze haar beslist thuisbrengen. Vijf minuten meer of minder waren geen probleem, zei Peter. Toen ze voor haar pand waren gestopt, stapte hij uit en liep naar het achterportier. Billy stapte uit en boog zich over Erins geopende raampje heen om afscheid te nemen. Toen ze weer rechtop stond, stak Peter haar zijn hand toe. Ze drukte hem, en hij legde zijn andere hand over de hare en zei op ernstige toon: 'Als er iets is wat we kunnen doen, Billy, laat het ons dan weten.'

Billy wist zeker dat hij het meende, maar het klonk ook makkelijk en plichtmatig, en haar antwoord – ze bedankte hem en zei dat ze het hun zou laten weten – was ook makkelijk. Allebei wisten ze dat ze niet zou bellen.

Toen ze de deur opende, bleef het stil in de salon; er kwam geen uitzinnige begroeting van Reuben. Even was ze bang – waar zat hij, wat was er gebeurd? – maar toen hoorde ze hoe hij zich omdraaide in zijn box en zachtjes en angstig jankte.

Toen ze naderbij kwam zag ze dat hij helemaal achter in zijn box zat, tegen de wand aan gedrukt. Vervolgens rook ze de stank en zag ze de drol voor in de box liggen. Hij had het niet kunnen ophouden.

Haastig ging ze naar de slaapkamer en trok haar pakje en haar hooggehakte schoenen uit. Met alleen haar slipje aan liep ze op kousenvoeten naar de badkamer om een rol toiletpapier en een handdoek te pakken. Uit het gootsteenkastje haalde ze een keukenrol, oude lappen en een emmer. Ze vulde de emmer met zeepsop en nam alles mee naar de box.

Toen ze het deurtje opende, probeerde Reuben er niet uit te komen. Ze ging op haar knieën zitten. Uit de box kwam een vreselijke stank. Ze maakte twee proppen van het toiletpapier, pakte de drol op en legde hem op een paar stukken keukenrol op de grond. Vervolgens stak ze haar arm naar binnen, kromde haar vingers onder Reubens halsband en trok hem naar voren. Ze zag dat er poep op zijn heup en achterpoot was gekomen, waarschijnlijk omdat de box te klein voor hem was geworden. Zodra hij uit de box was, ging hij plat op de grond liggen om zich te verontschuldigen. Beschaamd wendde hij zorgvuldig zijn blik van haar af. Zijn oren lagen plat. Hij draaide zich op zijn rug, alsof hij smeekte om vergiffenis.

Ze aaide hem over zijn reusachtige kop. 'Het is niet jouw schuld, lieve jongen. Jij bent braaf. Het is mijn schuld. Je bent braaf. Brave jongen.' Iets in deze woorden bezorgde haar een pijnlijk gevoel in haar keel en liet tranen opwellen. Waarom? Ze wist het niet. 'Het is mijn schuld,' zei ze. 'Jij bent een brave jongen. Brave, brave Reuben.'

Terwijl ze door haar tranen onscherp zag, doopte ze een oude lap in het zeepsop en begon Reuben schoon te maken.

Sam belde op vrijdag, drie dagen na hun eerste ontmoeting.

Toen ze thuiskwam uit het theater, stond zijn boodschap op haar antwoordapparaat. Een ogenblik stond ze in haar donkere woonkamer naar zijn stem te luisteren, terwijl ze uit het raam keek naar een stel dat onder de straatlantaarn voorbijliep. Ze praatten hard – een beetje flirterig, een beetje aangeschoten. Reuben zat bij de deur te janken. *Kom nou.*

'Ik vroeg me af wanneer we de koffie zullen gaan drinken die we nog moeten gaan drinken,' zei Sam. 'Misschien kunnen we ook gaan lunchen. Of anders dineren – op maandag. Volgens mij is algemeen bekend dat de theaters op die dag dicht zijn. Laat het me maar weten.' Hij noemde verschillende nummers.

Ze pakte Reubens lijn en liet hem uit. De fonteinen in het park midden op de straat waren uitgezet, zodat hun gestage, aangename geluid ontbrak – het geluid van de beteugelde natuur, in haar ogen. Het gaf een soort leegte. De bladeren waren van de bomen verdwenen, en ze had onbelemmerd inkijk in de salons en de appartementen op de begane grond. Over het geheel genomen was het tv en nog meer tv wat de klok sloeg. Maar ergens was nog een etentje in volle gang: een groep mannen zat rond een tafel, hun gezichten straalden in de gloed van kaarslicht, hun stoelen waren naar achteren geschoven of gedraaid, hun stemmen klonken vanaf de straat als een zwak gemurmel.

Ze kwamen een andere hond tegen, die op hen af kwam. Hij was veel kleiner dan Reuben, maar hij was vriendelijk en niet door hem geïntimideerd. Terwijl de honden om elkaar heen draaiden en elkaars intieme delen besnuffelden – wat voor de kleine hond makkelijker was dan voor Reuben – gaven Billy en de baas van die hond, een jongeman, de lijnen beurtelings aan elkaar over om te voorkomen dat ze verstrikt raakten. Dit teamwork had iets absurd intiems – hoe ze ter wille van vreselijk onbeschaamd hondengedrag op elkaars bewegingen anticipeerden, maar het gaf Billy op een onbeduidende, prettige manier het gevoel een bepaalde vaardigheid te beheersen. 'Prettige avond nog,' zei de man toen ze uiteengingen.

Bij het restaurant op de hoek waren de stoelen en tafels voor de binnenplaats weggehaald die daar gedurende de herfst opgestapeld en vastgeketend hadden gestaan. Het einde, dacht Billy. Het behaaglijke seizoen was voorbij. Ze bleef staan. Verder gingen ze 's avonds niet. Ze gaf een rukje aan de lijn. 'We gaan naar huis, Rube,' zei ze en hij draaide zich om en volgde haar nu. Overal waar hij op de heenweg was blijven staan snuffelde hij opnieuw, en van tijd tot tijd vond hij het de moeite waard zijn poot nogmaals op te tillen om zijn territorium af te bakenen.

Terwijl ze naar huis sjokten, dacht ze aan Sam. Welbeschouwd was ze verbaasd dat hij had gebeld. Toen ze in het restaurant zaten te praten had ze het gevoel dat hij in haar geïnteresseerd was – zij ook in hem, trouwens –, maar ze dacht dat ze aan het eind van de avond een signaal had afgegeven dat ze geen interesse voor hem had. Of in elk geval dat ze niet veel interesse voor hem had. *Maar natuurlijk zou het feit dat je wel interesse had dat signaal weleens kunnen hebben gestoord, Billy.*

Ze herinnerde zich het gênante moment waarop hij had voorgesteld elkaar nog eens te zien en zij niet had geweten wat ze moest zeggen. Ze herinnerde zich dat zijn uitdrukking was veranderd, dat hij verbaasd had gekeken en meteen daarna bijna neutraal, alsof hij haar terughoudendheid had geregistreerd.

Thuis maakte ze zich zonder het licht aan te doen klaar om naar bed te gaan. Ze vond het prettig om in het donker rond te scharrelen. Door de verzwakte gloed van de gaslampen was het toch niet echt donker. Toen ze in bed stapte, lag Reuben al op de quilt aan zijn kant van het bed. 'Weltrusten, lieve prins,' zei ze. Hij zuchtte. Twee keer sloeg hij met zijn staart tegen het bed.

Ze lag naar de kale bomen buiten te kijken, en naar de schaduwen die ze in huis wierpen. Ze wist niet precies wat ze met Sams uitnodiging aan moest. Sam kwam van Leslie, en Leslie was de laatste die ze dichter naar zich toe wilde halen, want het had haar lang gekost om zich aan haar te onttrekken en de huidige afstand te scheppen. Maar ze had zich in lange tijd niet zo tot iemand aangetrokken gevoeld als tot Sam. Lange tijd had ze dat ook niet gewild.

Haar laatste serieuze relatie dateerde van bijna drie jaar geleden. Ze had toen iets met een andere toneelschrijver – en zoals ze later had bedacht, was dat waarschijnlijk reden genoeg voor het mislukken van die relatie. Een tijd lang had ze echter in de mogelijkheid geloofd dat het wel wat zou worden, en had ze geloofd dat er misschien een einde was gekomen aan de opeenvolging van verkeerde keuzes die ze had gemaakt... god: haar man, al die sombere, veeleisende figuren in Chicago, en toen Gus, die arme Gus.

Toen de relatie vijf à zes maanden een feit was en ze het erover hadden om te gaan samenwonen, belde Leslie. Ze wilde dat Billy een deel van het geld zou krijgen, van het geld dat de overheid aan de families had uitgekeerd. Het was een hele hoop, zei Leslie, veel te veel, en zij had het niet nodig. Ze zou het merendeel aan goede doelen schenken, maar ze vond dat Billy er ook wat van moest krijgen. Gus zou het zo gewild hebben, zei ze. En in Billy's leven zou het verschil maken, wat in het hare niet het geval was. 'Mij lijkt dat juist,' zei Leslie. 'Dat het – in elk geval voor een deel – gaat naar iemand voor wie het verschil maakt. Naar iemand van wie Gus hield.'

Billy weigerde, en Leslie en zij redetwistten over de telefoon, onhandig en beleefd. Ten slotte toonde Billy zich bereid om erover na te denken, om in elk geval een einde aan het gesprek te maken. En ze zóu erover nadenken, hield ze zichzelf voor – ze zou erover nadenken hoe ze op zo'n manier kon weigeren dat Leslie het niet zou bestrijden. Dat ze het niet kon bestrijden.

Toen ze David over Leslies telefoontje vertelde, sprak ze erover alsof het zoiets ondenkbaars was dat het eigenlijk alleen maar op een treurige en gruwelijke manier komisch was. Ze dacht dat hij met haar zou meelachen, dat hij haar zou helpen om te verzinnen hoe ze zich uit deze situatie moest redden.

'Waar heb je het over?' zei hij. 'Natuurlijk moet je het aannemen. Het zal je leven veranderen. Het zal ons leven met elkaar veranderen.'

Billy was zo geschrokken dat ze nauwelijks kon antwoorden, maar de daaropvolgende dagen kibbelden ze er steeds weer en op steeds verbitterder toon over. Hij sprak tijdens een van deze lange, eindeloze discussies de woorden 'het lijkt verdomme Henry James wel', die ze in haar stuk had gebruikt. Ze had daarop gezwegen. Pas veel later, toen ze het stuk schreef en David allang weg was, dacht ze na over een antwoord. Haar personages reageerden altijd sneller dan zij – dat was het voordeel van het feit dat ze hun levens in de slow motion van haar verbeelding kon leiden.

In de loop van deze twistgesprekken zag ze in dat het tussen David en haar nooit wat zou worden, dat het voorbij was. Weer een slechte keuze en een beroerd einde.

Sindsdien had ze zich toegelegd op escapades voor één nacht, en dan nog alleen als ze er zeker van was dat de ander de regels kende en ook niets ingewikkelders wilde. Rafe, bijvoorbeeld.

Met Sam zou dat onmogelijk zijn. Met hem zou er van regels geen sprake zijn. Dat wist ze gewoon.

Ze kreunde hardop en rolde naar haar kant van het bed.

Daar dacht ze zich in dat hij hier zou zijn, in haar huis of haar bed, en meteen besefte ze dat ze dat helemaal niet wilde.

Ze wilde evenmin naar zijn huis, om te zien hoe hij leefde. Ze wilde niets over hem te weten komen, zich niet aan hem aanpassen. Niet moeten merken dat hij dingen over haar te weten kwam en zich aan haar aanpaste. En met hem kwam ook weer alle complexiteit terug van de band met Leslie en de nagedachtenis van Gus. Op een bepaald moment zou met hem het gesprek over Gus moeten plaatsvinden. Ze wilde geen gesprek over Gus met hem voeren. Ze wilde met niemand een gesprek over Gus voeren. Ze was er het dichtstbij gekomen via de kwesties waarover ze tegen Rafe had gesproken en ze wilde nooit meer iets over dat deel van haar leven vertellen, tegen niemand. Dan bleven de demonen rustig.

'Het is voorbij, Rube,' zei ze in het donker. Hij lag roerloos naast haar.

In de ochtend werkte ze aan haar eigen stukken. Daarna moest ze een aantal scènes van studenten beoordelen en een aanvraag voor een beurs afronden, wat ze al dagen had uitgesteld.

Rond enen liet ze Reuben voor de tweede keer die dag uit. Toen ze terugkwam ging ze naar de keuken en haalde wat soep van Whole Foods uit de koelkast. Terwijl ze de soep opwarmde, beluisterde ze Sams boodschap nog eens. Ze overwoog wat ze moest doen.

Feitelijk sprak ze er hardop over. Zoals veel mensen die alleen wonen praatte ze vaak in zichzelf. En bijna even vaak deed ze alsof ze tegen Reuben praatte – ze vertelde hem wat ze op dat moment aan het doen was, of ze vertelde over haar leven of over de personages waaraan ze werkte. Ze sprak nu op een ingetogen, peinzende toon. 'Ik zal dit moeten oplossen, Rube.' Ze roerde in de soep en legde de houten pollepel op het aanrecht. 'Ik ga ervoor zorgen dat hij mijn vriend wordt. Mijn maatje.' Terwijl de hond naast haar stond en haar in de ogen keek, krabde ze hem achter zijn oren. 'Dat kan ik toch, denk je ook niet? Ik heb een hoop vrienden. Mannen. Waarom Sam niet?'

Er waren veel redenen waarom dat niet zou kunnen, maar Billy negeerde ze. Ze draaide een van de nummers die hij had ingesproken, en nadat het toestel twee keer was overgegaan nam hij op. Zijn toon was neutraal, maar klonk haar toch opwindend in de oren. Ook dat negeerde ze. Ze stelde voor om, in plaats van iets te gaan eten of drinken, op maandagmiddag met Reuben een wandeling in het Arboretum te maken. 'Omdat ik geen auto heb, kom ik daar nooit.'

'Nou dan,' zei hij, 'ik zal je graag van dienst zijn.'

Ze zag de eekhoorn net iets eerder dan Reuben, en al toen hij ervandoor ging wist ze dat het slecht zou aflopen. Waarom had ze de lijn niet gewoon losgelaten? Ze deed het niet. Ze greep het plastic handvat nog steviger vast – wat een idioot was ze! – en zette zich schrap.

Reuben was bijna even zwaar als zij. Toen hij het einde van de intrekbare lijn bereikte, lag hij op volle snelheid. Ze voelde dat ze naar voren werd gesleurd en dat ze viel. Op dat moment moest ze het handvat hebben losgelaten, want toen ze de grond al bijna raakte, zag ze Reuben aan de overkant van het veld in het bos verdwijnen. Ze had haar armen gestrekt en haar handen schuurden over de grond, maar toch kwam ze hard op haar buik terecht en sloeg ze met haar kin ergens tegenaan. Al vóór de klap schreeuwde ze het uit.

En toen ze daar lag, van al haar waardigheid beroofd, begon ze echt te huilen, zo veel pijn had ze. Sam was bijna meteen bij haar, hij hurkte naast haar neer. 'God, Billy toch,' zei hij. Hij streelde haar over haar rug. Toen ze enkele ogenblikken later een beetje was gekalmeerd, hielp hij haar te gaan zitten. Ze wendde haar gezicht van hem af. Ze proefde bloed, ze voelde het in haar mond en over haar kin lopen. Haar tong kwam tegen de binnenkant van haar bovenlip aan. Die begon al op te zwellen. Ze had een onheilspellende en absurd hevige pijn in haar pols. 'Verdomme!' zei ze.

Sam veegde haar gezicht af – met zijn sjaal, waarschijnlijk een kasjmier sjaal, zo zacht voelde hij aan. 'Oké, oké,' zei hij troostend, alsof hij het tegen een kind had, en Billy besefte dat ze zachtjes kreunde van de pijn.

Ze bracht zichzelf tot bedaren. Ze liet haar gezicht tegen de sjaal rusten, tegen zijn hand die de sjaal vasthield. Ze zag dat hij nu naast haar op de grond zat. Haar eigen benen lagen gestrekt voor haar, de knieën van haar spijkerbroek waren met zwarte aarde besmeurd, haar vuile handen rustten op haar dijen. De ene hand hield de andere, pijnlijke hand vast. Was hij gebroken?

'Je wordt helemaal smerig,' zei ze een ogenblik later tegen Sam. Met haar dikke lip viel het niet mee dat woord uit te spreken.

'Daar maak ik me geen zorgen over,' zei hij.

Zwijgend zaten ze bij elkaar. Hij had zijn arm om haar heen geslagen. 'O!' zei ze een poosje later. 'Wat word ik hier sip van, zeg.'

Hij lachte. Ze keek naar hem op – zelfs zittend was hij heel veel langer dan zij – en opeens lachte zij ook. 'God,' zei ze en ze liet haar hoofd tegen zijn jasje rusten, tegen zijn schouder.

Ze zag Reuben het bos uit komen, hij maakte zijwaartse sprongetjes om te proberen het handvat van de intrekbare lijn te ontwijken dat naar hem toe schoof alsof de lijn zich om zijn poten wilde wikkelen, alsof het een levend wezen was. 'Daar is hij, die boef,' zei ze. 'Ik sleep hem voor de rechter.' Ze probeerde te gaan staan.

'Kom, laat mij je helpen.' Sam pakte haar bij de arm.

'Voorzichtig! Voorzichtig, voorzichtig, voorzichtig!' gilde

ze en ze wendde haar lichaam van hem af. 'Ik denk dat ik mijn pols heb gebroken.'

Ze stak de pols naar voren en ondersteunde haar hand. Hij zwol op en werd rood. Hij deed ongelofelijk veel pijn.

Sam boog zich over haar heen, pakte haar bij haar andere elleboog en hielp haar terwijl zij weinig elegant op één knie ging zitten en zichzelf vervolgens helemaal overeind hees. Toen ze rechtop stond, veegde hij de voorkant van haar jas en de knieën van haar spijkerbroek schoon. Ze liet hem begaan en hield de sjaal tegen haar mond.

Reuben was nu vlakbij gekomen en sloeg hen aarzelend gade. 'Het is allemaal jouw schuld,' zei ze tegen hem. Ze sprak het uit als 'fchuld'. 'Rothond.'

'Denk je dat hij dat snapt?' vroeg Sam. 'Denk je dat hij berouw voelt?'

'O, als hij dat niet doet is het ook goed,' zei ze. 'Ik heb berouw voor twee.' Het plastic handvat van de lijn danste en sprong over het gras. 'Kun jij de lijn pakken, Sam?' vroeg ze. 'Ik wil niet dat hij er weer vandoor gaat.'

Sam raapte het handvat op, en Reuben richtte zijn bedaarde blik op hem.

'Kun je lopen?' vroeg Sam.

'Ja. Ik heb alleen last van mijn gezicht en mijn hand. Van mijn pols, bedoel ik. Mijn knieën doen wel pijn, maar zijn in orde.'

'Dan denk ik dat we terug moeten en naar een ziekenhuis, of naar je huisarts moeten gaan. Er moet in elk geval iemand naar je hand kijken. En misschien naar je lip.'

'Is het zo erg met mijn lip?' Maar ze voelde dat zelf wel. Ze bracht haar tong er weer naartoe. Midden in de zwelling was een heel stuk open. Door de klap van haar kin op de grond moesten haar ondertanden hard in haar bovenlip zijn gedrongen. Ja, en haar kaak was ook pijnlijk.

'Het ziet er niet goed uit,' zei hij.

Ze begonnen aan de wandeling naar beneden. Bij elke stap en elke schok deed haar pols pijn. Sam liep voor haar uit over het pad. Hij droeg vandaag een spijkerbroek, net als zij. Daardoor zag hij er minder ontzagwekkend uit. Slungeliger.

Had ze hem in zijn mooie pak ontzagwekkend gevonden? Kennelijk wel.

Ze zag hoe hij lange, soepele passen maakte. Reuben liep opgetogen naast hem, zijn nieuwe beste vriend, en met elke enthousiaste stap pleegde hij verraad jegens haar.

Ze moesten wachten in de vleugel voor urgente zorg van haar gezondheidscentrum. De vrouw die voor de intake zorgde, een knappe, dikke zwarte vrouw met een glad kapsel en veel sieraden, die de touwtjes stevig in handen had, dacht dat het een halfuur zou duren. 'Gaat u zitten,' zei ze. 'Uw naam wordt afgeroepen.'

Er waren twee mensen voor Billy, een Latino jongetje in gezelschap van zijn vader dat er lusteloos en bijna grauw uitzag en ademde alsof hij door slijm werd gehinderd – waarschijnlijk had hij iets besmettelijks. Billy ging zo ver mogelijk van hem af zitten, wat betekende dat ze heel dicht bij een oude man zat die diep voorovergebogen ritmisch heen en weer zat te wiegen, alsof hij een vreselijke inwendige pijn moest verzachten. Sam ging naast haar zitten. Ze spraken nog net niet op fluistertoon. Voor zowat de vierde keer voelde ze zich verplicht om zich te verontschuldigen.

'Hou eens op, Billy. Dat weten we al. Jij zou voor mij hetzelfde doen.'

'Dat weet ik niet zo zeker. Misschien zou ik me op de een of andere manier proberen te drukken.'

'In een noodsituatie kun je je niet drukken. Je zou hetzelfde doen.'

'Ja, ik denk van wel.' Ze zaten voor zich uit te kijken. Op

mistroostige toon zei Billy: 'Ik word er zo treurig van om hier te zijn.'

'Omdat je pijn hebt?'

'Dat niet. Gewoon... omdat je als mens zo kwetsbaar bent.' Ze rolde met haar ogen.

'Ja. Daar valt niet aan te ontkomen.' Even later zei hij, alsof hij op een ander onderwerp wilde overgaan: 'Ik heb met Leslie gepraat.'

'O ja?'

'Ja. Zij heeft me jouw nummer gegeven. Want jij had het me niet gegeven.'

Ze negeerde het scherpe toontje in zijn stem en vroeg: 'En was ze blij dat je mij ging bellen?'

Hij zweeg even, alsof hij daarover nadacht. 'Ik denk van wel,' zei hij ten slotte.

'Waarom? Wat zei ze?'

'Ze zei dat ze hoopte dat we in elke geval bevriend zouden raken.'

'Meer niet?'

'Ze zei "in elk geval".'

'Nee, ik bedoel, heeft ze verder niets over mij gezegd?'

'O, wel wat. Ja. Ze heeft over Gus en jou verteld.'

'Ik kan je denk ik wel verzekeren dat Leslie bijna niets over Gus en mij wist.'

'Maar jullie zijn lang bij elkaar geweest.'

'Niet zo lang. Een jaar, zo ongeveer. Maar het grootste deel van de tijd hebben we niet samengewoond.'

'Ze zei dat Gus van je hield. Was dat dan niet waar?'

'Gus dacht dat hij van me hield.'

'Als hij dat dacht, hield hij vast ook van je.'

Ze zweeg geruime tijd. Opeens herinnerde ze zich al haar reserves ten aanzien van Sam – haar reserves of ze hem wel wilde leren kennen. Ze zei: 'Ik wil niet met je over Gus praten,

Sam.'

Hij keek haar aan, koeltjes, dacht ze. 'Ik gaf alleen maar antwoord op je vraag.'

Billy was helemaal de kluts kwijt. Ten slotte zei ze: 'Je hebt gelijk. Ik heb ernaar gevraagd. Maar laten we het nu over iets anders hebben.'

Misschien wilde hij ook op een ander onderwerp overgaan. Misschien zag hij in hoe hard ze het nodig had om van haar kloppende pols te worden afgeleid. In elk geval begon hij te vertellen wat hij allemaal op de eerste hulp had beleefd – een verhaal over hoe hij toen zijn kinderen nog klein waren steeds weer met ze naar allerlei ziekenhuizen had gemoeten. Hij zei dat ze bofte dat ze aan de zorg van een ervaren kracht als hij was toevertrouwd – hij had alles al eens meegemaakt. Zo was Mark, zijn jongste, op een keer met zijn hoofd op het trottoir gevallen toen ze de klep van de stationcar te snel hadden geopend. 'Een hersenschudding. Plus twaalf hechtingen.' En op een keer was Jack, toen Charley hem achternazat, door een gesloten glazen schuifdeur gevlogen. Alles bij elkaar veertig hechtingen. Mark wilde een meisje uit zijn klas laten zien wat hij kon, was op het hoogste punt van een schommel gesprongen en had een been gebroken. Zijn kinderen hadden twee gebroken armen gehad en een schouder uit de kom, en één keer had een kind zo'n angstaanjagend hoge koorts gehad dat hij het naar het ziekenhuis had gebracht. En dat waren alleen de echte noodgevallen. Daarnaast was er ook heel wat bloed gevloeid.

Billy hield hem aan de praat en stelde steeds weer nieuwe vragen. Ze hoorde zijn stem graag en vond het prettig om niet aan haar eigen pijn te hoeven denken. Ze vond het een prettig idee dat hij vader was, voor anderen had gezorgd, alles heelhuids had doorstaan en er grapjes over kon maken.

Ten slotte werd haar naam afgeroepen. Ze ging een onderzoekskamer binnen en terwijl onder haar het papier ritselde, ging ze op de gecapitonneerde tafel zitten. De assistente, een kleine, mollige, opgewekte jonge vrouw die een vreselijk permanent had en een gebloemd ziekenhuishemd droeg, nam haar temperatuur en haar bloeddruk op – die was 125-82. Billy wilde dat altijd weten, ook al had ze geen idee wat de getallen haar over haar gezondheid zeiden. 'Is dat goed?' vroeg ze. De assistente zei dat het in orde was.

Nadat ze even alleen was geweest, kwam er een jongeman in een witte jas binnen. Hij begroette haar: hij heette dokter Cramer. Hij kon niet ouder zijn dan vijfentwintig.

'Normaal gesproken zie ik er niet zo uit,' zei ze en ze wees op haar gezicht.

'Dat is heel goed,' zei hij. Terwijl hij zijn handen waste, luisterde hij naar haar treurige verhaal. Vervolgens kwam hij naar haar toe, en zonder haar iets te vragen klapte hij op een naar haar idee ruwe manier haar bovenlip om. Hij bekeek hem een poosje en zei dat dáár zijns inziens niet veel meer aan te doen was. IJs, opperde hij nog, maar hij voegde eraan toe dat het daarvoor waarschijnlijk al te laat was.

Hij vroeg wie Sam was. Vervolgens kwam er plotseling een ernstige trek op zijn gezicht, zodat hij nog jonger leek. 'Voelt u zich veilig bij hem?' vroeg hij.

Ja, zei Billy. Zeker. Het was nog niet tot haar doorgedrongen wat voor indruk ze maakte – alsof ze flinke klappen had gekregen. Ze zouden achter Reuben aan moeten, dacht ze. Reuben, die waarschijnlijk in diepe slaap in de auto in de parkeergarage lag.

Dokter Cramer bewoog haar pols en ze schreeuwde het uit. Hij stuurde haar naar de röntgenafdeling. Sam ging met haar mee, wachtte tot ze werd opgeroepen en wachtte daarna nog eens tot de foto klaar was. Hij had in een oude *Newsweek* gelezen, en beide keren dat ze bij elkaar zaten deed hij haar verslag over het verouderde artikel dat hij net uit had. Ze bespraken wat de juiste straf voor de American footballspeler Michael Vick zou kunnen zijn. Ze hadden het over het onlangs ontdekte vermogen van volwassenen om nieuwe neuronen aan te maken – wie had dat nou gedacht? Sam vertelde haar over zijn middelste zoon, die het waarschijnlijk wel had gedacht – hij deed onderzoek naar de ziekte van Alzheimer.

Toen ze van de man van de röntgenafdeling de foto's hadden gekregen, gingen ze daarmee terug naar de urgente zorg. Billy voelde nu dat haar knieën stijf werden. 'Ik word hier met de seconde ouder,' zei ze, terwijl ze door de gang schuifelde.

'Wij allemaal,' zei Sam. 'Daar zijn ziekenhuizen voor bedoeld.'

Ze had niets gebroken, zei de jongeman, en hij liet haar op een lichtbak de foto zien van haar onbeschadigde, schimmige botten. Hij gaf haar een spalk met een sluiting van klittenbandstroken en zei haar dat ze haar pols omhoog en ijskoud moest houden. Ze vroeg en kreeg een recept voor pijnstillers, en terwijl ze daarop wachtten, zaten Sam en zij samen in de apotheek. Ze vroeg hem waarom hij op maandag, toch een werkdag, vrij was, en hij legde haar uit hoe zijn leven in elkaar zat – dat hij tegenwoordig alleen werkte en zelf zijn werktijden bepaalde. Dat hij jarenlang een compagnon had gehad, maar dat ze uit elkaar waren gegaan toen de compagnon liever zelf projecten wilde ontwikkelen. 'Daar komt meer speculatie bij kijken. Hij is moediger dan ik. Of meer ondernemer, moet je misschien zeggen. Het leek een beetje op een scheiding, maar dan *sans rancune*.' Hij had zijn jasje uitgetrokken en zat onderuitgezakt in de stoel in de wachtkamer. Hij leek volkomen op zijn gemak.

'"Rancune",' zei Billy. Ze keek hem aan. 'Was er bij jouw scheiding sprake van rancune?'

Hij dacht even na. 'Niet echt van rancune. Meer van iets

als... teleurstelling, misschien.'

'Wie was er teleurgesteld?'

'Ik denk wij allebei.'

'In gelijke mate, denk je?'

Hij lachte. 'Waarom wil jij dat weten?'

Ze haalde haar schouders op. 'Ik ben geïnteresseerd in verhalen,' zei ze. 'Hoe het is gegaan. Hoe het was. Wat er daarna is gebeurd.'

'Nou, ik denk: ja, bijna in exact gelijke mate.'

'Dat is goed,' zei ze.

Hij antwoordde niet.

'Toch?' vroeg ze.

'Geen teleurstelling is beter.'

'Nou, goed. Maar denk jij dat dat mogelijk is?'

'Jij niet?' Het kwam mede door zijn bril, dacht ze, dat hij zo'n intense blik leek te hebben wanneer hij een vraag stelde.

'Nee, ik denk van niet,' zei ze. 'Ik ben erin geslaagd iedereen teleur te stellen.'

'En ben je zelf teleurgesteld?'

Ze glimlachte naar hem. 'In ongeveer gelijke mate, zou ik zeggen.'

Ze keken naar de toonbank van de apotheek, waar iedereen – een vijftal mensen in witte jassen – heel druk bezig leek te zijn. Er werden echter geen namen afgeroepen.

'Wie is "iedereen"?' vroeg hij.

'Dat wil je niet weten.'

'Toch wel. Ik ben ook geïnteresseerd in verhalen,' zei hij.

'Nou, dat valt niet onder de afspraak over de wandeling in het Arboretum. Die informatie.'

'De urgente zorg ook niet,' zei hij.

'Punt voor jou.'

'Punt voor mij.'

Ten slotte werd haar naam afgeroepen en ze ging naar de

toonbank en kreeg de pillen. Ze nam er meteen een in, boog zich over het fonteintje in de gang en bewoog haar hoofd vervolgens naar achter om hem met veel water door te slikken. Sam bewonderde haar techniek en vergeleek haar met een vogel.

Toen ze, een half blok van haar appartement verwijderd, stopten om te parkeren, begon het al donker te worden. Billy hing tegen het raampje aan de passagierskant aan en voelde zich al een stuk prettiger. 'O, pijnstillers,' zei ze. 'Ik ben er zo dol op.'

'Ze zijn een zegen,' antwoordde Sam.

Ze dacht opeens aan zijn vrouw. Hij moest getuige zijn geweest van veel ernstig lijden en daarbij hebben moeten helpen. En daar uiteindelijk in tekort zijn geschoten. En toch was hij hier, verwende hij haar en probeerde hij ervoor te zorgen dat zij zich ook beter ging voelen. Ze voelde zich opeens schuldig over haar gejammer. 'Je was geweldig vandaag,' zei ze. 'Je was zelf bijna net zo goed als een pijnstiller.'

'Zoiets aardigs heb ik nog bijna nooit te horen gekregen.' Ze stapten uit. Hij opende het achterportier en lijnde Reuben aan.

'Wat was het alleraardigste dat je te horen hebt gekregen?' vroeg ze. Terwijl ze tegen het fraaie ijzeren hekje van iemands voortuin aan leunde, had ze het gevoel dat ze zweefde, dat ze van haar lichaam was losgeraakt. De straatlantaarns waren aan. Ze liepen weg en hun voetstappen weerklonken hard in de schemering.

'Ik wil niet onbescheiden zijn,' zei hij.

'O, doe maar, hoor.'

'Ach nee,' zei hij.

Thuis hing ze haar jas op en deed de lamp op haar bureau en de lamp bij de bank aan. Ze liet zich op de bank neerploffen. Reuben kwam naar haar toe en legde zijn reusachtige kop op haar schoot. 'Brave jongen,' zei ze. Ze boog zich over hem heen en rook aan zijn vacht. 'Ik kan je wel vermoorden. Ik kan je wel vermoorden, schattebout. Je bent een schattebout die ik met plezier zou vermoorden.' Ze leunde achterover en werd door een golf van slaperigheid overspoeld. Zo ervoer ze het: als een golf.

Sam was in de keuken, buiten beeld. Ze hoorde hem met spullen rommelen. Uitgerekend dit had ze niet gewild, deze intimiteit, deze invasie. 'Wil je thee?' vroeg hij. 'Koffie? Wijn? Wat heb je verder nog?' Hij was aardig, dat moest ze hem nageven. Ze hoorde een kast opengaan. 'Cognac?'

'Sam, hou op,' riep ze. 'Je taak zit erop.'

'Ik ben al klaar,' zei hij. 'Ik neem een cognac.' Met de fles en een glas in zijn handen verscheen hij in de deuropening. 'Jij ook?'

'Dat kan ik beter niet doen,' zei ze. 'Ik ben al een beetje tipsy van de pijnstiller.'

'Wat dacht je van thee?'

Ze keek hem aan. Ze zou nee zeggen. Ze zou hem zeggen dat ze wilde slapen. Ze zei: 'Thee zou ontzettend lekker zijn.'

Hij ging terug naar de keuken. Ze hoorde de kraan lopen, gevolgd door de tik van de ketel op de gaspit. Ze sloot haar ogen.

Toen ze ze weer opende, zette hij een kop naast haar neer. Achter de ramen was het helemaal donker. De damp sloeg van de kop af. 'Zo,' zei ze. Ze likte haar lippen af. 'Ik was in slaap gevallen.'

'Dat weet ik,' zei hij. 'Je snurkte een beetje.'

'Niet waar.'

Hij hief zijn handen en trok zijn wenkbrauwen op. 'Zoals je wilt,' zei hij.

'Hoe zit het met de hond?' vroeg hij, terwijl hij tegenover haar ging zitten.

'Hoe zit het met de hond?'

'Moet hij nog eten?'

'Dat doe ik wel,' zei ze. 'Dat doe ik later wel. Hij is plooi-baar, de stakker. Dat moet hij wel, want hij is van mij. En jij moet niet zo... zorgzaam doen.'

'Ik zorg vooral voor mezelf. Ik drink een glas fantastische cognac.' Hij strekte zijn lange benen. Ze overbrugden de helft van de afstand tussen hen. Zijn gezicht was omschaduwd, zijn iets achterover gebogen hoofd rustte tegen de rugleuning van zijn stoel.

Op de bank leunde Billy ook achterover. 'Je krijgt waar-schijnlijk een bon.'

Hij wuifde met zijn hand: kan mij wat schelen.

'Die ik ga betalen,' zei ze. 'Het is de prijs die je moet betalen om hier te wonen, waar niemand kan parkeren. Ik zou geen vrienden meer hebben als ik hun bonnen niet betaalde.'

'We gaan er niet over in discussie,' zei hij.

Ze proefde een slok thee. Bijna te warm, maar toch niet. Ze zette de kop weer op de schotel, met haar hand om het warme porselein. Even later zei ze: 'Ik wou je vandaag niet hier heb-ben. Daarom kwam ik met het voorstel om te gaan wandelen. Op neutraal terrein.'

'Waarom wou je dat zo?'

'O.' Ze gebaarde naar de kamer. 'Het is zo'n persoonlijke ruimte.'

'Is elke ruimte waar iemand woont niet persoonlijk?'

'Ik wed dat jouw woning niet persoonlijk is. Ik wed dat jij een verrukkelijke woning hebt, smaakvol en neutraal. Groot. Verfijnd. Gastendoekjes in de badkamer. En op het toilet. Met een monogram erop. Veel slaapkamers. Enzovoort.'

Hij zweeg even. Billy sloot haar ogen. Hij zei: 'Je bent be-hoorlijk snobistisch, weet je dat?'

'Is dat zo?' Ze kon zijn gezicht niet goed zien en wist niet hoe hij het bedoelde.

'Een soort omgekeerde snob.'

'Maar jij dacht dat ik een soort bohémien was. Dat was snobistisch van jou.'

'Ik denk dat we allebei snobs zijn.'

'Dan passen we perfect bij elkaar. Laten we Leslie bellen.'

Ze zag dat hij glimlachte. Ze sloot haar ogen weer.

Later herinnerde ze zich dat hij nog iets anders had gezegd – een paar dingen – en dat ze verschillende keren uit de diepte waarin ze wegzonk was opgedoken om iets terug te zeggen, maar de eerstvolgende keer dat ze volledig bij haar positieven was gekomen, was hij verdwenen. Ze was toegedekt met de quilt die hij van het bed had gehaald, en Reuben lag naast haar afhangende hand op de grond te slapen.

Ze kreunde en stond op. Ze liep naar de badkamer. Over de wastafel gebogen besprenkelde ze haar gezicht met warm water. Ze ging rechtop staan, pakte een handdoek en bekeek zichzelf onder het afdrogen. Haar lip was reusachtig dik, alsof ze een injectie met een voor een olifant bestemde dosis collageen had gehad. Ze boog zich naar de spiegel toe en trok haar lip wat omhoog om de snee aan de binnenkant te bekijken. Terwijl ze weer rechtop ging staan, zag ze dat ze bij het hele avontuur een oorbel was kwijtgeraakt. Een van haar lievelingsoorbellen. Op de een of andere manier leek dat van belang te zijn.

Opeens voelde ze zich moe. Treurig. Leeg. In de deur van de badkamer stond Reuben op haar te wachten. 'Kom op, beste Rube,' zei ze. 'We gaan een maaltijd voor je klaarmaken.'

Hij draaide zich om en liep met grote stappen naar de keuken. Ze volgde hem, een stuk langzamer.

Sams glas en haar kop en schotel waren afgespoeld en stonden in de gootsteen. Reubens lijn lag ingerold op het aanrecht. Er lag een briefje onder. Ze pakte het op. *Ik heb de hond uitgelaten, maar ik kon zijn voer niet vinden. Sam.*

Ze zuchtte. 'Wat moet ik met die kerel aan, Rube?' vroeg

ze. Opeens herinnerde ze zich iets wat hij bij zijn vertrek had gezegd. Ze dacht het zich te herinneren. Hij had het er opnieuw over gehad hoe anders ze waren, maar dit keer zei hij: 'Ik dacht: waarom niet? Waarom zou ik iemand die zo anders is niet in mijn leven toelaten?'

Had hij dat niet gezegd?

Ze wilde niet in Sams leven komen. Hoe was zoiets mogelijk? Ze wilde in niemands leven komen, ze wilde alleen haar eigen leven leiden.

Ze pakte Reubens etensbak van de grond. Haar pols deed pijn. Ze liep het keukentje door. Ze ging op haar pijnlijke knieën liggen en haalde de bak met Reubens droogvoer uit het gootsteenkastje. Ze zag nu de wanorde, de rotzooi die hier verborgen lag: de oude lappen, de donkere, grillige plek van een opgedroogde vloeistof die ze een paar maanden geleden had gemorst, en een verstijfde rubber handschoen die met zijn handpalm smekend naar boven gekeerd lag – het geel al bruin langs de randen.

Opeens voelde ze tranen opkomen. 'Ik kan het niet,' zei ze hardop. 'Ik kan dit allemaal niet.'

Sam

'Sam!' zei ze over de telefoon, nog voordat hij zijn naam kon noemen. Het was woensdag, de dag na de toneelvoorstelling, en al laat in de middag. Hij had eerder geprobeerd te bellen, maar toen waren Pierce en zij nog niet thuis geweest. 'Het was zo heerlijk om je te zien. Bedankt dat je gisteravond met ons mee bent geweest.'

'Nee, ik belde om jou te bedanken. Het was lief van je om mij mee te vragen.'

'Ach, we wilden je na al die tijd allebei graag weer eens zien.'

'Het was... het was goed om weer eens bij te praten.'

'Zeker.'

'En om Billy's stuk te zien.' Het gaf hem een raar gevoel om haar naam tegen Leslie uit te spreken. Misschien om tegen wie dan ook haar naam voor het eerst uit te spreken.

'Maar het was wel zwaar. Voor jou zeker, denk ik.' Ze hadden het daar in de pauze even over gehad. 'Maar in bepaalde opzichten ook voor mij.'

'Ach, het was gewoon een toneelstuk.' Haar stem klonk gedempt. 'Het is Billy's goed recht om over elk... onderwerp te schrijven waarover ze wil schrijven.'

'Natuurlijk,' zei hij. 'Als ik zeg dat het zwaar was, bedoel ik niet dat ze het niet had mogen gebruiken.'

Even viel er een stilte. Ze zei: 'Je bedoelt dat ze Gus heeft gebruikt?'

'Eigenlijk niet. Ik dacht niet aan Gus.' Hij was in de war.

'Ik heb Gus er niet speciaal in gezien. Ik bedoel dat ze 11 september heeft gebruikt. Wat zij op 11 september heeft doorgemaakt.'

'Ah!'

Hij dacht dat ze nog iets wilde zeggen. Toen dat niet gebeurde, zei hij: 'Jij hebt Gus er wel in gezien.' Het was een vraag.

'Nou, niet meteen. Gisteravond niet. Al was ik... het zat me dwars, moet ik misschien zeggen. En hoe langer ik er vervolgens over nadacht, ja, des te meer zag ik er Gus en Billy in. Ik besefte wat voor gevoelens ze voor hem moet hebben gehad – op een bepaald moment, in elk geval. Daar werd ik erg... verdrietig van.'

Hij wachtte, maar ze leek te zijn uitgesproken. 'Wat naar om dat te horen,' zei hij.

'Ja. Maar zoals ik al zei, het is haar goed recht.' Haar stem klonk enigszins geknepen.

'Maar het had wel een speciale wending, vond je niet? Het stuk?'

'Hoe bedoel je dat, "een wending"?' vroeg ze.

Hij zat in de keuken van zijn huis in Brookline. Om de een of andere reden had hij het licht niet aangedaan, zodat alles door het zwakke licht uit de hal een schemerige grijze tint had gekregen – de tafel en de stoelen, het aanrechtblad, de borden van vanochtend in het afdruiprek. Buiten was het al donker – om halfvijf.

'Alleen dat de hoofdfiguur,' zei hij, 'die Gabriel, weer aan zijn vrouw begint te denken. Vond je dat niet, in het tweede bedrijf? Hij denkt terug aan hoe het was voordat het tussen hen... misging. Hij denkt aan haar terug, en hij beslúit min of meer om weer van haar te gaan houden.'

Het ging natuurlijk over mij, wilde hij zeggen. Voor de grap. Even glimlachte hij bij zichzelf, maar bijna meteen herinnerde hij zich ook hoe hij opeens helemaal was opgegaan in de gebeurtenissen die zich op het toneel afspeelden, hoe hij het gevoel had gehad dat er complexe emoties van hem werden blootgelegd. Tijdens het laatste deel van het stuk, toen Gabriel in de dialoog met zijn maîtresse erkende dat hij een moment lang opgelucht was geweest omdat zijn vrouw misschien was omgekomen – toen hij sprak over de schaamte die hij daarover voelde – had Sam aan Susan, zijn eerste vrouw, gedacht. Wat had hij er tijdens haar lange, terminale ziekbed soms ongeduldig naar verlangd dat het voorbij zou zijn, gewoon voorbij, zodat wat daarna kwam – zijn léven, dacht hij – een aanvang kon nemen. Hij was het moe geworden om te doen alsof alles goed ging, alsof Susan niet invalide was, alsof ze door zogenaamd gewoon door te gaan niets van de jongens vergden. Nog lang na Susans dood had Sam de herinnering aan die gevoelens niet kunnen loslaten. Hij had eenvoudigweg een hekel aan zichzelf.

Maar al eerder in het stuk had hij zich erdoor aangesproken gevoeld. Toen hij zag hoe kwaad de zoon op het toneel op zijn vader was, had hij in een flits moeten denken aan Charley, zijn oudste zoon, die met van minachting vertrokken gezicht over Claire had gezegd: 'Waarom moet je zo nodig met haar trouwen? Neuk haar gewoon. Betrek ons er niet allemaal bij.'

'Vond jij dat niet?' vroeg hij nu aan Leslie. 'Dat er een omslag was? Dat dat de betekenis van het slot was?'

'Het is mooi als je er zo over kunt denken.'

'Nou, als dat gedeelte op de een of andere manier over Gus en Billy ging, zou dat dan niet goed zijn? Zou het niet... van liefde getuigen?'

'Als het zo was, wel ja.' Hij hoorde de onwil in haar stem.

'Maar ik dacht dat je dat zei, dat het naar jouw idee over hen ging.'

'O, ik weet het niet Sam.' Haar stem klonk opeens luchtiger, alsof ze iets van zich af had gezet. 'Ik heb eigenlijk geen benul van wat ik zeg.' Ze lachte, een kleine geluidsuitbarsting die door de telefoon op een rare manier werd versterkt. 'Waarschijnlijk ging het hele stuk me gewoon boven mijn pet.'

Sam wilde hen beiden uit deze ongemakkelijke situatie bevrijden. 'We zijn wel erg serieus geworden, vind je niet? Terwijl ik alleen maar belde om je te bedanken en je naar Billy's nummer of e-mailadres te vragen.'

Hij hoorde haar inademen – haastig, bijna onhoorbaar. 'Dus je gaat haar bellen.'

'Was dat niet je bedoeling?' Hij probeerde een joviale, luchtige toon in zijn stem te leggen.

'Natuurlijk.' Maar hij hoorde haar aarzeling. 'Nee. Ja. Ik hoopte in elk geval dat jullie bevriend zouden raken. Ze was...' Er viel een korte stilte. 'Ik denk dat Gus erg veel van haar hield.' Ze zei: 'Een ogenblikje, ik ga het pakken', en zette met een klap het toestel neer.

Toen ze een halve minuut later terugkwam, klonk ze weer als zichzelf, rustig en warm. 'God, ik wou dat ik alles wat beter op orde had,' zei ze. 'Maar hier heb ik het. Uiteindelijk heb ik het gevonden. Ben je zo ver?' Ze las het nummer op. 'En natuurlijk,' zei ze, 'hoor ik graag wat er gebeurt.'

'Natuurlijk,' zei hij, al kon hij zich niet indenken dat hij haar verslag zou uitbrengen.

'Doe Billy mijn hartelijke groeten.'

'Doe ik.' Hij bedankte haar en ze namen afscheid.

Nadat hij had neergelegd, zag hij in het halfdonker nog een minuut of twee voor zich hoe ze door haar huis liep – via de hal naar de woonkamer, waar ze de lamp naast Pierce' stoel aandeed, en zich vooroverboog om het vuur in de open haard op te poken. Toen besefte hij dat hij haar voor ogen had zoals ze was geweest toen hij haar pas kende: een lange, gracieuze brunette, niet de bijna corpulente vrouw met wit haar die hij gisteravond had gezien.

Net als Billy had Sam een voorstelling van Leslie waaraan hij vasthield. Geen beeld – een herinnering. Een herinnering aan een sneeuwdag waarop hij de lange tocht vanuit Boston had gemaakt om de voortgang te inspecteren van de bouw van het huis dat hij voor Claire had ontworpen. Hij was tot minder dan anderhalve kilometer van het huis gekomen en reed toen op wat de helft van het jaar een onverharde weg was, maar nu was veranderd in een met grind bedekte ijsbaan – een bruinige sneeuwstrook waar achter de sterk afhellende berm aan één kant witte akkers lagen, en aan de andere kant een dicht bos. Bijna meteen nadat hij aan het laatste stuk weg was begonnen, op het punt waar de weg het steilst omhoogging, voelde hij dat de auto de grip op het wegdek verloor.

Vervolgens had hij totaal geen grip meer. De wielen draaiden machteloos rond. Enkele seconden later begon hij langzaam achteruit te glijden.

Een ogenblik was hij kwaad, voornamelijk op zichzelf, omdat hij geen winterbanden had. Hij had er nog aan gedacht ze te laten omleggen, maar er was de afgelopen dagen geen verse sneeuw in Vermont gevallen en hij was ervan uitgegaan dat hij het zonder wel kon redden. Dat idee was onjuist gebleken.

Hij zette de wagen in de achteruit en reed voorzichtig de heuvel af totdat hij op de oprit van een naburig huis kon keren, waarna hij vooruitrijdend de afdaling voortzette. Toen hij op het punt kwam waar de weg weer vlak werd, parkeerde hij voorzichtig in de berm en belde Leslie met zijn autotelefoon.

Ze was in het makelaarskantoor. Aan de telefoon klonk haar stem warm. Ja, zei ze, natuurlijk had ze winterbanden. En natuurlijk wilde ze hem graag naar het huis toe brengen.

Toen ze de woonkamer binnen gingen, liep ze voor hem uit. Ze bleef meteen staan onder het kruisgewelf, de plek waar de twee tongewelven samenkwamen. Langzaam maakte ze een pirouette, met gestrekte armen en open mond. Om haar heen hingen ademwolken – als rook. In haar donkere haar zaten nog sneeuwvlokken.

Ze keerde zich naar hem toe. 'Ik zie wat je hebt gedaan,' zei ze. Ze had een opgewonden blik in haar ogen. 'Wat een prachtige ruimte. Je hebt er een sculpturale vorm aan gegeven. Het is echt... spectaculair. Het is fantastisch.'

Dat was het: fantastisch was dat moment, de uitdrukking op haar gezicht.

Claire zou hem nooit zo hebben kunnen aankijken. Ze had die woorden, of iets van dien aard, nooit kunnen zeggen. Ze was toentertijd nauwelijks in hem geïnteresseerd, laat staan in het huis dat hij voor haar bouwde, en elke keer dat hij bij Leslie was werd hij zich er sterker van bewust hoe diep en onoverbrugbaar de verschillen tussen Claire en hem waren geworden.

Leslie vertegenwoordigde de mogelijkheid van een ander type vrouw. Ze wás een ander type vrouw. Sam merkte dat hij steeds weer naar haar keek en luisterde en dan bedacht hoe anders ze was dan Claire; Claire, die qua temperament zo veel koeler was en alles zo veel kritischer benaderde. Tegenover een vriend beschreef hij Leslie op een keer als 'romig', hij wist dat dat een problematische woordkeuze was. Maar zo zag hij haar. Haar huid was blank en zacht, van een uitnodigende, kussenachtige zachtheid die die algemene eigenschap van haar tot uitdrukking leek te brengen.

Misschien was Sam op dat moment verliefd op haar geworden. Misschien had dat beeld de periode in zijn leven in gang gezet waarin hij, als hij niet volledig door iets anders in beslag werd genomen, de hele dag door met tussenpozen aan haar dacht. *Leslie: zijn vaste gedachtestramien.*

Maar er waren nog andere mogelijke beginpunten. Misschien was het al eerder begonnen, op de avond dat hij met

Claire naar de Hanover Inn was teruggereden na de enige maaltijd die zij samen met Leslie en Pierce hadden gebruikt. Claire was uit Boston meegekomen omdat hij aan het ontwerp van de keukenkasten toe was en zij had besloten dat ze de ruimte in de keuken wilde bekijken om zeggenschap over de indeling te hebben. Toen hij Leslie had verteld dat Claire er dit keer ook bij zou zijn, reageerde ze daarop door hen samen uit te nodigen om te komen eten.

'Niet wat je noemt grote lichten, hè?' had Claire in de auto gezegd, op zwaar ironische toon.

Hij zei niets. Het was een lange, moeilijke avond geweest, hoewel Claire zich voor haar doen erg rustig had getoond. Maar voor hem was dat onderdeel van het probleem: hij ervoer die rust als een soort afwezigheid. Haar rust was verbonden met de publieke persoonlijkheid die ze moeiteloos kon aannemen, en het was die Claire, de publieke, afstandelijke versie van Claire, die het kleine, lage halletje was binnengeschreden waar Leslie glimlachend en met uitgestoken hand stond te wachten.

In contrast met Claire was aan Leslie alles traag en zacht. Toen ze hun jassen aannam en ophing, en Claire – die daarnaar had geïnformeerd – vertelde hoe oud het huis was, had ze een beetje nerveus geklonken.

'En hoe lang wonen jullie er al?' vroeg Claire met een glimlach.

'Vijfentwintig jaar,' zei Leslie. 'Zowat even lang als het huis bestaat.' Ze glimlachte en haalde in een machteloze beweging haar schouders op. 'We zijn kennelijk niet van onze stek te krijgen. Maar kom alsjeblieft binnen.' Leslie maakte een wenkend gebaar en ze gingen de woonkamer in.

Alsof hij een seintje had gekregen, kwam precies op dat moment ook Pierce binnen, vanuit de keuken. Hij had een blad met glazen, servetten, crackers en kaas bij zich. Geen flessen, want die had hij al opgesteld op een lange tafel tussen de twee ramen die uitzagen op de brink – twee flessen wijn en een collectie sterke drank. Ook stond er een blauwe kom die was gevuld met ijs. De keer of vijf dat Sam hier zonder Claire was geweest, was het net zo gegaan. Maar meestal dronk hij dan alleen een kop koffie voordat hij naar Boston terugreed. Hij was pas twee keer eerder blijven eten.

Zoals altijd leek Pierce te groot voor de kamer en praatte hij te hard en te geestdriftig voor de kleine ruimte. Hij vertelde Claire dat hij was gaan geloven dat ze niet bestond, dat ze door 'die ouwe Samuel hier was verzonnen, om zo te zeggen bij elkaar gefantaseerd'.

'Zoals je kunt zien,' had Claire gezegd, terwijl ze een dramatisch, wegwuivend handgebaar maakte, 'besta ik heel echt.' Natuurlijk keken ze daardoor allemaal naar haar, naar haar strenge schoonheid en haar lange, soepele lichaam.

Die schoonheid had Sam geboeid. Hij had haar gezien op een feestje van vrienden die vierden dat ze twintig jaar getrouwd waren: ze zat daar aan een tafel geanimeerd te praten en te lachen, en hij besloot dat hij pas zou vertrekken nadat hij op zijn minst met haar had kennisgemaakt. En vanavond keek hij weer naar de kromming van haar jukbeenderen, naar haar welgevormde hoofd en haar lange benen – alles waarop ze hun aandacht had gevestigd. Maar in plaats van de uitwerking daarvan te voelen, zag Sam haar in een nieuw licht. Een deel van hem wilde lachen en uitroepen: Maar je bent niet echt. Helemaal niet echt.

En terwijl de avond voortschreed, leek elk gesprek – zelfs de korte gesprekjes – dit te bevestigen. Toen Leslie aan tafel over haar tuin begon, bestookte Claire haar met vragen, alsof ze verstand van tuinieren had en er belang in stelde, terwijl Sam wist hoeveel minachting ze had voor mensen die in haar ogen daarmee 'hun tijd verdeden' – in exact die bewoordingen had ze het tegen hem gezegd. Ze lachte te gretig om Pierce' geestigheden, om zijn grapjes. Op een toon die Sam enigszins neerbuigend aandeed legde ze Pierce uit waarmee zij zich bezighield – op dit moment gaf ze een reeks lezingen over de ethiek van het maken van schulden en de deviezenhandel. Ze maakte het Pierce en Leslie naar de zin en tolereerde hen in een welbewust elegante stijl waarvan Sam wist dat hij voor hem was bedoeld.

'O, sorry,' zei Claire in de auto. 'Ik weet dat het jouw vrienden zijn. Ik wil ze niet afkammen.'

'Natuurlijk wil je dat wel,' zei hij zacht.

Ze liet een korte stilte vallen. Het was oktober, het werd in Vermont 's avonds al flink koud, en steeds opnieuw sloeg de verwarming van de auto aan om dan weer even stil te vallen. Toen zei Claire: 'Nou goed, dat is zo. Maar je weet wat ik bedoel.'

'Eigenlijk niet.'

'Sam,' protesteerde ze op geërgerde toon, alsof hij zich kinderachtig, onbereidwillig en dwaas gedroeg.

'Dat weet ik niet. Je wou ze afkammen.' Hij keek naar haar. 'Dat is precies wat je wou.'

Ze slaakte een zucht van ergernis en kruiste haar armen voor haar boezem. Het glijden van haar mouwen over haar blouse, zijde op zijde, maakte een licht, fluisterachtig geluid. Ze keek even uit het raampje en keerde zich toen weer naar hem toe. 'Nee, dat is niet zo.' Haar toon was vlak. 'Wat ik wóu, is dat we na een nogal saaie avond samen wat plezier zouden hebben. Goed, misschien ten koste van hen, maar daar ging het niet om.'

Hij antwoordde niet. Hij besefte dat hij hier genoeg van had: elk sociaal contact na afloop onmiddellijk te moeten bespreken, altijd op scherpe en kritische toon. Opeens had hij de indruk dat het een soort *folie à deux* was.

Claire glimlachte nu. Ze wilde dat alles weer goed werd. 'Waar het om gaat, mijn lief, dat zijn jij en ik.'

Ze wachtte af. Zonder naar haar te kijken wist hij dat ze hem gadesloeg, vanuit de wens dat ze hem met haar charmes weer voor zich had gewonnen. Plotseling had hij met haar te doen. Hij had met hen allebei te doen. Hij zei: 'Je hoeft niet voortdurend zo je best te doen, Claire.'

'Om te zorgen dat wij plezier hebben?'

'Juist.' Via de brug over de Connecticut River reden ze Hanover binnen. Onder hen was het water zwart. 'En welbeschouwd heb ik geen probleem met een saai avondje zo op zijn tijd.'

Ze keek voor zich uit, en profil was haar gezicht mooi en onvermurwbaar. 'Daarin verschillen jij en ik van elkaar. Ik heb er wel een probleem mee. Een heel groot probleem.'

Een ogenblik later zei hij: 'Maar nogmaals, eigenlijk vond ik het niet saai.'

'Hm. Nog een verschil dus.'

Terwijl ze zich in de Inn klaarmaakten om naar bed te gaan, spraken ze nauwelijks. Zij trok een zwart nachthemd aan dat op een onderjurk leek en dat hij nooit eerder had gezien. Misschien had ze het speciaal voor vanavond gekocht, een avond in een hotel zonder kinderen in de buurt. Misschien was het als uitnodiging bedoeld geweest, maar in dat geval was die niet langer van kracht. Dat was duidelijk uit de manier waarop ze zich van hem afkeerde terwijl ze het nachthemd aantrok, en uit de manier waarop ze haastig onder de dekens gleed en zich in bed van hem afwendde.

Maar hoe dan ook had hij moeilijk op die uitnodiging kunnen ingaan. Want terwijl hij daar naast haar lag, de geur van haar parfum en haar lichaam inademde en luisterde naar het incidenteel weerklinkende gebral van een groep studenten aan Dartmouth die langs het hotel liepen, dacht hij terug aan de avond, die hij als een reeks beelden van Leslie voor zich zag. Leslie terwijl ze zich met uitgestrekte arm omdraaide om hen uit te nodigen de woonkamer binnen te gaan. Leslie terwijl ze zich over de tafel heen boog om een bord voor hem neer te zetten. Leslie terwijl ze hem van de andere kant van de tafel aankeek, haar zachte mond een stukje geopend, haar ogen versmeltend met het kaarslicht.

Wat was er opzet? Wat was er gewoon gebeurd? Hij wist het niet. Hij wist niet of die ervaringen iets in hem hadden veranderd of dat hij ze gebruikte om een verandering teweeg te brengen. Maar er veranderde wel degelijk wat. Het scheen hem toe dat Claire en hij na dit tijdstip een akkoord hadden gesloten dat ze zich van elkaar zouden afkeren en ieder hun eigen leven zouden leiden.

O, ze behandelden elkaar heel voorkomend. Ze bleven in alle opzichten samen aan het leven deelnemen – met de kinderen, de muziekavonden, de etentjes en hun actieve sociale bestaan, waarop hij aanvankelijk zo gesteld was geweest. Susan en hij waren vanwege haar ziekte lange tijd zo beperkt in hun mogelijkheden geweest. En hij had het idee dat hij niet meer wist wie Claire onder die opgewekte, evenwichtige buitenkant eigenlijk was. Misschien wendden ze zich daarom na of zelfs tijdens die avondjes niet meer tot elkaar om bevestigd te zien dat de ander ervan had genoten... of er kritisch op reageerde. De folie à deux waardoor Sam zich plotseling benauwd had gevoeld was er niet meer, maar evenmin was er nog een gevoel van saamhorigheid tussen hen.

Sam kon evenwel altijd een manier vinden om langer aan zijn projecten te werken, en dat deed hij nu. Vreemd genoeg concentreerde hij zijn energie echter op het huis in Vermont. Hij zag in hoe pervers dat was: hij besefte intussen dat Claire en hij waarschijnlijk zouden scheiden – hoe konden ze op de huidige voet doorgaan? Maar hij hield zichzelf voor dat het huis een geschenk van hem aan haar was, een manier om eer te bewijzen aan zijn eerste gevoelens voor haar en aan de hoop waarmee hij aan de relatie was begonnen.

En ook een soort verontschuldiging. Het was tevens – zo besefte hij – een vorm van rechtvaardiging van zichzelf, een methode om zichzelf een beter gevoel te geven over de rol die hij had gespeeld in de loop die de zaken kennelijk hadden genomen. Terwijl hij de complexe decoratie op het gewelfde plafond in de woonkamer in detail uitwerkte, had hij een treurig gevoel van deugdzaamheid. Terwijl hij het ontwerp van de muurkasten in de slaapkamer tekende, dacht hij zich in hoe Claire alleen al in hun ontwerp genoegen zou scheppen. Tijdens het werk dwong hij zichzelf ertoe terug te denken aan zijn gevoelens voor haar toen hij haar leerde kennen: de bedwelming, de vervoering van hun eerste maanden met elkaar.

Maar het leek al een verre, dierbare herinnering. Alsof hij dacht aan het meisje op wie hij op de middelbare school verliefd was geweest: zó irrelevant – hij dacht nu soms dat het genoegen dat hij in haar had geschept voornamelijk een kwestie was geweest van het ondergoed dat meisjes indertijd hadden gedragen: de langdurige prikkeling van de lastige haakjes achter op haar witte, verpleegsterachtige beha's. De ritselende petticoats, de kousen met jarretelles. De strook zijdeachtig, vet vlees tussen haar katoenen onderbroek en de gladde bovenkant van de kousen. Natuurlijk was Candy zelf er ook nog, maar als hij terugdacht aan haar nertsachtige gezichtje en de manier waarop ze door haar neus lachte, voelde hij alleen een soort verbazing over de volkomen andere versie van zichzelf die door die herinnering werd opgeroepen: al leek dat merkwaardig genoeg ook nog steeds dezelfde persoon die hij nu was.

Net zo was het met Claire, met de afstand die hij voelde

tot de persoon die hij moest zijn geweest toen hij van haar hield, een persoon die desondanks nog herkenbaar dezelfde man was die aan deze tafel zijn tekeningen maakte, die zich opwond over de details en die aan zijn liefde voor haar dacht als aan iets wat allang voorbij was.

En terwijl hij keer op keer naar de bouwplaats reed om zich ervan te vergewissen dat alles precies zo werd uitgevoerd als hij het voor haar had ontworpen, besefte hij dat al die zorg en aandacht ook een manier vormden om Leslie te zien en vaker bij haar te zijn.

Die dingen liepen in zijn hoofd door elkaar. Pas veel later kon hij alles van elkaar scheiden en zag hij in hoezeer zijn gerichtheid op Leslie te maken had met het langzame, pijnlijke einde van zijn huwelijk en met alles wat er in die maanden tussen Claire en hem moeizaam was verlopen. In de tussentijd voelde het echter als liefde, als een onmogelijke versie van liefde.

Hij had Leslie één keer gekust. Dat was in de daaropvolgende zomer, aan het eind van augustus. Hij was een weekend met een gehuurd busje langsgekomen om nog een paar spullen van hem uit het huis weg te halen voordat het te koop werd gezet. Hij vroeg haar om hem daar te ontmoeten.

Toen hij aankwam, zat ze met de benodigdheden voor een picknick op hem te wachten. Ze zetten alles op een deken op de veranda en zaten daar te eten en te praten terwijl ze uitkeken over de vallei onder hen en de bergen daarachter, die door de afstand blauw leken. Hij vertelde haar over het einde van zijn relatie met Claire, hoe ze samen hadden besloten dat ze – in Claires woorden – geen energie meer voor elkaar hadden. Hij vertelde haar hoe ze na het nemen van dat besluit weer aardiger en milder tegen elkaar konden zijn.

'Daar ben ik blij om,' had Leslie gezegd. 'Dat moet het allemaal' – ze gebaarde naar het huis en het busje – 'makkelijker maken.'

Toen ze uitgegeten waren, hielp hij haar bij het opruimen van de metalen bekers en de papieren borden en servetten. Ze stelde voor een eindje te gaan wandelen. Ze wist dicht in de buurt een veld te liggen waar goede bramen groeiden. Ze lieten de rugzak op de veranda achter en namen de oude houthakkersweg die door de bossen achter het huis liep.

Het najaar begon in te vallen. Langs de kant van de weg groeiden asters in frisse, tere kleuren blauw en wit. Hier en daar vlamde vuurrood, bijna fuchsiakleurig, een esdoorn op. Leslie liep voor Sam uit. Ze droeg een spijkerbroek en een oude blouse van wit linnen, waarvan de boord een beetje rafelde. Haar bruine haar viel er net overheen. Toen ze omlaag keek om te zien waar ze liep, scheidde haar haar zich in twee vleugels aan weerskanten van haar nek, zodat de kwetsbare knobbels van haar wervelkolom bloot kwamen te liggen op het punt waar ze in haar witte blouse verdwenen – bij de kromming waar de intimiteit van haar blanke huid zichtbaar werd. Hij kreeg de aanvechting om naar voren te lopen, haar tegen te houden en zijn lippen op die plek te drukken.

Ze begon opeens te praten. Ze zei dat ze soms wou dat ze de moed had om Pierce te zeggen: dit is niet goed genoeg. Vervolgens haalde ze haar schouders op, en haar handen gingen ook een stukje omhoog. 'Maar dat zeg ik niet, dus daarmee is de kous af.' Hij kon haar gezicht niet zien, maar haar toon was vervuld van berouw.

Ze liepen zwijgend verder en keken allebei naar hun voeten op het onverharde pad vol stenen en kuilen. Hij dacht aan haar woorden, aan wat haar verhaal ten aanzien van Pierce en haar te betekenen had. Hij was opgewonden door dit inkijkje in hun gezamenlijke leven, door de mogelijkheden die hij er voor zichzelf in ontwaarde.

Precies op dat moment liepen ze langs een overwoekerd veld aan hun rechterhand, een veld dat was bezaaid met jonge esdoorns en kleine pijnbomen. Hier was het, zei Leslie. De braamstruiken. 'Eens zien of de beren ze allemaal hebben opgegeten.'

Dat was niet het geval. In het bleke zonlicht plukten en aten Sam en Leslie bramen. De doornige takken sloegen zich in hun kleren vast en schramden hun handen. Leslie vertelde lachend over een beer die de veranda van een vriendin op was gelopen, tot bij een vogelhuisje dat vlak voor het raam stond. Terwijl de vriendin en haar man toekeken en de hond als een waanzinnige stond te blaffen en steeds weer tegen het raam op sprong, had de beer in alle rust en bijna bevallig het zaad tot de laatste korrel opgegeten. Ze deed zijn kostelijke bewegingen na.

Terwijl ze dit vertelde had Sam vlak achter haar gestaan. Nu pakte hij haar vast en draaide haar naar zich toe. Hij kuste haar. Ze onderging het roerloos en wachtte af tot hij klaar was, hoewel haar mond – warm en met een zoete smaak – op hem reageerde.

Toen ze bij hem vandaan ging staan, schudde ze haar hoofd. Langs de onderste randen van haar ogen glinsterden tranen. 'Ik kan het niet, Sam,' zei ze. 'Ik heb er de moed niet toe. Pierce en ik... Pierce en ik vertróuwen op elkaar.'

Hij had van alles kunnen zeggen. Hij had kunnen zeggen: Is dat volgens jou voldoende reden om bij elkaar te blijven? Hij had kunnen zeggen: Maar ik hou van je.

Hij zei het echter niet. Hij zei het niet omdat hij zichzelf wantrouwde, omdat hij niet zo snel van Claire op haar wilde overgaan. Hij zei het niet omdat ze zo'n verdrietige indruk maakte. Hij zei het niet omdat hij zeker wilde weten dat hij niet alleen maar wanhopig was, of bang om alleen te zijn.

Hij zei het niet omdat hij wist dat hij wanhopig wás en bang om alleen te zijn.

Hij zei: 'Dat weet ik.' Nog even stonden ze elkaar op dat zonovergoten veld eerst wel en vervolgens juist niet aan te kijken. Zij wendde zich als eerste af, waarna ze aan de terugtocht begonnen. Hij herinnerde zich haar met bramensap bevlekte mond en haar ernstige, donkere ogen die zijn ogen ontmoetten.

Hij dacht dat het daarmee voor hem afgelopen was. Dat hij inzag hoe de situatie er voor haar voor stond en dat hij dat accepteerde. Maar het was niet afgelopen. Maanden later, nadat de scheiding definitief was voltrokken, kwam er nog een dag waarop hij plotseling besloot dat hij haar... wat? Moest opeisen? Haar moest vragen er samen met hem vandoor te gaan? Hij wist het niet precies.

Het was de dag na een rampzalig bezoek van Charley, zijn oudste zoon. Hij had Sam verteld dat hij ging trouwen, en Sam, die bezorgd was omdat hij en zijn vriendin Emma allebei nog zo jong waren, kon niet snel genoeg voldoende enthousiasme tonen. Charley was duidelijk nog kwaad geweest toen Sam hem bij station Back Bay afzette en hem door de ingang onder de neonboog zag verdwijnen.

Toen hij één blok verderop bij de kruising de bocht omging, zag hij een lege parkeerplaats bij een filiaal van Starbucks. In een opwelling parkeerde hij er. Hij ging naar binnen en bestelde een cappuccino. Hij nam plaats bij het raam, en terwijl hij naar buiten keek dronk hij zijn chique koffie. Hij wist niet precies wat hij vervolgens zou doen.

Een week eerder had Claire hem gebeld met de mededeling dat ze een gesubsidieerde leerstoel aan de universiteit van Chicago had aanvaard en in januari ging verhuizen. Terwijl Sam, na zijn cappuccino te hebben opgedronken, achter het raam zat, had hij het gevoel in het luchtledige te zweven. Zelfs het weer maakte een onduidelijke, onbepaalde indruk. Het was grijs en mistig, en het leek te gaan regenen, maar het was veel warmer dan het geweest was. De mensen die voorbijliepen hadden geen haast. Het scheen Sam toe dat hij had gefaald in alles wat hij had ondernomen – in zijn kinderen en zijn huwelijk. Het leek alsof hem jarenlang niets was overkomen en alsof er in zijn leven jarenlang niets was gebeurd. Zijn zonen en zijn ex-vrouw waren verder gekomen: ze maakten keuzes en veranderden dingen in hun leven, terwijl hij niets had gedaan.

Achter hem weerklonk het plotselinge doordringende geluid van het apparaat waarmee de melk aan het schuimen werd gebracht. Buiten begon het te regenen. Te midden van dit alles en in het volle bewustzijn ervan wist Sam, terwijl hij ook aan zijn bureau dacht, aan de leegte die hij daar zou aantreffen, en terwijl hij zich herinnerde hoe Leslie in de najaarszon over de langwerpige bladeren van de braamstruiken gebogen had gestaan, opeens wat hij wilde. Wat hij ging doen.

Hij dronk zijn laatste restje koffie op en gooide het kartonnen bekertje en het roerstokje in de afvalbak. Hij knoopte zijn regenjas dicht en opende de deur, zodat het zachte geluid van de regen hoorbaar werd.

Zodra hij zijn jas uittrok, besloegen de autoraampjes. Hij startte de motor en zette de blower aan. De regen roffelde nu op de auto, de ventilator zoemde.

Hij reed over Stuart Street in oostelijke richting en sloeg vervolgens af in zuidelijke richting, naar een punt waar hij kon invoegen op Highway 93, de noordelijke uitvalsweg uit de stad.

Toen hij Leslies dorp bereikte, was het al donker. Het was een zware rit geweest – het had zo hevig geregend dat hij een keer aan de kant van de weg had moeten parkeren, en hij was gestopt om hulp te bieden aan een automobiliste die van de weg was geraakt. Totdat de hulpdienst was gekomen was hij bij de jonge vrouw gebleven, die haar auto in de vernieling had gereden.

Zijn onbesuisde stemming was bedaard en veranderd op een manier die hem niet helemaal duidelijk was. Toen hij naast het glooiende gazon voor Leslies huis aan de kant van de weg stopte, was hij dan ook al aan zichzelf gaan twijfelen en had hij het gevoel dat de impulsen die hem hier hadden gebracht niet meer de zijne waren.

Hij keek naar de verlichte ramen. Pierce en Leslie bevonden zich in de voorkamers. Pierce zat in de woonkamer, in de stoel waar hij altijd zat, de stoel bij de haard. Hij keek omlaag, misschien las hij. Leslie was in de keuken in de weer en duidelijk bezig eten te koken. Sam volgde haar bewegingen en vroeg zich bij elke stap af wat ze deed. Toen ze door de deur achter in de keuken verdween, ging ze naar de eetkamer, vermoedelijk om de tafel te dekken. Wanneer ze en profil en een beetje voorovergebogen tegenover de muur stond, was ze bij de gootsteen of het fornuis.

Dit zag hij vanuit de duisternis van zijn auto: hen beiden, aan de linker- en de rechterkant van het toneel, in hun gezamenlijke bestaan. En terwijl hij hen gadesloeg, wist hij met steeds grotere zekerheid dat hij daar niet thuishoorde. Hij besefte dat hij zijn plan niet zou uitvoeren. Hij zou niet aan de rechterkant van het toneel opkomen om te proberen haar of zijn leven te veranderen.

Hij bleef echter nog een poosje en dwong zichzelf om te kijken. Waarom? Later dacht hij: om het zich in te prenten, precies zoals het was, en zichzelf niet nog eens te misleiden.

Een paar minuten was Leslie druk bezig in de keuken en stond ze met haar rug naar het raam en naar Sam toegekeerd. Vervolgens liep ze naar voren en bleef staan in wat, naar Sam wist, de geopende deur tussen de keuken en de woonkamer was; misschien wilde ze Pierce iets zeggen.

Ja, hij keek nu op van wat hij las, hij keek op in het oranje-gele licht van de oude lamp en gaf haar antwoord. Hij glimlachte.

Zij lachte in reactie daarop, ging terug naar de keuken en boog zich weer over haar werk.

Het was heel alledaags en onopmerkelijk, maar voor Sam had het de kracht van een Vermeer. Terwijl hij toekeek, veranderde er iets in hem. In zichzelf, in zijn reactie, voelde hij een mildheid en een grootmoedigheid alsof hij verantwoordelijk was voor wat hij zag: Leslie, vredig in haar oude, afgeleefde huis, met Pierce, voor wie ze had gekozen, voor wie ze steeds weer had gekozen. Alsof hij die alledaagsheid zegende door haar gade te slaan. Of niet zozeer hij, maar een kracht in het heelal die ons exact een bepaalde hoeveelheid pijn toebedeelt. Een exact bepaalde hoeveelheid ontwrichting. Een exact bepaalde hoeveelheid heftige verandering.

Hij draaide het contactsleuteltje om.

Ook die nacht logeerde hij in de Hanover Inn, kennelijk moest hij daar steeds ondergaan hoe er een einde aan de dingen kwam. Dit keer was hij echter op een vreemde manier opgewekt. Hij voelde een zuivere, absolute opluchting toen hij tegenover zichzelf erkende dat het voorbij was. Of misschien nooit reëel was geweest.

Op een keer zei een vrouw tegen Sam: 'Ik denk dat ik niet je type ben.' Haar toon was kil. Het gebeurde tijdens een korte periode zo'n twee jaar na de scheiding van Claire, waarin hij uitging met vrouwen die hij via een datingsite op internet had leren kennen. Hij had de vrouw na een ongemakkelijk verlopen etentje naar huis gebracht en net haar uitnodiging om mee naar binnen te gaan afgeslagen. Ze had gelijk, ze was niet zijn type; al zei hij dat toen niet. Ze was zo nijdig dat dat gevaarlijk leek te zijn. Hij wist niet meer precies wat hij wel had gezegd – een beleefde ontkenning. Het deed er toch niet toe. Ze wisten allebei dat ze elkaar niet meer zouden terugzien.

Het had hem echter aan het denken gezet over de vraag wat dan wel 'zijn type' was. Had hij een type? Hij kon die vraag niet beantwoorden. Als het op vrouwen aankwam leek hij een omnivoor, maar toch ook niet altijd. Hij had vrouwen van alle vormen, maten en karakters gehad, het ene weinig voor de hand liggende type na het andere. Vóór zijn eerste vrouw had hij iets gehad met een forse, blonde studente geneeskunde, die stevig dronk, lacrosse speelde en hem met armpjedrukken kon verslaan. Vervolgens was Susan gekomen: lang, rustig en op een niet-opzienbarende manier knap.

Op hun bruiloft zag hij haar op een bepaald ogenblik opeens als een 'type'. Het was onvermijdelijk. Ze was voor een foto in het gelid gaan staan met haar zussen, de bruidsmeisjes. Daar stonden ze dan, een rij vrouwen die niet alleen allemaal eenzelfde roze jurk aan hadden – op Susan na, die in het wit was –, maar ook lieten zien dat ze dezelfde genen hadden. Allemaal waren ze ongeveer even lang, allemaal waren ze slank en hadden ze bruin haar, bruine ogen en gelijkmatige trekken. Misschien hadden ze een iets te lange neus en een wat scherpe kin, maar allemaal waren ze op een traditioneel gegoede blank-Amerikaanse manier knap. Dat waren ze dan ook: dát type. En voor Sam vormde dat een deel van hun aantrekkingskracht.

Susan en hij hadden elkaar in hun laatste jaar aan de universiteit leren kennen. Ze trouwden de maand na hun afstuderen onder een met bloemen overladen prieeltje in de reusachtige, glooiende tuin van het tweede huis van Susans ouders in Martha's Vineyard. In een hoek van deze tuin was een grote open tent – een soort paviljoen – opgesteld, met een vlakke dansvloer die werklieden de vorige middag in verschillende secties op het dichte gras hadden geplaatst. Een band speelde muziek waarop geen van hen ooit had gedanst, muziek die niemand welbewust zou hebben uitgekozen. Muziek voor bruiloftsorkestjes.

Sam was zich gedurende het drie dagen durende feest scherp bewust van zijn ouders. Ze waren uit Illinois gekomen, uit het kleine boerendorp waar hij was opgegroeid. Hij wist dat ze zich niet op hun gemak voelden. Hij zag hen zo nu en dan, altijd samen, beleefd glimlachend en met een gespannen uitdrukking op hun gezicht, meestal in gesprek met iemand – zijn moeder, in elk geval –, en hij voelde zich niet bij machte hen te helpen.

Maar telkens wanneer hij hen zag, voelde hij ook een vlaag van woede. Hij wist precies hoe ze als ze weer thuis waren over het hele gebeuren zouden praten, en hoe ze in hun verhalen erover hun ervaring zouden aanpassen om de gevoelens van verwarring en onbehagen te kunnen hanteren die ze ter plaatse hadden ondergaan. Het geheel zou lachwekkend worden door de opgeblazen pretenties – al zouden ze dat woord niet gebruiken. In plaats daarvan zouden ze grapjes maken: 'Sam heeft wél een chique meid aan de haak geslagen.' 'Ik heb nog nooit zo veel mensen zo veel dure drank achterover zien slaan.' 'Het moet een lieve duit hebben gekost.' En dat met opgetrokken wenkbrauwen ter aanduiding van alles wat ongezegd bleef.

Het probleem was dat Sam zelfs toen niet het gevoel had dat hij afdoende aan hen was ontsnapt – aan hun wereld, hun zienswijze, hun normen. Het scheen hem toe dat hij, vier jaar nadat hij uit huis was gegaan, nog steeds deed alsof.

De normen van de universitaire wereld hadden aan het begin van zijn studie de indruk op hem gemaakt dat ze in een ander land waren opgesteld, zo sterk verschilden ze van de normen van thuis. Zelfs de kleren die hij had meegenomen, deugden niet. Sam verkocht ze binnen een paar weken na zijn komst op de campus aan de plaatselijke tweedehandskledingzaak. Van het geld dat dat hem opleverde en een deel van wat hij had verdiend met zijn werk op de graancoöperatie in de lange, hete zomers van zijn middelbareschooltijd, schafte hij zich verschillende versies aan van het uniform dat de jongens van de prep school droegen: geen sportpantalons maar Levi's, blauwe werkmanshemden of button-downoverhemden van Brooks Brothers, streepjesdassen, twee tweed jasjes. Daardoor voelde hij zich fysiek meer op zijn gemak, maar in sociaal opzicht was hij nog altijd zo onzeker dat hij soms eerst andermans mening beluisterde voordat hij zijn eigen mening ten beste gaf.

Susan voelde zich overal ter wereld volkomen op haar gemak, in de universitaire wereld en in de grote wereld. Sam sloeg haar gade, imiteerde haar en leerde van haar. Zó sprak je tegen een taxichauffeur of tegen een ober. Zó sprak je op een feestje tegen ouderen, of tegen de leden van de faculteit na college. Déze vork gebruikte je voor de salade en déze voor het hoofdgerecht. Zó'n cadeautje nam je mee als je een weekend bleef logeren, zó'n cadeautje nam je mee naar een etentje. Sam wilde die dingen weten. Hij stelde haar vragen. Hij volgde haar adviezen op.

Ze werd bekoord door zijn open, nieuwsgierige instelling, zijn grote behoefte om zich aan te passen.

En aanpassen deed hij zich, aan een bestaan dat voor hem werd ingericht door haar en haar familieleden, die hij toentertijd als welwillende gidsen beschouwde. Uiteraard betaalden haar ouders de bruiloft – 'een lieve duit' – en de huwelijksreis naar St. Croix. Ze betaalden het appartement waar Susan en Sam tijdens hun postdocstudie woonden. Ze bekostigden Susans studie in de bibliotheekwetenschappen. Sam had voor zijn studie bouwkunde een beurs, zodat dat geen probleem opleverde, en zowel Susan als hij had gedurende het academisch jaar en in de zomer een parttimebaantje. Maar ze kregen royale cadeaus en ze gingen met de feestdagen en in de vakanties met Susans familie mee, soms naar Martha's Vineyard, een keer naar Italië en verschillende keren naar Bermuda en de Bahama's. Sam had het idee dat hij door dit te weigeren Susan hun gezelschap onthield, hun verwennerijen en alles wat ze voor haar konden doen, en dus ging hij erin mee. Hij genoot ervan. Hij was nog een jongen, begerig naar en blij met wat hij leerde en wat hij kreeg.

Hij zou hebben gezegd dat Susan en hij gelukkig waren. Gelukkig genoeg. De seks was een probleem. Daarover kon ze hem niets bijbrengen, want ze was er niet bijzonder in geïnteresseerd. Sam was onzeker genoeg om het idee te hebben dat dat misschien aan hem lag, en wellicht was dat ook zo. Susan leek er echter van te genieten. In elk geval hield ze van het praten en de vrijages voor en na de seks… en ze keerde zich nooit van hem af – dat gebeurde pas toen ze ziek werd. Pas veel later, lang na haar dood, toen hij andere minnaressen kreeg, zag hij in dat ze geen orgasme had kunnen krijgen. Hij realiseerde zich toen dat wanneer ze na de seks zei: 'Ik denk dat ik ben klaargekomen' – wat ze vaak zei als hij ernaar vroeg –, dat betekende dat ze geen hoogtepunt had beleefd.

Drie jaar na de bruiloft kwam Charley, niet gepland, en een jaar later kwam Jack. Vervolgens, Jack was toen twee, kwam Mark. Een paar maanden later vond Susan het knobbeltje in haar borst. Het werd weggehaald, en ze werd bestraald en kreeg chemotherapie. Dat kostte hun bijna een jaar van hun leven, maar daarna leek het gevaar geweken.

Drie jaar later kwam de ziekte echter terug, en toen kwam het niet meer goed met haar. Ze overleed toen de jongens elf, tien en acht jaar oud waren. Sam was vijfendertig. Jarenlang had hij praktisch op zijn eentje het huishouden gerund, maar ze hadden zo lang mogelijk de schijn opgehouden dat Susan het voor het zeggen had.

In deze periode, van haar sterfbed en daarna, moest Sam volwassen worden. Hij moest in elk geval leren zich als een volwassene te gedragen, ook al voelde hij soms dezelfde angst die de jongens vermoedelijk ervoeren.

Maar hij stond het zichzelf niet toe. Dat kon hij niet.

Net zo min als hij zichzelf kon toestaan ongeduldig tegen haar te zijn of soms zijn woede te tonen. Woede omdat ze vasthield aan het fabeltje dat ze het wel aankon. Omdat ze het aanbod van haar ouders afwees om huishoudelijke hulp te regelen. Omdat ze kennelijk niet opmerkte hoeveel ze van hem en de kinderen vergde. Op bepaalde ogenblikken, uren en zelfs dagen was het gewoonweg te zwaar om haar overeind te houden, om overweg te kunnen met de jongens en de manier waarop die uiting aan hun angst gaven, en om elke avond weer zoiets als een maaltijd op tafel te zetten en zo de schijn van een normaal bestaan op te houden. Maar hij kreeg het voor elkaar. Hij kreeg het altijd voor elkaar.

Toch had hij toen hij deze rol vervulde en erin groeide – want hij werd er steeds beter in – soms het gevoel dat hij zijn ware zelf, zijn echte zelf, had verloren.

En toen stierf ze, en langzamerhand veranderde zijn leven weer. Tussen haar en Claire had hij iets met twee vrouwen, die hem allebei op hun manier versteld deden staan. Geen van beiden waren het echter vrouwen die hij zogezegd had uitgekozen. Ze overkwámen hem min of meer. Allebei waren ze kennelijk zijn type. Of misschien geen van beiden. Het deed er niet toe.

En toen was er Claire. Hij had vaak gedacht dat haar aantrekkingskracht voor hem deels was gelegen in het feit dat ze geen zorg nodig had. Ze was volkomen onafhankelijk, competent en gewend aan eenzaamheid.

Was dat een type?

Een paar jaar na de scheiding van Claire lunchte Sam met Paulus Norton, een vriend met wie hij nog bouwkunde had gestudeerd. Paulus vertelde Sam dat hij van plan was de zomer in Truro door te brengen om zijn zoon te helpen bij de bouw van een huis dat die had ontworpen – architectuur leek iets erfelijks te zijn, had Sam opgemerkt, behalve in zijn familie. Voor het geld hadden Paulus en Sam tijdens hun postdocstudie 's zomers samengewerkt in kleine bouwprojecten, en terloops stelde Paulus Sam voor om mee te doen. Voor de lol, zei hij.

Sam woonde al lange tijd alleen in het grote huis in Brookline – het huis waarin hij met Susan had gewoond, waar de jongens waren opgegroeid en dat hij verschillende keren had verbouwd. Zelfs toen hij met Claire trouwde en hij en de jongens bij haar in haar grote huis in Cambridge trokken, had hij het niet verkocht. Hij had het behouden en verhuurd, hij wist niet precies waarom; misschien omdat hij onbewust van meet af aan had geweten dat het tussen Claire en hem niet blijvend was.

Aanvankelijk was hij blij geweest toen hij er alleen weer zijn intrek nam. Doordat hij zo jong was getrouwd, had hij nooit eerder alleen gewoond. Een poosje had hij van zijn eenzaamheid genoten. Hij besefte nu echter steeds sterker dat hij het meed. Hij verbleef voornamelijk op zijn werkkamer, hij at buiten de deur en daarna ging hij ergens wat drinken, of ging hij naar een film of een boekhandel. Thuis voelde hij zich rusteloos en eenzaam.

Dat had hem verbaasd. Het stelde hem in zichzelf teleur dat hij niet vindingrijker was.

Het project van Paulus bood hem de kans om zich af te keren van dat alles, zijn teleurstelling over zichzelf inbegrepen. Hij stemde toe. Eind juni werd er een begin gemaakt met het project waaraan hij had gewerkt – een uitbreiding van een huis in Lincoln – en hij laadde zijn auto in en reed naar de Kaap.

Ze leefden als tieners, als beesten: Sam en Paulus, Paulus' zoon Chase en Lex, een lange, stille vriend van Chase. De eerste weken sliepen ze in tenten op de grond, totdat het raamwerk van het huis als een soort platform kon dienen. Ze stonden bij zonsopgang op en werkten tot zonsondergang. Soms stopten ze halverwege de middag een tijdje om te gaan zwemmen. Eens in de tien dagen reed Sam naar de stad, nam een douche, trok nette kleren aan, en ging naar Lincoln om daar met de aannemer te overleggen. De volgende ochtend stak hij zich weer in zijn werkkleding – die nu was gewassen en naar zeep rook, in plaats van naar zweet. Hij ging bij de ijzerwinkel of de houthandel langs en kocht bijzondere benodigdheden voor Chase' huis die ze op de Kaap niet konden krijgen, om vervolgens de lange terugrit te maken en weer aan de slag te gaan.

Nadat Paulus en Lex in het najaar waren vertrokken, bleef Sam alleen met Chase achter. Samen draaiden ze kortere werkdagen, waarin ze zich wijdden aan het houtwerk en de fijne afwerking. Ze praatten niet veel. Chase leek zich daarbij op zijn gemak te voelen, en Sam probeerde dat ook. 's Avonds vlijde Chase zich met een boek neer bij de houtkachel die ze hadden geplaatst toen het 's nachts koud begon te worden. Hij was bezig met de Russen; op dat moment las hij Poesjkin.

Sam kon zich niet ontspannen. Hij was ongedurig. Hij ging naar een bar of belde een van de vrouwen die hij die zomer had leren kennen.

In totaal waren het er vier, vrouwen met wie hij zorgeloos en achteloos had geslapen. De hele herfst door hield hij hen aan het lijntje, soms op een lompe manier. Het kwam daarbij van pas dat Chase geen telefoon in het huis had en dat Sam nooit een van hen zijn mobiele nummer had gegeven. Dat betekende dat hij hen wel kon bereiken, maar zij hem niet.

Het waren vrouwen van allerlei types. Niet onder één type te vangen. Een van hen was een jonge, ondernemende vrouw, een pezige blondine van begin dertig, die met geleend geld een restaurantje was begonnen. Als het toeristenseizoen voorbij was kreeg ze het veel minder druk, en ze had massa's energie voor Sam. Een overmaat aan energie. Een van de anderen was getrouwd met een visser. Ze dreef het kraampje waar Paulus en Sam 's zomers fruit, groente en ambachtelijk brood hadden gekocht. Ze was flink en aandoenlijk, een beetje te zwaar, maar Sam vond haar erg mooi: niet meer piepjong, maar met iets liefs en treurigs over zich. Dan was er de eigenares van een galerie voor amateurkunst in Provincetown, die hij had ontmoet toen hij op een regenachtige zomerdag samen met Paulus het plaatsje verkende. Ze was lang, mager en stijvol gekleed, ze was fotomodel geweest. En dan was er een schrijfster die hij op een voorleesavond in het Fine Arts Work Center had leren kennen: een dichteres met een wilde bos lang krulhaar dat ze in bed om zijn pik heen wikkelde en waarmee ze zijn buik streelde.

'Ik heb kennelijk last van een aanval van wellust,' zei hij tegen Paulus toen hij een avond in de stad was. 'Ik weet niet zo goed wat je zoon daarvan vindt.'

'Maak je over Chase geen zorgen,' zei Paulus. 'Hij kan de dingen erg goed langs zich heen laten gaan. En ik moet zeggen dat dat weleens tijd werd.'

'Maar toch echt iets voor mij, vind je niet, om dit op deze leeftijd pas te doen?' Hij dacht aan het groepje wilde jonge echtparen waarvan Paulus en zijn eerste vrouw deel hadden uitgemaakt en die door Sam en Susan verbijsterd waren gadegeslagen. Halverwege de jaren zeventig waren deze echtparen verwikkeld in een soort voortdurende slemppartij waarbij ze in verschillende combinaties met elkaar naar bed gingen, hun huwelijk kapotmaakten en onderling nieuwe relaties begonnen – soms verschillende keren. Hun onfortuinlijke kinderen gingen van de een naar de ander, al naargelang het hun uitkwam. Nu leken ze allemaal een even gesetteld, knus huiselijk leven te leiden als Sam en Susan in die krankzinnige jaren. 'Hij heeft de morele opvattingen van een bok,' had Susan eens over Paulus opgemerkt. Sam veronderstelde dat ze dat nu ook over hem zou hebben gezegd.

Zonder de vraag te durven stellen, vroeg hij zich af of Paulus toen voor al zijn vrouwen dezelfde gevoelens had gehad die hij nu ervoer: dat je, als je met één vrouw naar bed ging, meer begeerte naar de andere kreeg of misschien meer begeerte naar vrouwen in het algemeen. In deze periode – die op het moment zelf eindeloos leek te duren, maar in feite slechts ongeveer een maand besloeg – had hij het gevoel door een vloedgolf van vrouwelijkheid te worden overspoeld en meegesleurd: een vloedgolf van vrouwenvlees en vrouwengeurtjes, borsten, ledematen, haren en lichaamsopeningen. Wanneer hij alleen in een vertrek aan het werk was, riep hij zich soms de vochtige geslachtsdelen van een van die vrouwen of van een aantal van hen voor de geest. Op een keer besefte hij dat hij hardop zat te kreunen. Hij vroeg zich af wat Chase zou denken bij het horen van die dierlijke geluiden van een volwassen man, een vriend van zijn vader. Wat je noemt een omnivoor.

Het kreeg een onprettig einde doordat twee vrouwen van elkaar ontdekten dat hij iets met hen had – en wel de twee die echt om hem gaven, de eigenares van het restaurant en de vrouw van de visser. En Sam, die had gedacht dat hij zo gewetensvol en voorzichtig was – nooit zou híj iemand kwetsen –, ging er als een dief in de nacht vandoor, na zich tegenover Chase te hebben verontschuldigd omdat hij de badkamerkastjes niet had afgemaakt.

Billy was niet zijn type. In elk geval voelde hij zich aanvankelijk helemaal niet tot haar aangetrokken. Ze was zo klein, haar gezicht stond zo onbeweeglijk en mat, en er was zoiets behoedzaams in haar blik. Ze was knap, dat moest hij erkennen, maar op een heel speciale, delicate manier die hem nooit had geïnteresseerd: het jongensachtig typetje dat de eerste sporen van veroudering vertoont. Toen het deel van de avond aanbrak waarbij zij aanwezig was, had hij dan ook het vage idee – als hij al ideeën had – dat hij zich er maar doorheen moest slaan. Als hem daarom werd gevraagd, zou hij haar naar huis brengen en beleefd afscheid van haar nemen. Makkelijk. Hanteerbaar.

Hij merkte dan ook tot zijn verbazing dat zijn interesse in haar toenam, zeker nadat Leslie en Pierce waren vertrokken. En niet alleen zijn interesse, maar ook zijn aandacht voor haar, voor het erotische aan haar, dat hem aanvankelijk was ontgaan. Toen hij die belachelijke, vormloze deken van een jas van haar pakte en hem alle kanten uitdraaide om haar erin te helpen, was hij zich lichamelijk scherp van haar bewust, van de strakke, glanzende kom van haar haar, die scherp werd begrensd door de blanke steel van haar hals, van haar smalle taille, van de welgevormde driehoek van haar rug, en van de wijze waarop haar spieren onder haar strakke topje bewogen toen ze haar armen naar achteren strekte om de mouwen van haar jas te vinden. Uiteraard was hij op dat moment gepikeerd – of in elk geval van zijn stuk gebracht – door haar plotselinge koele houding jegens hem en het gevoel dat dat hem had bezorgd.

Alsof hij een jongen op zijn eerste afspraakje was. Een klungel.

Maar misschien, hield hij zichzelf later voor, had ze zich aan het einde van de avond zo gedragen omdat ze evenzeer als hij op het vreemde karakter van het begin van die avond reageerde.

Want voor Sam was het bijna allemaal heel vreemd geweest.

Hij was al vroeg bij het theater. Hij was doorgaans vroeg. Hij genoot van het vage gevoel van morele superioriteit dat je hebt wanneer je ergens als eerste komt, en hij vond het vóór een sociaal gebeuren prettig om wat tijd voor zichzelf te hebben om zich erop in te stellen, zich op te maken voor wat er te gebeuren stond. Onder de luifel sloeg hij gade hoe de kille mist die er bij zijn komst had gehangen in echte regen overging, en hij liet zijn blik langs de buurt gaan, die hem altijd had geïntrigeerd, al sinds de dagen dat het een van de mooiste achterbuurten van de stad was geweest. Nu was de buurt verschillende keren opgewaardeerd – hij was nu niet meer gewoon mooi, maar mooi en chic.

Aan de overkant van de straat waren op de begane grond van de oude bakstenen herenhuizen winkels met etalages gevestigd, en daarboven, als verlichte toneeldecors, appartementen: zo te zien één woning per verdieping. In verschillende appartementen waren mensen te zien.

Om hem heen liepen intussen steeds meer theaterbezoekers rond. Sam bekeek ook hen – een van de genoegens van het op tijd zijn. Een groep die zo te zien uit studenten bestond, verzamelde zich voor de deuren. Bijna alle mannen onder hen droegen het kleine sikje dat om onverklaarbare redenen in de mode was – vijf, zes Lenins. Ze riepen elkaar intussen dingen toe en voerden met zijn tweeën of drieën luidruchtige gesprekken. Een van de jonge vrouwen, een prachtige roodharige met een heel blanke huid, zei tegen de man naast haar: 'Ja, tweeenzeventig uur maximaal. En zelfs dan soms nog...'

Mensen die familie op bezoek hadden, dacht Sam. Daar durfde hij wat om te verwedden. Die bij hun ouders logeerden, of hun ouders te logeren hadden. Hij moest denken aan Charley, zijn oudste zoon, en diens vrouw, bij wie hij eens per jaar – maximaal – een weekend langsging, kennelijk met wederzijdse instemming. Ze drongen er in elk geval nooit op aan dat hij langer zou blijven, en hij vroeg dat ook niet van hen, hoewel Charley het verste weg zat – in San Francisco – en Sams enige kind was die zelf kinderen had, Sams enige kleinkinderen.

Toen de groep naar binnen ging, werd het plotseling stil onder de luifel. Sam zag hoe over het trottoir een ouder echtpaar in de diepe schaduw van hun paraplu in de richting van het theater liep. Allebei waren ze lang, de man boog zich iets over de witharige vrouw heen. Ze liepen traag en behoedzaam. Pas na geruime tijd – een eeuwigheid – herkende hij hen. Hij onderging op dat moment een schok en moest zich vervolgens inspannen om snel om te schakelen. Toen ze bij de luifel arriveerden en Pierce de paraplu naar achteren zwaaide om hem dicht te trekken, ging hij naar hen toe.

'Ah,' zei Sam, terwijl hij op hen af stapte. Hij was in de war door zijn fout, door de sterke verandering van Leslies uiterlijk, maar hij nam haar gezicht in zijn handen en kuste haar, twee keer – waarbij hij zich herinnerde dat hij haar de enige keer dat hij haar echt had gekust precies zo had vastgehouden, daar op een veld in Vermont.

Daarmee was het begonnen. Een gevoel van ongemak dat iets op gang bracht en de hele avond doorwerkte. In elk geval voelde hij zich nog een poosje ongemakkelijk toen hij met Leslie en Pierce praatte, al maakte Pierce er zoals gebruikelijk met zijn energie en zijn harde stem alles wat eenvoudiger op.

Toen kwam het toneelstuk, dat zijn schaamte over zichzelf opwekte. Het beïnvloedde Leslie kennelijk ook en bracht haar een tijd lang bijna tot zwijgen. Het moest moeilijk voor haar zijn, dacht hij tijdens het eerste bedrijf. Ze moest net zo'n periode hebben meegemaakt als in het stuk, toen ze op bericht wachtte zonder te weten of Gus nog in leven was.

En toen hadden ze na het toneelstuk, vlak voordat Billy in het restaurant verscheen, hun vreemde discussie over pornografie, die op gang werd gebracht door Pierce' verslag over een expositie in het Museum of Fine Arts die hij die middag had gezien. Sam bedacht dat Pierce het onderwerp misschien had aangesneden om Leslies gedachten te verzetten, om haar uit de stemming te trekken waarin ze in reactie op het stuk was beland. Maar misschien was dat ook niet zo. Je kon niet altijd zeggen of Pierce iets door had of dat hij toevallig over iets begon.

Pierce vertelde dat hij zijn eerste ervaring met porno had gehad toen een van zijn oudere broers foto's van hun vader had gevonden en die aan hem had laten zien. 'Schoonheden uit de jaren twintig en dertig,' vertelde hij, 'met die prachtige wazige, zilverachtige belichting uit die dagen en de make-up van die tijd. Ze hadden allerlei poses aangenomen die ik beschamend zou hebben gevonden. Maar nee. Allemaal hadden ze een prettige glimlach op hun gezicht – ik durf wel te zeggen: een blijde glimlach – terwijl ze daar lekker zaten, of omkeken naar de camera boven hun uitbundig in beeld gebrachte billen, met de nadruk op uitbundig. Daar was ik het meest van onder de indruk. Dat het niet beschamend was.' Een ogenblik fronste hij zijn voorhoofd. 'Dat was, denk ik, voor mij de ware onthulling.'

Sam noemde een film die hij in zijn studententijd had gezien. 'Heel clichématig. De dekhengst komt aan de deur. Een melkboer, geloof ik. Of een postbode. Of een ijsman.'

'*The iceman cometh*,' zei Pierce.

'Precies, ja. De vrouw gaat zonder blikken of blozen op de keukentafel liggen en ja hoor, de ijsman komt. En goed ook.'

En hoewel Sam een dergelijke film had gezien, was het niet zijn eerste ervaring met porno geweest. Daarover kon hij niet praten, niet in Leslies aanwezigheid. Het was op zijn veertiende of vijftiende op de kermis gebeurd. Hij had tegen zijn ouders gezegd dat hij spelletjes ging doen, maar in plaats daarvan was hij rechtstreeks naar de tent met de meisjes gegaan. Hij had het geld voor de toegang in zijn hand gehouden en de man die het aannam niet aangekeken; bang dat hij vanwege zijn leeftijd zou worden weggestuurd.

In de tent stond een groepje van twintig of dertig man te wachten, ongeveer op dezelfde manier als wanneer ze koeien of varkens gingen bekijken, maar zonder de aandachtige interesse die mensen hebben als er geld te verdienen valt. Toen de vrouw haar opwachting maakte, kregen ze een stompzinnige uitdrukking op hun gezicht – en hij ook, veronderstelde hij.

Op haar hooggehakte schoenen na was ze naakt. Ze was niet meer zo jong, waarschijnlijk ongeveer even oud als zijn moeder. Ze liep heen en weer over het podium, drukte haar borsten omhoog, deed alsof ze met haar tepels iemand onderspoot en legde haar hand tussen haar benen, waarbij ze haar vingers duidelijk bij zichzelf naar binnen stak. Intussen vertelde de exploitant die voor het podium stond wat je in een binnentent kon zien als je nog meer betaalde. Sam vond dat net zo schokkend als de rest: de schuttingwoorden die door een volwassen man hardop werden uitgesproken: neuken, pijpen, kut, lul.

Terwijl Sam daar met Pierce en Leslie zat, herinnerde hij zich opeens alles weer: het gedempte licht van een paar kale peertjes die boven in de tent hingen. De stank van mannenzweet en van de omgewoelde aarde onder hun voeten. De vrouw die zich van hen afwendde en zich vooroverboog terwijl ze haar billen en kut openhield. Hij herinnerde zich dat ze een fles op het podium had gezet, er een munt op had gelegd en erop was gaan zitten. De flessenhals en de munt waren bij haar naar binnen gegaan, en daarna was ze opgestaan, had haar hand in haar geslacht gestoken, de munt er langzaam uitgehaald en hem afgelikt.

Als verdoofd was hij na afloop het daglicht in gelopen, het

273

zonnige, drukke kermisterrein op. Toen hij op de afgesproken plek zijn ouders trof, kon hij nog altijd amper een woord uitbrengen. Ze waren vroeg met hem naar huis gegaan. Zijn moeder dacht dat hij ziek aan het worden was.

Maar hij vertelde niets hiervan aan Pierce en Leslie. In plaats daarvan maakte hij, toen het zijn beurt was om weer wat te zeggen, een paar hoogdravende, theoretische opmerkingen over de onoprechtheid van de softporno in films. Op dat moment zei Leslie: 'Daar komt Billy!' en ze draaide zich om en liep naar de deur.

Dat alles hing nog in de lucht toen Billy was verschenen, klein als een kind. En hoewel het in de loop van zijn conversatie met haar langzaam oploste, kwam het weer terug toen ze aan het einde van de avond opeens van haar stoel af kwam en zei dat ze moest gaan omdat ze haar hond moest uitlaten. Haar gezicht, dat nog maar enkele seconden eerder zo levendig was geweest, was veranderd en had een vlakke, doodse uitdrukking gekregen. Drie minuten later stond hij alleen op de natgeregende straat en keek toe hoe ze wegliep. Haar kleine, donkere gestalte leek van het ene ogenblik op het andere in de nacht te verdwijnen.

Had ze eigenlijk wel een hond? vroeg hij zich af. Zo'n verdwaasd gevoel had hij overgehouden aan wat er zojuist was gebeurd.

Hij dacht er echter over na en ging er met zichzelf over in beraad. De volgende dag belde hij Leslie en kreeg hij Billy's nummer, en de eerstvolgende vrijdag belde hij haar. Toen ze hem terugbelde, maakten ze een afspraak om samen met haar hond te gaan wandelen.

Toen Sam de nachtlucht in stapte, voelde hij hoe verbijsterend veel kouder het was dan toen Billy en hij aan hun rampzalige wandeling waren begonnen, zelfs nog veel kouder dan toen ze van het gezondheidscentrum naar haar huis waren gegaan. Terwijl hij over het betegelde trottoir liep, zette hij zijn kraag op. Vanaf halverwege het blok zag hij dat er op de voorruit van zijn auto een bon zat, de bon die hij volgens Billy beslist zou krijgen en die zij had gezegd te zullen betalen.

Bij de auto aangekomen trok hij hem onder de ruitenwisser vandaan en stak hem in zijn zak. Hij was niet van plan het haar te melden. Toen hij de motor startte, scheen het hem toe dat het in de auto nog vaag naar hond rook, eigenlijk geen onprettig luchtje.

Toen hij thuiskwam, was het in de auto pas net een beetje warm geworden. Hij liep de hal in en legde zijn sleutels en portefeuille op de plank van de kapstok. Toen hij opkeek, zag hij dat het lichtje op de telefoon in de woonkamer rood oplichtte. Billy, dacht hij en het verbaasde hem hoe kinderlijk gelukkig hij zich voelde.

Maar al terwijl hij de kamer doorliep, bereidde hij zich voor op een teleurstelling. Ze zou niet hebben gebeld, hield hij zich voor. Dat kon niet. Ze sliep nog. Ze was verdoofd door de pillen.

De stem op het antwoordapparaat was van Jack, Sams tweede zoon. Hij vertelde dat hij volgend weekend voor een congres naar Boston kwam: zou hij bij Sam kunnen overnachten? 'Het spijt me dat ik zo laat bel. Ik ging er vanuit dat ik zo wel even bij je kon aanwippen, maar toen besefte ik dat ik het eerst even moest vragen, zoals echte mensen dat doen. Volgens mij heb ik je sinds het begin van de zomer niet meer gezien. Dat is te lang, hoe je het ook bekijkt. Maar laat het me maar weten.'

Sam was teleurgesteld. En vervolgens werd hij daarom kwaad op zichzelf. Dit had hem goed moeten doen. Normaal gesproken zou dat ook het geval zijn geweest. Wat mankeerde er aan hem dat het nu niet gebeurde? Wat voor vader was hij?

Hij belde Jack en kreeg natuurlijk zijn antwoordapparaat. Hij sprak een warme, enthousiaste reactie op Jacks boodschap in. Ja, kom vooral. Ja, het is geweldig om je weer te zien. Toen hij neerlegde, besefte hij opeens dat het binnen koud was. Op weg naar de keuken bleef hij in de hal staan en draaide daar de thermostaat omhoog. Hij hoorde hoe de schakelaar werd omgezet en hoe ver weg in de kelder de ketel begon te loeien. Hoewel hij geen honger had, maakte hij een maaltijd voor zichzelf klaar. Pasta. Pasta met olijfolie en wat dragon die hij in de koelkast vond en fijnsneed. Drie à vier avonden in de week dwong hij zichzelf ertoe om te koken. Een soort morele opdracht. Een manier om het gevoel van doelloosheid af te wenden dat zich naar zijn ervaring soms van hem meester wilde maken. Terwijl hij aan de keukentafel zat te eten, hoorde hij hoe buiten de wind aanwakkerde. Een van de ramen in de eetkamer rammelde. Hij stond op en liep het donkere vertrek in om het te vergrendelen. Terwijl hij in gedachten verzonken met zijn hand op het koude metaal stond, zag hij Billy weer voorover vallen en voelde hij weer hoe bang hij op dat moment was geweest.

Maar alles was er wel door veranderd, door het ongeluk. Ervoor was alles te beleefd verlopen, een tikje gespannen. Daarna waren hun conversatie en al het overige contact ongedwongener en een stuk vlotter geworden.

Was hij dus blij dat het was gebeurd?

Ja, dacht hij. In zekere zin wel. Hij had het prettig gevonden om voor haar te zorgen. Haar te helpen. Opeens bedacht hij dat dat zorgwekkend was. Het was feitelijk een gewoonte – een manier om met vrouwen en mensen in het algemeen om te gaan – die hij wat al te gemakkelijk aannam. En was zij niet een tikje geïrriteerd geweest door zijn betutteling? En zelfs door zijn aanwezigheid? Ze had het hem gezegd, jezus nog

276

aan toe. Waarom was hij niet opgestapt nadat hij haar veilig had thuisgebracht?

Omdat alles daarna weer anders was geworden. Ze was geestig, ze ontspande zich.

Natuurlijk ontspande ze zich, hield hij zichzelf voor. Ze zat onder de pijnstillers.

Toch had hij het prettig gevonden om tegenover haar in de grote, te schaars gemeubileerde salon te zitten, onbenullige gesprekken te voeren over zijn huis en het hare, en met haar te flirten. Hij besefte dat hij het idee had dat ze een moreel kompas bezat, een degelijk fundament dat losstond van de afwijkende details van haar bestaan.

Kon hij zoiets op grond van één middag over haar weten?

En één avond, zei hij bij zichzelf terwijl hij uit het raam keek. En een toneelstuk.

Hij dacht aan de uitdrukking op haar gezicht toen hij haar na het stuk terloops had gevraagd wat het ergste was dat ze ooit had gedaan. Als je naar haar keek, zou je denken dat ze een moord had gepleegd. Opnieuw zag hij de pijnlijke uitdrukking op haar gezicht terwijl ze naar de andere trieste aanwezigen in de wachtkamer van het gezondheidscentrum keek. Hij herinnerde zich de morele complexiteit van de reactie die Gabriel in het stuk op zijn situatie vertoonde – een complexiteit die het personage Anita met het werk van Henry James had vergeleken.

Hij kon het wél weten, bedacht hij.

Voor het raam zwiepten de takken van de bomen heen en weer in de wind. Hij ging terug naar de keuken en at zijn eten op. Hij bracht het vaatwerk naar de gootsteen, spoelde het af en zette het in de afwasmachine.

Rusteloos liep hij door zijn huis. Wezenloos ging hij in de woonkamer zitten, zonder oog voor de familiefoto's op de schoorsteen en de versleten bekleding van de bank en de stoelen, die niet was vervangen nadat de jongens ze in hun jeugd hadden gesloopt. Hij ging naar boven en zette de televisie aan, maar niets deed hem wat, zelfs de sport niet. Hij trok een trui aan, ging weer naar beneden en liep door de gang naar zijn werkruimte, een uitbouw met een eigen ingang aan de zijkant van het huis die hij na Susans dood had gebouwd. Hij had dat gedaan omdat hij thuis wilde kunnen werken, omdat hij na schooltijd voor de jongens beschikbaar wilde zijn.

Nu ging hij achter zijn bureau zitten en rommelde wat met de details van de ramen in de opdracht voor een bibliotheekgebouw die hij aan het uitwerken was. Zijn hoofd werd leeg, hij was vrij van Billy en vrij van zichzelf, zijn geschiedenis en zijn leven. Op een gegeven moment keek hij op om te zien hoe laat het was. Ongelofelijk: twaalf uur. Hierom werken we, dacht hij. Rond enen stond hij op en liep het huis weer in.

Hij controleerde het lichtje op de telefoon – het was groen en knipperde niet. Vervolgens bleef hij lange tijd in de hal staan en keek om zich heen.

Welbeschouwd was dit de imposantste ruimte in huis. De trap tegenover de voordeur ging omhoog, maakte naast de witte overloop een bocht naar rechts en verdween uit het zicht. De ramen op de overloop liepen helemaal tot de tweede verdieping door en zetten overdag de hele hal en het trappenhuis in een zee van licht. Het meubilair – de kapstok en het bureau waarop vroeger de handschoenen en de wintersjaals van alle gezinsleden hadden gelegen – was antiek en afkomstig van Susans familie.

Hij bedacht wat Billy over zijn huis had gezegd. Groot, smaakvol, neutraal. Hij veronderstelde dat dat in bepaalde opzichten juist was, al was het uitgewoonder dan zij wellicht vermoedde.

Vervolgens herinnerde hij zich dat hij met zijn jongste zoon Mark, die voor een van de feestdagen van de universiteit naar huis was gekomen, deze hal was binnen gegaan. Mark, die achter hem aanliep, had toen zonder enige aanleiding gezegd: 'Denk je er weleens over om te verhuizen, pap?'

Geschrokken had Sam zich naar zijn zoon omgedraaid.

Hij bekeek deze ruimte alsof hij die voor het eerst zag. Hij haalde zijn schouders op, bijna verontschuldigend, zo leek het. 'Het is zo groot.'

'En leeg, ik weet het. Ik denk er van tijd tot tijd weleens over. En dan denk ik aan alle troep – mijn spullen en die van jullie – en dan zinkt de moed me in de schoenen.'

'Wij helpen wel.'

'Dat klinkt plausibel,' zei hij. Hij was richting keuken gelopen. 'Wil je een hapje eten? Een slaapmutsje?'

'Ik ben behoorlijk kapot,' zei Mark. 'Maar weet je wat. Morgen trakteer ik je op een lunch.'

Dat was aardig, en dat liet Sam niet onberoerd, zoals het hem ook raakte hoe verbazingwekkend volwassen Mark had geklonken toen hij die woorden sprak: *weet je wat*. Het bezorgde hem echter een plotseling en hevig gevoel van verdriet. Hij besefte dat hij een potentieel blok aan het been van Mark was, misschien wel van alle drie zijn jongens. Hadden ze het er weleens over? Wie gaat er met Thanksgiving naar hem toe?

Nou. Er moet wel iemand naar hem toe.

'Maar al te graag,' had hij tegen Mark gezegd.

Nu deed hij het licht in de hal uit en liep alleen over de imposante trap het donker in.

Op dinsdag en woensdag kwam er geen telefoontje van Billy. Hij voelde aanvechting om haar te bellen, maar deed het niet, deels omdat het haar beurt was en deels omdat hij haar niet wilde haasten of onder druk wilde zetten. Ze was duidelijk niet iemand die daarop gesteld was.

Woensdagavond rond negen uur had hij echter het gevoel

dat hij niet nog een hele dag zonder menselijk gezelschap kon doorbrengen en belde hij Jerry Miller, een vriend van hem. Hij vroeg hem of hij zin had om de volgende avond samen te gaan eten. Sam kende Jerry al jaren. Ze waren lid geweest van een ondersteuningsgroep die was opgezet door de kliniek waar hun vrouwen tegen kanker werden behandeld. Jerry's vrouw was in leven gebleven.

Een klein groepje van deze mannen – zes van hen – was elkaar na afloop op eigen initiatief blijven zien, doorgaans een of twee keer per jaar. Twee leden van de groep zag Sam zelfs nog vaker. Met de een, Brad Callender, ging hij geregeld tennissen. Met Jerry praatte hij. Niet omdat Jerry psychiater was – wat hij inderdaad was –, maar omdat hun vrouwen op elkaar gesteld waren geweest en Jerry en hij zich ook van meet af aan bij elkaar op hun gemak hadden gevoeld.

Maar Jerry had het druk. Zijn vrouw en hij gingen naar een wedstrijd van de Boston Celtics. De kaartjes hadden hem een vermogen gekost.

'Je hebt duidelijk je prioriteiten,' zei Sam.

'Reken maar,' antwoordde hij.

Nog geen uur later belde hij terug. Waarom spraken ze niet eerder af, vóór de wedstrijd? Hij kon rond kwart over vijf ergens in de buurt van de Boston Common zijn. Later kon hij dan de groene lijn naar de Garden, het stadion, nemen.

Sam noemde een oude bar, die vlak om de hoek bij het Athenaeum lag.

Hij was vroeg. Hij ging met een biertje aan de lange houten bar zitten. Het was een diepe, rumoerige ruimte, die vol zat met voornamelijk jonge mensen die net van hun werk op de kantoren in de Back Bay of het centrum kwamen. Sam had als jongeman op een kantoor gewerkt en daar het soort rotwerk gedaan – steeds dezelfde tekeningen maken – dat tegenwoordig door computers werd verricht. Hij had het leuk gevonden

– niet vanwege het werk, maar vanwege de mensen met wie hij samenwerkte en het gevoel een volwassen mens te zijn die in het volle leven stond. Van tijd tot tijd was hij na zijn werkdag naar precies zo'n bar als deze gegaan, maar hij bleef er nooit lang. Hij was zich er altijd van bewust dat Susan op hem wachtte en dat hij thuis hoorde te zijn om haar te helpen.

Sam keek om zich heen. Aantrekkelijke meisjes, knappe mannen. De minder aantrekkelijken moesten zich hier niet wagen en het risico niet nemen. Hoewel Sam, toen hij beter keek, hier en daar zo'n meisje zag, dat hoorde bij een groepje aantrekkelijker collega's of vriendinnen – een lelijk of onbeholpen meisje, of een dik meisje, zoals het meisje aan het uiteinde van de bar dat te hard praatte en zich vermoedelijk onder druk voelde staan om geestig te zijn. De drie andere meisjes bij wie ze hoorde lachten met haar mee – of ze lachten om haar –, maar hun aandacht was ergens anders: ze hadden een gewiekste blik in hun sluwe ogen die voortdurend heen en weer schoten, want ze hielden continu de zaak en de mannen in de gaten. Sam was uiteraard onzichtbaar voor hen.

Terwijl hij daaraan dacht – aan zijn onzichtbaarheid, de onzichtbaarheid van de ouderdom –, kwam Jerry binnen. Hij liet zijn blik door de zaak gaan en knoopte zijn jas los. Hij zag Sam, en zijn gezicht dat in rust saai en gesloten leek, kwam tot leven. Hij baande zich een weg door de menigte en boog zich over Sam heen. Terwijl hij hem losjes omhelsde, bracht hij de frisse winterlucht mee.

Sam pakte de jas die hij had gebruikt om de kruk naast hem vrij te houden, en Jerry nam erop plaats terwijl hij klaagde over het weer. De barkeeper kwam naar hem toe, en Jerry zei dat hij een biertje wilde. Hij wendde zich tot Sam. 'Wat drink jij?'

'Guinness. Van de tap.'

'Ja, dat neem ik ook.'

Toen het bier kwam, was hij al van wal gestoken. Hij vertelde Sam over zijn kleinkinderen, die met de kerstdagen overkwamen, en vervolgens over een curriculum dat hij aan het psychoanalytisch instituut had gegeven en waarmee hij nu bijna klaar was. Dat curriculum had dit semester bijna al zijn vrije tijd opgeslokt.

Toen Sam aan de beurt was, zei hij dat hij misschien iemand had leren kennen.

'Oh-o,' zei Jerry.

'Hé, dat gebeurt me toch niet voortdurend.'

'Het gebeurt je niet genoeg. Wie is het?'

'Een toneelschrijfster. Een vriendin van Leslie Morse. Herinner je je haar nog, Leslie?'

'Leslie. Ik geloof het wel. De vrouw op wie je na Claire verliefd bent geweest en van wie je geen werk hebt gemaakt. De getrouwde vrouw.'

'Goed onthouden. Maar waarom zeg je "de getróuwde vrouw"? Zo klinkt het alsof er nog duizenden anderen waren.'

'Ik weet het niet. Omdat er meer hadden moeten zijn?'

'Nou, er zijn er meer geweest. Ik heb je alleen niet over allemaal verteld.' En in gedachten trokken ze snel aan hem voorbij. Heel aangenaam, afgezien van een lichte wroeging over de Kaap.

'Dus... Leslie?'

'Nou, die belde.'

'Aha.' Hij sloeg met zijn hand op de houten bar. 'Zo begint het op onze leeftijd. Haar man is dood.'

'Nee, luister. Luister nu even.' En hij vertelde Jerry het hele verhaal. Dat Leslie hem had uitgenodigd voor een toneelstuk en hem had gevraagd of hij daarna ook mee wilde om iets met de auteur te gaan drinken. Dat hij door die uitnodiging erg verrast was geweest. Dat het een heel rare avond was geworden. Hij probeerde Jerry er een indruk van te geven. Eerst het ongemakkelijke gevoel omdat hij Leslie en Pierce niet had herkend, de verrassing omdat de auteur een vrouw was en dat hij zich vervolgens had gerealiseerd wie ze was toen hij de aanlokkelijke foto in het programma bekeek. 'Ze was de vriendin van Leslies broer,' vertelde hij Jerry. 'En… ik weet niet of je daar nog iets van is bijgebleven, maar die is op 11 september omgekomen. Hij zat in een van de vliegtuigen.'

'Dat wist ik niet. Ik herinner het me in elk geval niet.'

'Nou, dat is dus zo. En het maakte een eigenaardige indruk op me dat Leslie me had uitgenodigd zonder me iets te zeggen over wie die auteur was. In de eerste plaats vertelde ze me niet dat het een vrouw was, zodat ik niet… zómaar aan haar werd voorgesteld, als je begrijpt wat ik bedoel.'

'Ik begrijp precies wat je bedoelt.'

'Maar in de tweede plaats vertelde ze me niet dat het ging om een vrouw die een verhouding met haar broer had gehad. Met haar overleden broer.'

'Dat is vreemd. Het heeft iets… onaardigs, vind ik.'

Sam begon aan de rest van het verhaal. De gebeurtenissen in het stuk, en hoe ze hem hadden geraakt.

Jerry schudde zijn hoofd terwijl Sam vertelde. Toen hij was uitgesproken, zei Jerry: 'Dat is heel anders dan hoe het met jou en Susan ging.'

'Maar in zekere zin is het net zo. Ik wou dat het voorbij zou zijn. Ik wenste haar dood. Ik…'

'Maar het is niet hetzelfde. Susan was ziek. Ze was lange tijd ziek en had veel pijn. We hebben het er in de groepsgesprekken steeds weer over gehad. Waarschijnlijk wilde zijzelf dat het voorbij zou zijn.'

Sam dacht eraan terug en zweeg even. Ten slotte zei hij: 'Uiteindelijk misschien wel.'

Dat was zo. Maar de kinderen waren toen nog erg jong. In

hun belang had ze het zo lang mogelijk willen volhouden. En ze was ook bang. Bang om dood te gaan. Dat wist hij van de keren dat hij 's nachts wakker was geworden doordat zij in paniek was, en hij haar had vastgehouden terwijl ze lag te huilen. Hij had met haar meegehuild.

'Ik zeg alleen dat het stuk me echt... aangreep. En de hele tijd zit Leslie, die afgetakelde versie van Leslie, daar naast me, en zij is ook zwaar aangedaan.' Die indruk had ze toch op hem gemaakt? Dat ze afgetakeld was. 'Het was nogal een krankzinnig geheel.'

'Dus het stuk is voorbij, je staat op, en dan?' Jerry dronk van zijn bier en keek over zijn glas Sam aan.

'We gingen naar een restaurant verder op in de straat, om die... Billy te ontmoeten.'

'Billy.' Hij zag eruit alsof hij de draad kwijt was.

'De toneelschrijfster. Het is geloof ik een afkorting van Wilhelmina.'

Jerry maakte een grimas en schudde zijn hoofd. 'Sorry, maatje. Zo heet niemand: Wilhelmina.'

'Eén iemand wel. Kennelijk. Een nietig, nogal komisch persoontje.'

'O, je bedoelt klein! Ik begrijp hieruit dat ze klein was.'

Hij glimlachte naar Jerry. 'Ja, dat was ze. En helemaal van de wereld. Omdat de opvoering kennelijk heel goed was verlopen. Er was op een kritiek moment iets nieuws, iets speciaals gebeurd dat het, geloof ik, voor haar echt veranderde. Ten goede. En daar was ze opgewonden over geraakt. Omdat... nou ja, dééls omdat ze met de hoofdrolspeler naar bed was geweest.'

Er viel een lange stilte. Jerry had zijn gezicht naar Sam toegekeerd en staarde hem ongelovig of verward aan. 'Je vertelt dit niet goed,' zei hij even later.

Sam lachte. 'Nee. Dat weet ik. Dat is zo. Waar het om gaat

is dat ik haar leuk vond. Dat is alles. En toen zijn we op een maandag, afgelopen maandag, samen gaan wandelen. Ze heeft een hond. Een grote hond. We hebben die grote hond van haar uitgelaten in het Arnold Arboretum.'

Jerry leunde achterover. 'Kijk, dat is beter. Dat is prettig. Dat is een leuk verhaal, dat je bent gaan wandelen en het rustig aan doet.'

Sam glimlachte naar zijn vriend. Bek houden, Sam, dacht hij. 'Ja,' zei hij. 'Hoe het ook zij, ik ben in de ban van de liefde.' Zo was het, toch? Zo eenvoudig?

'Nou, gefeliciteerd. Met wat een van de prettigste gevoelens ter wereld moet zijn.'

'Dat is het zeker.' Hij nam een slok bier en zette zijn glas neer. 'Maar waarom gebeurt het, denk jij?'

'Het is zeker iets chemisch. Iets in de hersenen. Maar maak het niet kapot.' Hij had met het bierviltje zitten spelen, en nu rolde het over de bar een stukje naar Sam toe. Jerry keek snel op. 'Ben je met haar naar bed geweest?'

'Nee. Nog niet.'

'Ah!' Hij knikte wijsgerig. 'Nou, rustig afwachten maar.'

'Dat weet ik wel, denk ik.'

'Ja, rustig afwachten.'

Sam sloeg enkele ogenblikken de barkeeper gade, die een drankje mixte en het vervolgens groen en schuimend uit zijn shaker in een martiniglas goot. Het werd meegenomen door een lange jonge vrouw in een mannenkostuum. Hij keerde zich weer naar Jerry toe. 'Hoe komt dat volgens jou nou – zijn we soms gek? – dat we het als mensen van vijftig, van bijna halverwege de vijftig, nog over dit soort dingen kunnen hebben, over afspraakjes en verliefdheden? Op de een of andere manier lijkt het niet te kloppen.'

'Waarom?'

'Het is zo... onvolwassen.'

'Jij bent iemand die zich daar veel te veel zorgen over maakt.'

'Is dat een diagnose?'

'Ik geloof niet dat je verliefd kunt worden als je je er zorgen over maakt, dat is alles.'

'Misschien wil ik niet verliefd worden.'

'Waarom zou je dat niet willen? Neem je me in de maling?'

Sam antwoordde niet.

'Je neemt me in de maling, toch?'

'Ja. Dat doe ik. Denk ik.' En toen drong het tot hem door... had hij daarom met Jerry willen praten? 'Ik denk dat zíj het niet wil.'

'Zij wil niet verliefd worden?'

'Ja. Ze vertelde me dat ze niet wilde dat ik bij haar thuis zou komen en dat zij niet bij mij thuis wilde komen. Zoveel als dat ze gewoon niet wilde dat we zo close zouden worden.'

'Raar om zoiets tegen een nieuwe minnaar te zeggen.'

'Ik ben geen minnaar.'

'Nou ja, goed dan. Je weet wel wat ik bedoel.' Aan de bar achter Jerry zaten een paar meisjes het uit te gillen van het lachen. Jerry keek naar hen. Hij keerde zich weer naar Sam toe en fronste zijn voorhoofd. 'Het zou met 11 september te maken kunnen hebben. Met de omgekomen vriend.'

'Met Gus, bedoel je?'

'Heette hij zo?'

Sam knikte.

'Dat zou zeker de reden kunnen zijn,' zei Jerry. 'Je houdt van iemand en dan gaat hij dood. Een gewelddadige, publieke dood. Een opmerkelijke dood. Je kunt je voorstellen dat je daardoor een wat... aarzelende houding tegenover intimiteit aanneemt.'

Ze dachten erover na. Sam had geprobeerd zijn spiegelbeeld in de spiegel achter de bar te vermijden, maar de barkeeper was weggelopen, en daar zat hij naar zichzelf te kijken: een vent van middelbare leeftijd.

'Ik denk dat ze misschien niet van hem hield,' zei hij.

'En waarom denk je dat?'

Hij wendde zich van zichzelf af en keerde zich weer naar Jerry toe. 'Ze zei, meen ik, dat ze problemen hadden. En dan dat toneelstuk.' Hij haalde zijn schouders op. 'De man die het niet erg vindt dat zijn vrouw misschien dood is.'

'Een toneelstuk is een toneelstuk. Denk je soms dat Shakespeare iedereen die in zijn stukken doodgaat heeft vermoord? Of hen dood wenste?'

'Nee. Oké.'

Ze gingen op een ander onderwerp over en hadden het over de wedstrijd van de Celtics waar Jerry direct naartoe zou gaan. Ze hadden het over Jerry's vrouw Leona, die op de openbare bibliotheek speciale cursusprogramma's gaf en kwaad was op de burgemeester en de gemeente omdat ze daar te weinig geld voor uittrokken. Ze hadden het over de burgemeester en probeerden zich te herinneren hoe lang hij al in functie was. Ze probeerden te bedenken wie zijn tegenkandidaat bij de volgende verkiezingen zou worden. Wanneer waren de volgende verkiezingen? Ze wisten het geen van beiden.

Ze dronken hun bier op, en Jerry zei dat hij moest gaan. Terwijl ze hun portefeuille tevoorschijn haalden, zei Sam: 'Ik denk wel dat ik gelijk heb over dat probleem met intimiteit.'

Hij liep met Jerry mee naar de ondergrondse op Park Street, en daar omhelsden ze elkaar. In deze omhelzing, die ook een parodie op een omhelzing was, klopten ze elkaar op de rug. Hij keek toe hoe zijn vriend de trap af liep, draaide zich vervolgens om en liep over Boylston Street in westelijke richting. Hij had Jerry verteld dat hij een eindje ging wandelen. Bij Charles Street sloeg hij rechtsaf, en halverwege de straat liep hij de poort naar de Public Garden in.

Het was donker en stil in het park, de bloembedden waren kaal, leeggehaald voor de winter. De grote bomen stonden er, ook nu ze van hun blad waren ontdaan, zwaar en dreigend bij. Met het geluid van zijn eigen voetstappen in zijn oren liep Sam rustig door het park, waar hem maar twee andere wandelaars passeerden. Hij liep de brug over naar de eendenvijver, waar ze de kinderen mee hadden genomen op de zwanenbootjes toen ze nog zo klein waren dat ze dat opwindend vonden.

Door de poort liep hij de drukke straat tegenover het Ritzhotel op. Het Tajhotel, heette het tegenwoordig. Hij stak Arlington Street over en liep Newbury Street in. Hij dacht aan het gesprek met Jerry, aan wat er over Billy was gezegd. Jerry had wat Leslie had gedaan onaardig gevonden. Misschien doelde hij daarbij op het feit dat ze het had gedaan zonder hem te waarschuwen, zonder hem uit te leggen waar ze mee bezig was.

Maar zou hij zijn gekomen als ze dat wel had gedaan? Zou hij het geen slecht idee hebben gevonden, zou hij geen smoes hebben verzonnen? Zonder te kijken, in gedachten verzonken, liep hij langs de etalages en de bars met hun eeuwig brandende kerstverlichting.

Als hij gewaarschuwd was geweest, zou hij er iets op hebben gevonden en niet op de uitnodiging zijn ingegaan, daar was hij vrij zeker van. Hij zou er de voorkeur aan hebben gegeven Billy niet te ontmoeten.

Sam reed twee keer een rondje om de bagagehal van Delta Airlines, en toen verscheen hij: Jack. Hij was lang en erg mager, en zijn moeders langwerpige, lieve gezicht was bij hem in een uitgemergelde, uitgeholde kop getransformeerd. De grijns op zijn gezicht was een verrassing, die hem totaal veranderde, hij leek voor wat extra kilo's te zorgen en liet hem er vrolijk uitzien. Hij had één tas bij zich, die Sam bekend voorkwam: een versleten oude tas van L.L. Bean die hij al jarenlang overal mee naartoe nam.

Hij zat al in de auto voordat Sam had kunnen uitstappen, en dus omhelsden ze elkaar wat onhandig, zijdelings naar elkaar toegekeerd voorin in de auto. Jack had een baard van een dag of twee. Dat was onontkoombaar: als hij zich te vaak schoor, kreeg hij uitslag. Zo was het vroeger tenminste. Wat wist Sam nu nog van zijn leven? In elk geval schuurde het een beetje toen hun wangen langs elkaar gingen.

Jack deed zijn veiligheidsgordel om en ze reden het parkeerterrein af. Terwijl ze Boston in reden, spraken ze over Jacks vlucht en het congres in het weekend. Jack deed verslag over Mark, de jongste broer, die kortgeleden was getrouwd en in New York op Wall Street een baan had waarvan ze geen van beiden helemaal begrepen wat hij inhield. Sam vertelde Jack over een paar van zijn neven en nichten, die hij had gezien bij het grote Thanksgiving-familiediner in het huis van Susans zus. Sinds de scheiding van Claire ging hij daar weer heen, soms met een van zijn zonen. Dit jaar was hij alleen gegaan.

Jack schudde zijn hoofd. 'Waarom zijn ze verdomme allemaal zo talentvol?' vroeg hij.

'We horen alleen maar over degenen die talentvol zijn. Er is bijvoorbeeld geen woord gezegd over Jenna. Zij is waarschijnlijk... een junk.'

Jack grijnsde opnieuw. 'Brian. Brian... die weegt honderdtachtig kilo.'

'Elaine is getrouwd met een bookmaker,' zei Sam. 'Een onbeduidend bookmakertje.'

Een ogenblik later zei Jack: 'Ik vraag me af of er wel zoiets als een belangrijke bookmaker bestaat.' Sam lachte.

Ze spraken af eerst een stop thuis te maken, zodat Jack zich kon opfrissen, zijn tanden kon poetsen 'enzovoort'. Het was de bedoeling om vervolgens naar Waltham te rijden, naar een Italiaans restaurant waar ze allebei graag kwamen.

Toen ze de oprijlaan op reden, ging de automatische verlichting aan en werd de auto door een zee van licht beschenen. 'Daar zijn we dan,' zei Jack. Zijn gezicht, half beschaduwd en half verlicht, leek plotseling een stuk ouder.

'Daar zijn we dan,' antwoordde Sam. Hij zette de motor af.

Jack opende zijn portier. Sam voelde de koude nachtlucht en stapte ook uit. Achter elkaar aan liepen ze over de tegels van de oprijlaan naar de voordeur. Sam zocht aan zijn rammelende sleutelring naar de juiste sleutel en stak hem in het slot. Ze liepen naar binnen.

Jack liet zijn tas neerploffen en trok zijn jas uit. 'Alles is nog hetzelfde,' zei hij, terwijl hij om zich heen keek. 'Hetzelfde, hetzelfde, hetzelfde. Het lijkt wel een museum van mijn jeugd.'

'Waarom niet?' zei Sam. 'Het was me de jeugd wel.'

Jack maakte een grimas en liep de trap op, met twee treden tegelijk. 'Drie is riskant,' riep hij naar beneden.

Toen pas wierp Sam een blik op de telefoon. Groen, zonder knipperen. Geen nieuws. Diep in de muren van het huis hoorde hij water stromen. Hij ging naar zijn werkruimte en liet de deuren achter zich openstaan – de deur van de hal naar de lange gang, en de kantoordeur aan het einde van de gang. Hij had voor het bibliotheekproject een paar computerprogramma's ingezet, waarmee je de invalshoek van de zon op de ramen in verschillende tijden van het jaar kon bekijken. Hij maakte een uitdraai van enkele weergaven.

Ongeveer tien minuten later verscheen Jack in de werkkamer. Hij ging naast Sams bureau staan, waar de uitdraaien uitgespreid lagen. 'Dat ziet er gaaf uit, pap,' zei hij.

'Ja, het is wel oké,' zei Sam en hij bekeek de uitdraaien.

'Hoezo, vind jij het niet gaaf?'

'Zeggen de mensen nog steeds "gaaf"?'

Jack wierp hem een strenge blik toe. 'Kennelijk.'

'Ik denk dat ik het dan zo moet zeggen. Dat ik het niet gaaf vind.'

'Maar waarom niet?'

'Nou, de opdrachtgevers wilden dat het er op een bepaalde manier uit zou zien, en in wezen moest ik aan hen beloven dat ik het zo zou doen om de klus te krijgen.' Hij dacht aan de campus, aan de saaie gebouwen. Een paar oudere gebouwen, victoriaanse baksteenconstructies met kleine decoraties, hadden wel enig karakter, zo geen schoonheid. Maar de nieuwere, die in de jaren vijftig en zestig waren gebouwd – voornamelijk woonverblijven voor de studenten en een gebouw voor de natuurwetenschappen – waren gesteriliseerde versies van die oude, excentrieke bouwwerken. En alle uitspraken van de commissie over oorspronkelijkheid en 'het inslaan van nieuwe wegen' ten spijt, wilden ze meer architectuur in die stijl. Hetzelfde. Iets karakteristieker misschien, en daarin voorzag Sam met de vensterindeling op de eerste verdieping en de steeds terugkerende sierlijst daarboven. Hij wist echter dat hij de klus had gekregen omdat hij niet te veel buitenissigs zou proberen.

'Je hebt dus een compromis gesloten, of zoiets.'

'Dat in elk geval. Maar daar komt het in de architectuur voor een deel altijd op neer. Architectuur is geen kunst. In die zin geen zuivere kunst. Je bent altijd verantwoording schuldig aan een klant. Aan de smaak of de ideeën van de klant.'

'Maar soms ga je toch verder?'

'Soms. Voor mij speelt dat gek genoeg nu vooral bij heel kleine particuliere klussen.' Hij stak zijn handen omhoog om met zijn vingers aanhalingstekens te vormen en zei: '"Een oogverblindende, unieke en zelfs sculpturale was- en speelkamer naast de keuken."'

Jack lachte een haastig lachje.

'Ik denk dat ik, als ik eerlijk ben, moet zeggen dat ik een te geringe reputatie heb – of een te gering talent, laten we er geen doekjes om winden – om de kans te krijgen in grootschalige projecten gedurfd, grandioos werk te doen.'

'God, je deprimeert me, pap. Zulke dingen moet je niet zeggen.'

'Dat is niet mijn bedoeling. Ik doe mijn werk met plezier. Ik ben eigenlijk niet echt geïnteresseerd in die andere, prestigieuze dingen. Cal was dat wel.' Cal was zijn compagnon. 'Maar Cal heeft het in dat opzicht ook niet gered.'

Ze zwegen een minuut, en toen zei Jack: 'Ik heb je nooit eerder zo horen praten.'

'Ik zeg gewoon waar het op staat. Het is in de architectuur net zo gesteld als in de meeste andere richtingen, misschien zelfs net zo als in de wetenschap: er zijn een paar absolute uitblinkers. Heus, dat zijn er maar een paar.' Hij pakte de uitdraaien met de zonnestudies op en maakte er een keurig stapeltje van. 'En dan heb je de rest van ons. Ik ben goed. Veel beter dan veel anderen. Ik ben alleen geen absolute uitblinker.'

'Maar ben je dat vroeger niet wel geweest?'

'Nee. Ik denk dat dat niet één keer echt door mijn hoofd is gegaan.'

Dat was niet waar. Toen hij nog heel jong was had hij het serieus overwogen. Hij wilde uitblinken. Vermoedelijk had hij voordat Susans kanker terugkwam nog gedacht dat het mogelijk was: een vooraanstaande positie, publieke erkenning. Daarna verloor hij de moed. Het idealisme van begin jaren zeventig was verflauwd; in elk geval geloofde hij niet meer in de architectuur zoals voorheen – toen hij nog geloofde dat architectuur sociale, culturele en politieke invloed kon hebben door de wijze waarop ze het leven van de mensen in fysieke zin bepaalde. Hij veronderstelde dat de wereld hardnekkiger was dan gedacht.

'Waarom?' Met een glimlach keerde hij zich naar Jack toe. 'Dacht je dat ik een absolute uitblinker was?'

'Ik denk van wel.'

'Nou, je bent een goede zoon.'

Sam legde zijn hand op Jacks rug en samen liepen ze naar de deur. Sam deed het licht uit en ze liepen de gang door.

'Wanneer denk je dat je bent veranderd, pap? In je ideeën over je werk?' Jack liep voor hem uit, een rijzig silhouet.

'Ik weet het niet. Ik denk dat het misschien is gebeurd toen je moeder ziek was, en ik... min of meer zelf een soort moeder werd. Mijn eigen ontoereikende versie van een huisvrouw. Ik vond dat gewoon belangrijker dan het werk dat ik toentertijd deed. Bovendien zou het lastig zijn geweest om het allebei te proberen.'

In de hal pakten ze hun jas van de trappaal en trokken hem aan. Sam zei: 'Als ik tegenwoordig ambitieuze mensen ontmoet, mensen die echt opgaan in hun werk – zoals jij – voel ik wel een soort afgunst.' Dat gold voor Jack, maar hij dacht opeens ook aan Billy; Billy die zei: 'God, ik ben verzot op het theater.' Op dat moment bedacht hij – en stelde hij zich voor dat hij op een gegeven moment tegen Billy zou zeggen – dat ze in dat opzicht, in haar passie voor haar werk, iets mannelijks had, terwijl hij in zijn verhouding tot zijn werk iets vrouwelijks had. Beide houdingen waren waarschijnlijk voortgekomen uit een lange, complexe persoonlijke geschiedenis ten aanzien van de kwestie. Hij wist dat het bij hem in elk geval zo zat.

'Nee, ik voel niet echt afgunst,' verbeterde hij zichzelf terwijl ze naar buiten liepen. 'Het is bewondering. Geen afgunst. Ik weet niet eens zeker of ik wel zo toegewijd aan mijn werk zou willen zijn. En doordat ik die toewijding niet had, was het beslist makkelijker voor me om te doen wat ik moest doen tijdens de ziekte van je moeder. En na haar overlijden.' Hij dacht aan wat Charley over hem had gezegd nadat Susan was overleden. Aan hoe kwaad Jack was geweest. 'Niet dat dat betekende dat ik het zo geweldig heb gedaan, dat zeg ik niet.'

Terwijl ze in de auto stapten, zei Jack: 'Wij waren niet makkelijk, pap.'

'Daar had je volop reden voor.'

Het restaurant zat stampvol, zodat ze op een tafel moesten wachten. Terwijl ze met een drankje aan de bar stonden schreeuwden ze elkaar toe. Onder het eten spraken ze over huisdieren. Jack vertelde dat hij erover dacht een hond te nemen. Hij was het alleen-zijn beu. Ze bespraken van welk ras en hoe groot de hond moest zijn en hadden het over de twee honden die de jongens als kind hadden gehad – een ervan beet, maar de jongens gaven zo veel om hem dat ze hem toch hadden gehouden. Ze bespraken wat rechtvaardig voor de hond was, aangezien Jack zo langdurig van huis was. Sam kwam verschillende keren in de verleiding om iets over Billy te vertellen. Weet je, ik ben iets met een vrouw begonnen, en zij heeft een enorme hond. Misschien zou hij zelfs het verhaal van haar verstuikte pols vertellen. Uiteindelijk deed hij dat niet. Hij zag in dat hij zich over geen enkel onderdeel van die geschiedenis zeker genoeg voelde om Jacks aandacht erop te vestigen.

Terwijl ze naar Boston terugreden, werd Sam opeens overspoeld door geluk, louter dankzij Jack. Dat hij op bezoek was, dat ze samen in de auto onderweg waren en een onbeduidend en vlot lopend gesprek voerden, was in zijn ogen een soort wonder.

Want van de kinderen was Jack het meest uit het lood geslagen geweest door de dood van zijn moeder. Hij was destijds tien, en hoewel hij intelligent was – naar Sams idee waarschijnlijk de intelligentste van de drie –, voerde hij op school zo goed als niets meer uit, tenzij hij een leraar graag mocht. Vaak verscheen hij niet aan tafel. In zijn laatste jaren op high school bleef hij soms een hele nacht weg, zonder iemand te vertellen waar hij zat. Als hij thuis was, hield hij de deur van zijn kamer dicht en meestal op slot. Evengoed kon je als je er langsliep de dopelucht ruiken.

'Je moet hem aanpakken,' zei Claire steeds weer tegen Sam

toen Jack vijftien en vervolgens zestien werd. Maar wat kon Sam beginnen als Jack zich simpelweg niet aan de regels hield, straf niet accepteerde, niet wilde veranderen en niets verkeerds kon zien in het leven dat hij leidde?

Toen Sam met Claire trouwde, was Jack razend geweest – hoewel hij zich ogenschijnlijk had teruggetrokken van zijn vader en van alle vormen van huiselijk leven met zijn broers en met Sam. Hij was toen veertien. In de daaropvolgende paar jaar maakte hij duidelijk hoe weinig hij op haar gesteld was. Toen hij eenmaal was gaan studeren – ver weg, in Californië –, had hij altijd wel een excuus om niet naar huis te hoeven komen, hoewel Sam en Claire in zijn eerste jaar waren gescheiden: dat het zo'n lange reis was, dat hij voor de feestdagen bij een vriend thuis was uitgenodigd, dat hij in Californië een leuk vakantiebaantje had gevonden. In al die jaren kwam hij één keer in de kerstvakantie thuis. Verder maakte Sam de reis naar de andere kant van het land – in totaal zeven of acht keer – om zijn zoon op te zoeken en te zien hoe met hem ging.

Toen Jack halverwege de twintig was, kwam hij terug voor zijn postdoctorale opleiding. Hij begon tamelijk regelmatig te bellen en te mailen. Het leek erop dat hij Sams bezoekjes verwelkomde, en van tijd tot tijd kwam hij uit vrije wil naar Boston om Sam op te zoeken. Hij leek vrede met zichzelf te hebben gevonden – en zelfs gelukkig te zijn. Hij had werk dat hij leuk vond. Hij had een appartement en zo nu en dan een vriendin. En Sam, die het idee had dat hij op dat alles geen invloed had gehad, was alleen maar dankbaar.

Op de terugweg viel Jack in slaap, zijn hoofd zakte opzij, zijn knieën ontspanden en kwamen van elkaar. Terwijl Sam naar zijn zoon keek, herinnerde hij zich hem – en al zijn zonen – als kleine jongens, toen je in hun slaap pas goed een deel van hun schoonheid zag. Vervolgens dacht hij ook aan Susan, hij zag opeens een scherp, duidelijk beeld voor zich van haar als mooie, gezonde vrouw, als jonge moeder. Hij herinnerde zich haar in de auto, toen ze naar huis reden na een familie-uitstapje. Ze zat in de stoel naast hem met de baby, Mark, aan haar borst. De twee oudste jongens lagen in hun gestreepte slaapzakjes achter in de stationcar – van verplichte kinderzitjes was toen nog geen sprake. Mark was gevoed, en hij was ook in slaap gevallen. Susan en Sam praatten zachtjes, zongen met de radio mee en vielen vervolgens stil. Na een poosje realiseerde Sam zich dat hij als enige wakker was. Hij hoorde de langzame ademhaling van alle anderen om zich heen, alsof de auto zelf in- en uitademde. Hij keek naar Susan en de baby. Haar nog intacte borst was deels ontbloot, haar kin rustte tegen het hoofdje van de baby. Hij voelde trots en vreugde omdat hij hun beschermer was, de man die hen allemaal veilig naar huis bracht, direct gevolgd door paniek over dat besef. Een ogenblik voelde hij zich volstrekt niet tegen die taak opgewassen. Hij voelde zich een kleine jongen.

Jack werd wakker: hij geeuwde, rekte zich uit en kreunde.

Sam vroeg of hij tijdens zijn verblijf in de stad nog iemand ging opzoeken. Hij had vrienden van high school die soms langskwamen als hij thuis was, jongens die toentertijd tot hetzelfde wilde, losgeslagen groepje hadden behoord als hij en die daar nu, net als hij, overheen leken te zijn gegroeid. Al veronderstelde Sam dat hij degenen die het niet hadden gered, niet te zien kreeg.

Nee, zei Jack. Hij had er geen tijd voor. Hij begon over het congres van de volgende dag. Hij moest er om acht uur zijn, wat betekende dat hij rond halfzeven moest opstaan. En hij zou ook de cocktailreceptie na afloop bijwonen. 'Het moet om zes uur afgelopen zijn, maar ik wed dat er daarna ook nog mensen blijven hangen. Maar ik zou rond zeven uur ergens met je kunnen afspreken. Wil je daarna iets doen?'

'Jazeker.'

'Een film? Muziek? Ik leg mijn lot in jouw handen.'

'Wil je naar een toneelstuk?'

Wat had dát nu te betekenen?

Het ging er niet om dat hij Billy wilde zien. Waarschijnlijk zou ze er niet eens zijn. Ze had Sam verteld dat ze bij zijn eerste bezoek aan het theater in de zaal had gezeten omdat het stuk toen nog in de try-outfase was en ze misschien nog wijzigingen, correcties en kleine aanpassingen in de dialogen moest aanbrengen. Of wilde aanbrengen.

Nee, hij wilde alleen het stuk nog eens zien. Hij dacht eraan toen hij zich opmaakte om naar bed te gaan en met een eenvoudig, dierlijk genoegen luisterde naar de geluiden van Jack, die zich verderop op de overloop ook klaarmaakte om te gaan slapen: de geluiden van deuren die open- en dichtgingen, en van een radio die zachtjes aanstond. Zijn voetstappen gingen langs Sams slaapkamerdeur. Hij zong op fluistertoon.

Sam wilde het stuk nog eens zien omdat hij Billy nu kende. De eerste keer waren zijn reacties gekleurd door van alles wat niets met Billy te maken had. Nu stelde hij zich voor dat hij haar erin zou zien en haar beter zou kunnen begrijpen. Hij veronderstelde dat dat een soort erkenning inhield van het feit dat hij iets aan haar niet begreep. Veel aspecten aan haar, welbeschouwd.

Leslie had beslist gedacht dat ze door het stuk nieuwe aspecten aan Billy begreep – dat was duidelijk uit wat ze aan de telefoon had gezegd toen hij haar had gebeld om Billy's nummer te vragen. Hij had dat destijds niet correct van haar gevonden, maar nu vroeg hij zich af wat hem duidelijk zou worden en hoe zijn denken over haar zou veranderen als hij het stuk nog eens uitzat.

Hij was nieuwsgierig, dat was alles.

Toen Jack van de cocktailreceptie kwam, was hij een tikje aangeschoten. Daardoor had hij een roze kleur op zijn wangen, of misschien kwam het doordat hij vanuit het hotel waar het congres plaatsvond een wandeling door de kou had moeten maken. Hij bestelde koffie, zwarte koffie, en een sandwich. Ze zaten in hetzelfde restaurant waar Sam, Leslie en Pierce na de voorstelling Billy hadden ontmoet. Jack had het vlees dat in de koelkasten werd uitgestald meteen bij zijn binnenkomst gezien. 'Ingewanden te over, zie ik,' zei hij terwijl hij ging zitten en in de richting van de koelkasten gebaarde.

Nu keek hij er weer naar. 'Denk je dat we ze moeten schouwen, of zoiets?'

'Is het gebruikelijk om dat met ingewanden te doen?' vroeg Sam. 'Zoals je koffiedik kijkt?'

'Ja,' zei Jack. 'Je offert een vogel, of misschien een geit, en haalt de ingewanden eruit. Ik geloof dat de Etrusken daarmee zijn begonnen.'

'Jezus, Jack, hoe wéét je dat soort dingen?'

'Nutteloze dingen, bedoel je?'

'Ik denk het. Ja.'

'Als je het nog weet, pap, ik was je mallotige zoontje. Ik heb heel veel mallotige boeken gelezen waarin gave rituelen uit de oudheid werden beschreven. Ik vond ze tenminste gaaf.'

Sam riep zich voor de geest hoe Jack voor Susans dood was geweest. De onschuld die hij toen nog had! Dinosaurussen. Vervolgens draken. Vervolgens geharnaste ridders, edelen, denkbeeldige koninkrijken. Al die passies. Alles wat na Susans dood zomaar was verdwenen. Het was alsof toen ook een lieve, jongere versie van Jack was gedood. Maar daar zat hij nu: aardig, geestig en pienter. Een ander mens, wellicht. Zij het een beetje aangetast door de lange dag en de paar glazen te veel die hij met zijn collega's had gedronken terwijl ze ongetwijfeld hadden gesproken over de regeneratie van neuronen, of iets in die geest.

Onder het eten informeerde Sam naar het congres. En met bijna hetzelfde enthousiasme dat hij in het verleden voor zaken als het schouwen van ingewanden aan de dag had gelegd, somde Jack de mogelijkheden voor een behandeling op en beschreef ze: de ideeën over methoden om het lichaam zichzelf te laten ontdoen van de plaques die de hersenen van een alzheimerpatiënt vernietigen.

'Misschien komt het nog op tijd voor mij,' zei Sam. 'Voordat ik denkbeeldige reisjes over de Nijl begin te maken.'

'Dat gaat niet gebeuren, pap,' zei hij op de ferme toon van een kind dat zijn andere ouder heeft zien sterven.

'Dat hopen we dan maar.'

Ze kwamen net op tijd in het theater aan om naast elkaar van het herentoilet gebruik te kunnen maken – was dát even raar, dacht Sam, terwijl hij zijn gulp dichtritste – en vervolgens nog geen minuut voordat het licht uitging in hun stoel te glijden.

Sam had verwacht dat hij het stuk anders zou zien, maar niet zoals hij het nu onderging. Inderdaad leek het minder over zijn eigen leven te gaan – het gevoel dat hij door harde waarheden over zichzelf werd belaagd, was verdwenen. Het stuk bracht hem echter evenmin nader tot Billy's leven. Het waren de personages zelf die zich aan hem openbaarden, in het bijzonder natuurlijk Gabriel en zijn kijk op de wereld – met name in het tweede bedrijf. Sam gaf zich dit keer vollediger aan het stuk over. Hij bewonderde het. Hij werd geboeid door de onderliggende morele thema's en was bijna even diepgaand geïntrigeerd door Gabriels bewustzijn van de andere mogelijke rollen die hem ter beschikking stonden – in feite door het besef dat je in het leven róllen speelt.

Dat alles beviel hem. In de pauze beviel het hem ook dat

Jack zei dat hij het stuk goed vond, en aan het slot beviel het hem dat Jack bij Elizabeths verschijning een ogenblik hoorbaar inademde.

'Dat was fantastisch,' zei Jack terwijl ze applaudisseerden.

'Ik ben blij dat je er zo over denkt,' antwoordde Sam met een zelfvoldaan gevoel, een beetje alsof het zíjn toneelstuk was.

Toen ze met hun jassen bij zich het gangpad in liepen, zag Sam Billy, die midden in een bijna lege rij stond te wachten, zo te zien totdat de menigte in de gangpaden voldoende was opgelost om verder te kunnen. Tot zijn verbazing reageerde zijn lichaam met een flits van opwinding op haar aanblik. Ze droeg een wijde, grote trui – uiteraard zwart – op een verbleekte oude spijkerbroek. Heel bohémien, en hij bedacht dat hij haar dat kon voorhouden. Hij wendde zich tot Jack en zei: 'Ik wil je met iemand laten kennismaken.' Hij pakte zijn zoon bij de elleboog en toen ze bij de lege rij kwamen vóór de rij waarlangs Billy al naar het gangpad liep, leidde hij hem naar haar toe.

Een fout, dat kon hij opmaken uit de verandering van haar gezichtsuitdrukking op het moment dat ze hem zag.

'Ben je me aan het stalken, Sam?' vroeg ze. Heel even verscheen er een kil lachje op haar lippen.

'Dat dacht ik niet, nee. Ik... Dit is mijn zoon. Ik heb hem meegenomen naar het stuk.' Hij zag dat Jack probeerde te begrijpen wat dit gesprek te betekenen had, en met grote nieuwsgierigheid eerst naar haar en vervolgens naar hem keek. Sam zei: 'Ik had eigenlijk niet verwacht dat jij hier zou zijn.'

Maar ze had zich naar Jack toegekeerd en stak hem haar hand toe. 'Billy Gertz,' zei ze. 'Ik hoop dat je ervan genoten hebt.' Ze had in haar manier van doen een soort professionele warmte over zich, maar zelfs die strekte zich niet tot Sam uit. Ze keek hem niet aan – of wilde dat niet doen.

'Billy heeft het stuk geschreven,' legde Sam aan Jack uit.

'O, wow,' zei Jack. 'O, gefeliciteerd. Het was echt geweldig.'

Ze maakte tegenwerpingen, en hij hield voet bij stuk. Sam zag dat ze ontdooide, zo oprecht was Jack in zijn enthousiasme.

Als Sam met haar alleen was geweest, zou hij haar hebben gevraagd wat er aan de hand was, hij zou hebben geprobeerd wat ze deed in het komische te trekken. Waar was ze in godsnaam mee bezig?

Maar Jack en zij voerden een vriendschappelijk gesprek, zonder onderbrekingen. Billy vroeg Jack waar hij woonde en wat hij in Boston deed, en Jack begon haar over alzheimer te vertellen. Haar uitdrukking was levendig en belangstellend. Jack werd mededeelzaam: hij had het over iets wat 'tau' heette. Sam had evengoed onzichtbaar kunnen zijn. Hij voelde zich een dwaas en steunde nu eens op zijn rechter- en dan weer op zijn linkervoet.

Toen Billy zich ten slotte zijdelings langs haar rij naar het gangpad begon te verplaatsen, praatte ze nog altijd met Jack. Ze zei dat ze het erg leuk vond dat ze hem had leren kennen en dat het haar speet dat ze moest gaan. Toen ze het gangpad bereikte, keek ze om naar Sam. 'Ik zie je nog wel,' zei ze, op een toon die precies het tegenovergestelde beloofde.

Zwijgend liepen Jack en hij achter elkaar aan de lege rij uit en het gangpad naar de lobby in. Er waren nog maar een paar mensen binnen, die misschien stonden te wachten tot ze werden afgehaald. Terwijl Sam en Jack bij de grote glazen deuren hun jas dichtknoopten, keek Jack naar zijn vader. 'Ik ga je niet vragen hoe dat in elkaar zit, of je moet erover willen praten.'

'Weet ik verdomme veel hoe het in elkaar zit. Ik vind het niet erg om erover te praten, maar' – hij haalde zijn schouders op – 'ik zou niet weten wat ik erover moet zeggen.'

'Is ze iemand met wie je uit bent geweest, of zoiets?'

'Zoiets.'

'Hoezo? Ben je met haar naar bed geweest?'

'Nee. Dat niet. Ik ben met haar uit geweest.'

'En toen?'

'Niks.'

'Nou, je moet íets fout hebben gedaan.'

Sam lachte. 'Ja,' zei hij. 'Dáár valt niet aan te twijfelen.'

Jack leek bereid om het daarbij te laten, maar terwijl ze langs de koude straten naar de halte van de ondergrondse liepen, voelde hij de blik van zijn zoon van tijd tot tijd op zich rusten. Hij was opgelucht toen ze in het rammelende, gierende metrotreinstel stapten, waar ze niet konden praten.

'Ik wou dat ik op een vliegtuig kon stappen, of gewoon ergens heen kon gaan,' zei Sam, al wist hij geen bestemming te verzinnen waar hij naartoe wilde.

'Ik ben er nog niet zo zeker van dat ik wél ergens heen ga,' zei Jack. Hij gebaarde naar buiten, waar lichte sneeuw viel op de ineengedoken voetgangers die er, op weg naar huis, haastig doorheen liepen. Het was ook koud. Verschillende voorbijgangers hadden een sjaal voor de onderste helft van hun gezicht gedaan. *Handen omhoog.*

'Dit stelt niets voor,' zei Sam. 'Jij bent al helemaal aan Washington gewend. Iedereen vliegt door dit weer.'

De sneeuwval wás licht en zou volgens de verwachting rond middernacht ophouden. Maar de temperatuur zou in de loop van de avond sterk dalen. Voordat hij van huis was gegaan om Jack op te halen bij het hotel waar het congres plaatsvond, had Sam zijn warme handschoenen tevoorschijn gehaald en zijn sjaal uit de zak van zijn leren jasje getrokken. Dat alles had hij haastig in de zakken gestoken van de jas die hij nu aan had, zijn wollen overjas.

Ze zaten nu in een restaurant dat aan de uiterste zuidpunt

van het South End lag, vlak bij de weg naar de luchthaven. Het was rustig vanavond, het was zondag. Ze zaten aan een tafel in het bargedeelte, waar slechts twee of drie stellen zaten. Aan een van de tafels zaten een man en vrouw allebei naar iemand te sms'en. Jack wees Sam er met een draaiende oogbeweging op. Op de tv boven de bar stond een wedstrijd van de Celtics aan, met het geluid uit. Ze keken er zo nu en dan naar en praatten erover. Ray Allen kreeg het op zijn heupen, en Jack zei: 'Ik vind hem geweldig, zoals die vent gewoon schiet.'

'Het is mooi,' zei Sam.

Ze hadden het ook gehad over een project voor alternatieve energie waarmee Charley zich in Californië bezighield; hij had Jack een brochure gestuurd over kleine windturbines, bestemd voor op het dak van stadswoningen. En ze hadden het over de Democratische kandidaten, over de kansen die ze tegenover de Republikeinen maakten en over hun kwetsbaarheid voor smerige streken. Ze waren het erover eens dat Clinton meer voor de voeten kon worden geworpen dan zowel Obama als Edwards. Zij onderschatte de omvang van de haat die de Republikeinen haar toedroegen, zei Jack, en de hoeveelheid belastend materiaal die ze nog hadden over het grote probleem Bill, 'of anders gezegd, het probleem van grote Bill'.

'Inderdaad,' zei Sam. Hij dacht aan Billy, aan de afkeurende woorden die ze over Hillary had gesproken op de avond dat ze het met Pierce en Leslie over politiek hadden gehad. Maar welbeschouwd had hij de hele dag aan Billy gedacht. Aan de vraag waarom ze zich in het theater zo had gedragen en aan het feit dat hij kennelijk volkomen verkeerd had begrepen hoe het er tussen hen voorstond. Hij had niet een van zijn eigen vragen over de hele kwestie kunnen beantwoorden. Hij was net zo verward door haar en net zo door haar in beslag genomen als na de avond dat ze voor de Butcher Shop haars weegs was gegaan, en nog onzekerder over wat hij eraan kon doen.

Misschien wel niets, dacht hij. Misschien was het – wat 'het' ook mocht wezen – voorbij voordat het goed en wel was begonnen.

Jack begon over de presentaties die vandaag op het congres waren gegeven, en over iemand die aan een vaccin werkte. Als Jack – zoals nu, bij het denken aan het congres – opgewonden was, stotterde hij een beetje. Dat had hij altijd gedaan. Terwijl Sam naar hem luisterde en dat constateerde, voelde hij een aangename en trieste combinatie van bewondering voor Jack als volwassen man en tederheid voor de jongen die hij zich herinnerde.

Op de televisie verscheen een man die voor een weerkaart stond en in een brede cirkelbeweging zijn arm langs de oceaan en weer naar de kust liet gaan: het algemeen erkende gebaar voor een noordoostenwind. Jack belde op zijn mobieltje naar de luchtvaartmaatschappij om naar mogelijke vertragingen te informeren, maar tot dusver verliep alles volgens plan.

Sam overhandigde de serveerster het parkeerkaartje en vroeg om de rekening. Nadat hij had betaald, stonden ze in afwachting van de auto bij de deur naar de sneeuw te kijken.

Toen ze in de auto stapten was het er warm, een van de prettige kanten van je auto door iemand te laten parkeren, zoals Jack opmerkte. De radio stond bijna onhoorbaar aan op het station NPR, waar Sam graag naar luisterde.

'Ga je de toneelschrijfster nog bellen?' vroeg Jack terwijl ze door de donkere straten reden. Alsof hij Sams gedachten had gelezen.

'Ik zou niet weten hoe ik dat moet aanpakken,' zei Sam, en hij probeerde zo zorgeloos en ontspannen mogelijk te klinken. 'Ze liet geen spaan van me heel.'

'Ja, dat is zo.'

'Ze gedroeg zich net zo tegen me als Dick Cheney toen hij Patrick Leahy aanpakte.'

Jack lachte. Een ogenblik later zei hij: 'Door die vergelijking lijk jij zo veel... aardiger dan zij.'

'Dat ben ik naar mijn idee ook. Ik vind dat ik beter verdien.' Dat speelde ook mee, toch? Hij was in elk geval voor een deel ook kwaad.

'Nee, je hebt gelijk, pap. Er moet ook iets anders bij haar spelen.'

Ze reden door de tunnel. De zachte conversatie op de radio ging over in ruis. Opeens zei Sam: 'Het is ongepast, om met jou over dit soort dingen te praten.'

'Over wat voor dingen?'

'Dat... uitgaan met vrouwen.'

'Waarom?'

'Ik ben je vader. Ik zou wijs moeten zijn. Op zijn minst jouw troost niet nodig moeten hebben. En ik wil absoluut niet dat je ook maar één gedachte aan deze kwestie verspilt.'

'Dat zal ik niet doen. Maar ik vertrouw erop dat jij het me laat weten als je belangrijk nieuws hebt.'

Toen Sam naar Jack keek, tuurde die uit het raampje. Hij had zijn gezicht afgewend, maar Sam dacht dat hij een glimlach om Jacks lippen zag spelen. Hij veronderstelde dat het beter was dat Jack de kwestie amusant vond dan dat hij zich er zorgen over maakte.

Hij stapte bij de trottoirband uit en liep om de auto heen om zijn zoon bij het afscheid even te kunnen omarmen. Opeens wervelde de sneeuw om hen heen.

'Ik zie je met de kerst,' zei Jack, terwijl hij een stap naar achteren deed. Het plan was dat Sam en Jack samen een paar dagen naar Mark toe zouden gaan. Marks schoonfamilie zou er dan ook zijn. Frannie, Marks nieuwe jonge vrouw, vond het leuk om veel familie in huis te hebben. Sam was blij dat Mark dat genoegen bij haar kon smaken – híj kon het hem niet bieden.

Voordat hij weer wegreed zat hij in de auto een poosje toe te kijken hoe Jack in de bewegende mensenmassa in de vertrekhal verdween, als een donkere gestalte te midden van vele anderen.

Op weg naar huis zette Sam de autoradio harder. Terry Gross was in gesprek met een Zuid-Afrikaanse die haar memoires had geschreven – voor zover Sam het begreep memoires over de apartheid, en op de een of andere manier ook over de oorlog in Irak. Van haar hele persoon ging een grote ernst uit, en de combinatie van die ernst met haar nu eens volle en dan weer geknepen accent fascineerde Sam. Tegen het einde van het interview zei ze: 'Ik ben vanuit het enige thuis dat ik had naar Amerika gekomen omdat ik in een land wilde leven waar martelen gewoonweg nooit mogelijk zou zijn.'

De tranen sprongen Sam in de ogen. Het verraste hem dat hij ten aanzien van Amerika dit gevoel had – dit plotselinge gevoel van verlies en pijn. Ten aanzien van zíjn Amerika, kennelijk.

Er viel een korte stilte, en toen zei Terry Gross. 'Tja. Goed dan.'

Toen het interview voorbij was, kwam het nieuws en zette Sam de radio af. Er waren nauwelijks voetgangers buiten, en toen Sam zijn buurt bereikte waren de straten daar leeg. De sneeuw was bijna onzichtbaar, behalve wanneer de wind er opeens vat op kreeg. De sneeuw bleef nu ook liggen, zelfs de weg en de trottoirs werden wit. Het is te vroeg, dacht hij. Voor de kou en de sneeuw.

Hij reed zijn oprit op en zette de motor af. De automatische buitenverlichting was aangegaan, en in het schijnsel daarvan leken de sneeuwvlokken opeens dikker en dichter.

Sam had geen zin om naar binnen te gaan. Hij had geen zin om waar dan ook heen te gaan. Zijn eigen leven scheen hem onbeduidend toe. Hij had voor niemand iets betekend. Niet in zijn werk. Niet als persoon. Zeker niet voor Jack, die zijn problemen helemaal op eigen kracht had overwonnen toen hij zo ver mogelijk bij Sam uit de buurt zat. Niet voor Charley, met wie hij nooit contact had, of voor Mark, die nieuwe geborgenheid had gevonden in de grote familie van zijn vrouw. Niet voor Susan, en evenmin voor Claire.

Die mensen van wie je houdt en om wie je geeft, bepalen je leven; en vervolgens stappen ze op, veranderen ze of sterven ze. Uiteindelijk hebben ze jou niet nodig.

Langzaam kreeg de kou vat op de auto en drong naar binnen. Sam kroop in elkaar en stak zijn handen in zijn zakken. In de linkerzak had hij zijn handschoenen, in de rechter zijn sjaal. Hij trok hem eruit. Toen hij hem om zijn hals wikkelde, voelde hij iets hards tegen zijn huid. Hij trok de sjaal omlaag en bekeek hem. Vlak voordat de buitenverlichting zichzelf uitschakelde, zag hij in het felle licht een oorbel schitteren. Een fijne oorbel van zilverglas, aangebracht op een zilveren steeltje.

Billy's oorbel.

Leslie

'Je vergeet hoe donker het wordt,' zei ze zacht. Ze lagen in hun eigen bed, in Vermont.

Hij antwoordde niet. Ze dacht dat hij misschien in slaap was gevallen. Ze wist dat hij moe was. Hij sliep in hotels nooit goed, en bijna meteen na hun thuiskomst was hij naar het ziekenhuis gegaan om te zien hoe het met zijn patiënten ging. Hij was daar lang gebleven, tot halverwege de avond.

Ten slotte deed hij zijn mond open. 'Ik ben het niet vergeten,' zei hij. 'Ik ben blij dat ik weer thuis ben.' Zijn hand ging over haar arm heen en weer. 'Ik vind het fijn als het donker is. Donker en stil.'

'Als in een graf,' zei ze. Haar hoofd rustte tegen zijn borst en zijn schouder. Hij rook naar Pierce. Naar zweet. Naar zeep. Ook naar zaad; ze rook het op hem, en waarschijnlijk ook op zichzelf. Nog een vertrouwd Pierce-luchtje.

Dat was hun geheim: het onwaarschijnlijk intense seksleven dat ze met elkaar hadden. Misschien zou iemand het achter Pierce wel hebben gezocht: hij had zo veel energie dat het voor de hand lag dat hij die ook voor dat onderdeel van zijn leven zou gebruiken. Ze wist dat het bij haar minder voor de hand lag. Maar als jonge vrouw was ze een wilde meid geweest, in haar ogen een *stoute meid*. Het huwelijk had haar getemd, maar ze was nog altijd dol op het aspect van de seks waardoor ze zich als nieuw ging voelen, waardoor ze uit zichzelf werd getrokken – en Pierce kon zich daarin met haar meten en was haar bevrijder. Meestal vrijden ze twee of drie keer per week. Dat hadden ze altijd gedaan. Uit opmerkingen van vriendinnen – zowel vriendinnen die meer seks wilden als vriendinnen die minder wilden – wist ze dat dat ongebruikelijk was. Ongebruikelijk was ook hoe grootmoedig en zorgvuldig hij haar haar genot bezorgde, en hoe veel trots hij daaruit putte.

'Vind je dat? Dat het hier op een graf lijkt?' Zijn stem klonk hol onder haar oor, dieper dan gewoonlijk.

'Nee. Dat was maar een grapje. Ik ben dol op het huis. Ik vind het heerlijk hoe donker het hier 's nachts is, dat weet je. Maar ik ben ook dol op hotelkamers. Vanwege het gevoel dat er overal om je heen leven is.'

Hij zuchtte, en ze gingen anders liggen, naast elkaar. Opeens zag ze voor haar geestesoog hoe ze er van bovenaf uit zouden zien: de twee lange gedaanten naast elkaar op het bed, die elkaar niet aanraakten.

Er was geen maanlicht, en mede daarom was het zo donker. Ze hadden geen gordijnen voor de slaapkamerramen – dat was niet nodig, omdat ze uitzagen op een beboste heuvel achter het huis. Leslie zag de ramen als rechthoekige vlakken die wat minder zwart waren dan de kamer. Of misschien moest je ze als het donkerst mogelijke grijs beschrijven, bedacht ze.

Ze draaide haar hoofd om om naar Pierce te kijken, een vage gedaante op het lichte laken. Van zijn lijf straalde nog steeds warmte van het vrijen af. 'Ik heb Sam vandaag aan de lijn gehad,' zei ze.

'Je vriend Sam.'

Ze wist niet zeker wat zijn toon te betekenen had, wat hij bedoelde. Ze zei: 'Ook jouw vriend.'

'Mmm-mm,' zei hij.

En opeens vroeg ze zich weer af, zoals ze dat van tijd tot tijd deed, hoeveel hij ooit had geraden. Nu eens had ze de indruk dat hij niets van haar innerlijk leven afwist, dan weer dat hij er alles van wist.

Hij schraapte zijn keel. 'Belde hij om te bedanken?'

'Ja. En voor Billy's nummer.'

'Aha. Je goocheltruc heeft gewerkt.' Zijn toon was veranderd. Hij klonk alsof hij glimlachte.

'Kennelijk.' Ze ging rechtop zitten en trok de dekens over hen beiden heen, en legde ze zo neer dat ze gelijke stukken kregen. Ze ging weer liggen. Een ogenblik later zei ze: 'Maar als de truc echt had gewerkt, zou ze hem zelf haar nummer hebben gegeven, denk je ook niet?'

'Vermoedelijk.'

Hij klonk afstandelijk, slaperig misschien. Ze vroeg zich af of hij hier enig belang in stelde. Ze vroeg zich af waarom hij zo lang in het ziekenhuis was gebleven, waardoor hij in beslag werd genomen. Hij maakte de indruk ergens door in beslag te worden genomen. Ze zei: 'Ik was vreselijk aan de telefoon.'

Na een korte stilte zei hij: 'Ik wed van niet.'

'Wel waar. Ik zei dat het stuk volgens mij over Billy en Gus ging. Dat het haar gevoelens over Gus onthulde.'

Hij zweeg lange tijd. 'Nou, dat zal de betovering wel verbreken.' Zijn toon was droog.

Had ze dat geprobeerd? De betovering te verbreken? Het feit dat ze hem aan Billy had gegeven ongedaan te maken? Hem terug te nemen? Sám terug te nemen?

Maar ze kon Sam niet terugnemen. Ze had Sam niet. Ze had Sam niet gehad, in geen tijden.

Néé, dacht ze. Ze had hem nooit gehad. Hij had naar haar verlangd, van haar gedroomd, toen zijn huwelijk stukliep. Dat was alles. Dat wist ze. Hij had bovendien naar haar in haar jongere gedaante verlangd, hield ze zichzelf voor. Ze was toen nog knap geweest. Haar haar was toen nog donkerbruin en ze was nog slank.

Goed, niet slank, maar anders dan nu.

En ze veronderstelde dat ze zelf ook kortstondig van Sam had gedroomd – een droom die ze zichzelf had toegestaan vanuit haar positie in een huwelijk dat nooit stuk zou lopen. Opeens dacht ze weer aan het toneelstuk, aan Gabriel, de mannelijke hoofdfiguur. Aan zijn huwelijk. Als hij over bepaalde dingen sprak, had hij de indruk gemaakt gek op zijn vrouw te zijn. Wat was er in zijn huwelijk veranderd, en hoe, om hem zijn huidige gevoelens te bezorgen? Om te veroorzaken dat hij, in elk geval één ogenblik, blij was dat zijn vrouw misschien dood was.

Leslie keek omhoog naar het onzichtbare plafond. Ze probeerde zich in te denken hoe het zou zijn als Pierce doodging, hoe haar leven zou veranderen. Misschien zou het worden opengebroken en zou ze zich afkeren van alle vaste routines die ze samen deelden. Misschien zou ze een baan krijgen. Een echte baan.

Ze dacht aan het gesprek dat ze gisteravond in de pauze met Sam hadden gevoerd. Hij had haar gevraagd wat voor werk ze deed, en zij had geprobeerd luchtig heen te stappen over het feit dat ze geen werk meer had. Terwijl ze met de twee mannen in de lobby stond, had ze gezegd: 'Je hebt liefde en werk nodig, heeft Freud dat niet gezegd? Hoe het ook zij, ik denk dat ik alleen nog liefde heb.' Bij die woorden had ze Pierce aangekeken. Ze veronderstelde dat ze had gewild dat hij iets deed. Dat hij haar keuze op de een of andere manier zou verdedigen. Dat hij in aanwezigheid van Sam zei dat hij van haar hield. Dat liefde alleen genoeg was.

Nee, dat kon ze niet hebben verlangd. Ze wist dat Pierce dat nooit in aanwezigheid van een ander zou zeggen. Ze had echter wel iets van hem verlangd.

Maar hij had haar signaal genegeerd, voor zover ze er een had afgegeven. Hij begon over Freud, over de eigenaardige uitspraken die je in je hoofd had en die hij zou hebben gedaan. 'Je had natuurlijk de sigaar. Vanwege Monica Lewinsky nu voorgoed veranderd. God, het is tenslotte niet zomaar een sigaar.' Hij had gegrijnsd en Sam een glimlach ontlokt. Zij had waarschijnlijk ook geglimlacht, omdat hij er zo dwaas en zo enthousiast uitzag.

Vervolgens vertelde hij een mop die Freud naar verluidt leuk had gevonden. De uitspraak van een ouder echtpaar: 'Als een van ons komt te overlijden... denk ik dat ik naar Parijs verhuis.' Hij had er hard om gelachen.

Tja, het was grappig, maar ook pijnlijk.

Daar, zou Pierce hebben gezegd, zit hem de grap in.

Maar daar ging het stuk over, dacht Leslie opeens. In elk geval voor een deel. De wens om je in te denken hoe het leven kon zijn, hoe het kon veranderen, als je alleenstaand was.

Was dat even een raar woord. Alleenstaand.

Pierce' ademhaling was zwaarder geworden. Hij sliep.

Deed iedereen die getrouwd was dat weleens: zich een leven als alleenstaande indenken? Ze vroeg zich af of Pierce het zou doen. Als zij als eerste kwam te overlijden, kon hij naar Parijs verhuizen. Ze zag hem daar rondlopen – nee, rondstappen – in een smalle straat: gretig om zich heen kijkend en dingen in zich opnemend, terwijl hij met zijn vreselijke accent vragen aan onbekenden stelde. Hij zou daar de energie en de vitaliteit voor hebben.

Zij niet. Als hij als eerste kwam te overlijden, zou ze breken met hun vaste gewoonten, dat wel, maar ze zou niet in staat zijn hetzelfde te doen als hij: opnieuw beginnen, een nieuw leven beginnen.

Natuurlijk was er het verdriet. Als zij overleed zou Pierce misschien veranderen door het verdriet, zoals zij door Gus' dood was veranderd. Hij zou door verdriet worden belaagd. Erdoor worden lamgelegd.

Ze dacht weer aan Billy. Aan Billy en het stuk. Aan Billy en Gus. Ze had dat niet aan Sam mogen zeggen. Waarom zou het voor hem van belang zijn of Billy al dan niet een ogenblik – of een paar ogenblikken, of zelfs een paar dagen of maanden – vrij van Gus had willen zijn? Je dat willen indenken. Dát was Billy's goed recht. Ongeacht wat dat gevoel inhield. Het gevoel méér te willen, zoals Gabriel had gezegd. Vrij willen zijn van alles in het leven wat al te vertrouwd is. Verlangen naar iets nieuws.

'We verlangen,' had Gabriel gezegd. 'Als we niet meer verlangen, voelen we ons dood en verlangen we ernaar meer te verlangen.' Iets in die geest.

Haar leven lang had ze geprobeerd niet te verlangen. Tevreden te zijn, Vrede met het leven te hebben. Dat zorgde voor veiligheid, had ze gedacht. Je kon niet gekwetst worden.

Toen was Gus omgekomen en zijn dood had haar een mogelijkheid geboden om nog minder te verlangen, om haar leven nog meer in te perken. Ze wist niet meer of ze tevreden was. Of ze vrede met het leven had.

Alles wat ze verlangde had ze echter hier. Hier voelde ze zich veilig. Naast Pierce. In hun bed. Hier, waar ze woonde, waar het veilig, stil en donker was.

Rafe

De avond nadat Rafe voor de eerste keer op het toneel had gehuild, kwam Edmund voor de voorstelling naar zijn kleedkamer om met hem te praten. Hij ging in de andere ongemakkelijke stoel zitten en kreunde een beetje terwijl hij er met zijn volle gewicht in neerzakte. Hij had zijn benen gespreid en zijn voeten in de enorme sportschoenen naar buiten gedraaid: de eerste positie. Rafe vroeg zich wat voor schoenmaat hij wel moest hebben – bestond er zoiets als maat vijfenvijftig?

'Waarom denk je dat ik hier ben?' vroeg hij en zijn handen waren al druk in de weer in zijn baard.

'Ik weet waarom je hier bent.'

'Oké. Dan weet je wat de grote vraag inhoudt. Kun je het opnieuw?'

'Ik denk van wel. En anders zal ik dicht in de buurt komen.'

'De tranen ook? Ik neem aan dat dat twijfelachtig is.'

Rafe keek naar zijn eigen uitdrukkingsloze gezicht in de spiegel. 'Die zijn misschien niet zo moeilijk te produceren.'

Edmund knikte verschillende keren. 'Dat is dan het goede en het slechte nieuws, lijkt me. Handig voor ons, dat het zo zit. Misschien heel ellendig voor jou dat je uit een reservoir kunt putten. Zogezegd.'

'Ja.'

'Goed dan.' Hij hees zichzelf overeind. Meer gekreun. 'Ik ga met Faith praten en zeg haar dat dat te gebeuren staat.' Faith was de actrice die de tien seconden durende rol van Elizabeth speelde. 'En misschien praat ik ook met Serena.' Anita. 'Het gesprek dat je met haar voerde, was ook een beetje anders. Je moet een idee hebben gehad van wat er aan het slot met jou ging gebeuren.'

'Ja.' Hij keek Edmund in de spiegel aan. 'Ik voelde me er een beetje vervelend bij, dat ik er iedereen mee overviel. Maar ik vond dat ze geweldig reageerde. Ik vond dat wat Serena deed echt werkte. Dat gold eigenlijk voor allebei.'

'Ja, dat is zo.' Edmund keerde zich naar de deur toe. 'Nou, verder maar weer. De laatste try-out. En na de voorstelling gaan we er met zijn allen over praten.'

Zoals beloofd had Rafe het die avond weer gedaan, en hij wist dat het daarna geen probleem meer zou vormen. Inderdaad verraste het hem nu niet, hij werd er niet door overspoeld, zoals de eerste keer, maar het werkte. Hij zorgde ervoor dat het werkte.

Dat kreeg hij voor elkaar door aan Lauren te denken. Hij stelde zich voor dat Elizabeth Lauren was, waarna zijn verraad aan Elizabeth overging in alle keren dat hij Lauren had verraden, in gedachten, in woorden en in daden – en vervolgens ging het ook over in wat hij op dat ogenblik op het toneel deed: verraad doordat hij haar gebruikte om zichzelf te laten huilen. Hij dacht aan haar lange, trage sterfproces en hoe dankbaar hij zou zijn als ze gewoon kon terugkomen om net zo voor hem te staan als Elizabeth – als Faith – aan het slot van het stuk. Met alleen licht letsel. Met alleen lichte verwondingen. Toen kwamen de tranen.

Na afloop gingen ze met zijn allen in de woonkamer op het toneel zitten, afgesloten door het neergelaten doek, en hield Edmund een opwekkend praatje voor de première. Ze waren uitstekend in vorm. De laatste try-out was geweldig geweest. Het publiek was ongelofelijk ontvankelijk geweest. Edmund zei dat door Rafes nieuwe versie van de slotscène 'het laatste puzzelstukje op zijn plaats is gevallen. Het wordt een fantastische voorstelling.' Hij stond op en deed een dansje voor hen. Hij bewoog zich verrassend licht en sierlijk, maar alles aan hem wiebelde op een absurde manier, en iedereen moest lachen. Toen Rafe achter Edmund aan naar de coulissen liep, hoorde hij zijn zware ademhaling, en de lucht die sissend en onregelmatig door zijn neusgaten ging.

Drie weken lang, zolang het stuk werd gespeeld, haalde Rafe zich elke avond het beeld van zijn stervende vrouw voor de geest en zijn verdriet om het leven dat hij met haar had geleid. En vervolgens stak hij zich, bijna meteen nadat het doek was gevallen, weer in zijn spijkerbroek, zijn T-shirt en zijn trui, en ging naar huis.

Hij ging twee keer met Edmund uit, maar daar bleef het bij. Hij sloeg de uitnodigingen af van de andere groepjes die zich soms vormden om wat te gaan drinken, en waar op een keer ook Billy deel van uitmaakte. Toen ze weggingen trok ze een gezicht naar hem – kom op –, maar hij haalde zijn schouders op en hief zijn handen omhoog: hoe kan ik?

Niet dat Lauren bij zijn thuiskomst nog wakker was. Dat was ze niet. De Round Robin, waarvan een van de leden kwam als hij naar het theater vertrok of vlak daarna, bracht haar vroeg naar bed. Wanneer hij de slaapkamerdeur opende, hoorde hij het geluid van de luchtbevochtiger en daaronder haar ademhaling, soms ook een licht gesnurk.

Hij keek hoe het met haar was, hoe het met de kat was, las soms de krant en keek soms tv. Meestal naar een uitzending over politiek. Het seizoen is begonnen. In het theater hadden ze het er ook voortdurend over. Bijna alle acteurs en technici waren voor een van de Democraten, meestal voor Obama of Clinton. Serena, die Republikein was, mocht Giuliani wel, maar niemand had zin om daarover met haar in debat te gaan.

Rafe had besloten dat hij Edwards wel mocht. Misschien

had dat iets met zijn achtergrond als jongen uit de arbeiders-klasse te maken, of met zijn populisme. Of misschien kwam het gewoon doordat Edwards' vrouw ook ziek was. Zo werkte identificatie in de politiek.

Toen het stuk al geruime tijd liep, werden hem twee andere stukken ter lezing aangeboden en moest hij zich op die eenzame avonden ook daaraan wijden: aan de lectuur van die stukken en het voorbereiden van de tekst van wat misschien zijn rol zou worden. Het was natuurlijk goed nieuws, en waarschijnlijk te danken aan de goede recensies die de voorstelling had gekregen. En Rafe was er in de recensies nog beter vanaf gekomen dan het stuk zelf. Er was van een Eliot Norton Award gesproken.

Nu ja, Edmund had die mogelijkheid enkele keren tegenover hem uitgesproken.

Toch was hij rusteloos. Hij zag uit naar Gracies lange bezoek met de feestdagen: ze zou meteen na de laatste voorstelling komen. Hij verheugde zich erop 's avonds met iemand te kunnen praten en tv te kunnen kijken. Gracie speelde ook graag gin rummy, een spel dat ze hem had geleerd. Met genoegen dacht hij terug aan de lange reeksen spelletjes die ze hadden gespeeld, en hoe hij daarin was opgegaan. Hij had voor de kerst voor hen allebei een groene zonneklep gekocht.

Voor Lauren had hij een abonnement genomen op luisterboeken die hij kon downloaden, en hij had een iPod voor haar gekocht waarmee ze ze kon beluisteren. Toen hij bij de kassa zijn creditcard overhandigde om het ding te betalen, schoot hem te binnen hoe Lauren had gesproken over haar spraakgestuurde computerprogramma. 'Het digitale tijdperk,' had ze gezegd, en er een gezicht bij getrokken dat voor laconiek moest doorgaan. 'Wat een fantastische tijd om invalide te zijn.'

Op het feestje na de laatste voorstelling, dat plaatsvond in een raamloze, sfeervol verlichte zaal achter een plaatselijk restaurant, stond Rafe met een glas in zijn hand toe te kijken hoe de groep samenkwam en rondliep. Alle acteurs waren aanwezig, en uiteraard ook Edmund. Een aantal van de geluids- en belichtingstechnici was gekomen, evenals Madoka, de kostuumontwerpster, die iets droeg wat meer weg had van willekeurig op haar lijf gespelde lapjes textiel dan van een kledingstuk. Er was een aantal niet thuis te brengen aanwezigen: de mannen, vrouwen of geliefden van mensen die bij de voorstelling betrokken waren, en die vanavond voor de gezelligheid waren meegekomen. Ellie, de toneelmeester, praatte met een van de sponsors – misschien de man die de huur van de zaal had betaald, alsmede de bladen met hors d'oeuvres en sierlijke glazen wijn die werden rondgedragen. Edmund zei dat het 'hem niet vrijstond' te onthullen wie het feestje had bekostigd.

Bob, de acteur die Alex speelde, kwam naar Rafe toe en sprak een poosje met hem over Philip Seymour Hoffman, Bobs idool – Rafe dacht dat dat misschien deels kwam doordat ze qua lichaamsbouw zo sterk op elkaar leken. Rafe was het echter met hem eens: hij was ook dol op Hoffman.

Toen hij iets te drinken ging halen, werd hij door Serena klemgezet. Ze spraken over wat er hierna ging gebeuren. Hij vertelde haar over de stukken waarin hij mogelijk ging spelen. Ze zei dat ze blij voor hem was. Ze zei: 'Het is gewoon geweldig om te zien hoe je op deze manier erkenning krijgt.'

'Ik ben verdomme vijfenveertig,' zei hij tegen haar. 'Het wordt wel tijd voor een beetje erkenning.'

Ze leek even van de wijs te zijn. 'Nou, maar je weet wel wat ik bedoel.'

En omdat ze het goed had bedoeld, omdat ze het in de voorstelling goed had gedaan, zei hij dat hij begreep wat ze bedoelde. Hij bedankte haar.

Iemand had voor muziek gezorgd, op een iPod met heel kleine luidsprekertjes. Ellie en Nasim dansten al een poosje. Nu danste Annie ook, met haar man. Toen het nummer was afgelopen, riep Bob: 'Doe je dansje nog eens voor ons, Edmund!' Een paar mensen begonnen te klappen en te scanderen: 'Ed-mund! Ed-mund!'

Rafe zag hoe Billy, die met een van de decormensen stond te praten, zich omdraaide. Snel stapte ze de zaal door, op Edmund af, die zich klaarmaakte om loos te gaan. Billy zei: 'Eddie en ik gaan samen dansen,' en pakte hem bij zijn arm. Het nummer dat werd gedraaid was 'Such a Night' van Dr. John. Billy wendde zich tot Edmund en stak haar handen omhoog voor een dans in een gesloten ballroomhouding. Edmund stapte naar voren en torende boven haar uit, hoewel hij niet bijzonder lang was. Overdreven gestileerd begonnen ze aan wat misschien een foxtrot had kunnen zijn.

Dat was aardig van haar, dacht Rafe: Edmund ontzetten zodat hij niet door hen zou worden uitgelachen. Liefdevol uitgelachen, dat wel. Maar ze hadden gewild dat hij zichzelf weer voor gek zou zetten, en daar had zij hem voor behoed. Rafe zette zijn glas neer en wendde zich tot Faith – Elizabeth –, die bij hem in de buurt stond. Hij vroeg haar ten dans. En vervolgens begaven ook Madoka en twee belichters zich op wat voor de dansvloer doorging, een kleine, met tapijt bedekte zone naast de tafel waarop alle glazen en flessen waren neergezet.

Later, toen een aantal aanwezigen was vertrokken en het gezelschap kleiner was geworden – en opgesplitst in groepjes van twee of drie mensen die diepgaande of kennelijk hilarische gesprekken voerden – kwam Billy naar Rafe toe, die tegen de muur geleund het geheel stond gade te slaan. Hij was opgehouden met drinken. Hij dacht erover naar huis te gaan.

'Weet je,' zei ze, 'ik ben er nooit toe gekomen je te zeggen hoe fantastisch je bent geweest.'

'Dank je.'

'Die eerste keer.' Ze schudde haar hoofd. 'Vooral toen ging ik helemaal van mijn sokken.'

'Ben jij nou een vrouw van het woord,' zei hij.

Haar uitdrukking veranderde – alsof ze hier een kinderlijk plezier in had. Ze lachte haar haastige, snuivende lachje. Toen zei ze: 'Maar het was wel zo. Ook al had ik niet eens sokken aan. En ik heb gehoord dat jij verdergaat. Dat je andere aanbiedingen hebt gekregen.'

'Misschien. Ik ben een paar stukken aan het lezen.'

'Daar ben ik blij om. Voor mij heb je dit stuk echt... van de grond gekregen. Je hebt me geholpen om te beseffen waarom ik het heb geschreven.'

'Nou, ik ben jou ook dankbaar. Om Gabriel,' zei hij en hij boog zijn hoofd. 'Ik weet dat ik mede daarom nu die andere aanbiedingen heb gekregen.'

'Ik zou het heel prettig vinden als dat waar was,' zei ze en ze beantwoordde zijn buiging met een kleine reverence, waarbij ze haar rechte rok zo veel mogelijk naar beide kanten uitspreidde. Hij dacht aan haar lichaam, aan haar sterke benen en hoe hij die had geopend, en voelde een korte steek, die hem enkele ogenblikken bewust maakte van zijn ademhaling.

'Wat ligt er voor jou in het verschiet?' vroeg hij.

'Niet veel. Meer van hetzelfde, meer van hetzelfde, in de woorden van onze vriend Gabriel. Of in de woorden van Gabriel zoals weergegeven door onze vriendin Emily. Ik werk aan een stuk.'

'Maar ik dacht dat dit stuk op tournee zou gaan.'

'Volgend jaar, is de bedoeling. In het najaar.'

'Ah. Dus je hebt het voorlopig even rustig.'

'Als in het graf,' zei ze en ze glimlachte. Rafe had ergens eens gelezen dat verschillende lachjes uit verschillende delen van de hersenen afkomstig waren: een echte glimlach, een glimlach van oprecht genoegen, was van de ene kant van de hersenen afkomstig, en een beleefde glimlach, die alleen genoegen moest suggereren, kwam van de andere kant. Deze glimlach was van die andere kant afkomstig.

De lach trok snel weg en ze zei: 'Weet je, ik zou het misschien niet ter sprake moeten brengen, maar ik hoop dat alles in orde met je was na ons' – ze wierp een snelle blik om zich heen – 'tête-à-tête.'

'Ja hoor. Het was in orde.'

'Ik bedoel, het speet me... het spíjt me als het problemen heeft veroorzaakt. Het was natuurlijk makkelijker voor mij. In mijn ongecompliceerde eenzaamheid.' Die laatste woorden sprak ze op spottende toon uit.

Hij dacht aan Lauren op het toilet, een stukje naar één kant gezakt, die met een volkomen ontdane uitdrukking zat te huilen.'Er waren maar een paar probleempjes...' begon hij.

'O! Ik wist het!' zei ze. 'Ooo.' Ze schudde haar hoofd. Ze leek bijna in tranen. Wellicht was ze aangeschoten. 'Het spijt me.'

'Niet nodig. Het is niet jouw schuld.' Madoka vertrok nu, nam vanuit de deuropening afscheid en deelde luchtkusjes uit. Iedereen beantwoordde haar afscheidsgroet. Ellie ging naar haar toe en omhelsde haar. Rafe en Billy zwaaiden. Toen zei Rafe: 'Je komt daar te vlug mee, weet je.'

'Waarmee?'

'Die zelfbeschuldigingen. Niet alles is godverdorie jouw schuld. Dat meen ik. De levens van mensen zijn' – hij hief zijn handen, met de palmen omhoog – 'wat ze zijn. Jij draagt er geen verantwoordelijkheid voor.' Ze zag er opeens zo aangeslagen uit dat hij haar een beetje wilde opmonteren. 'Een heleboel is uiteraard wel jouw schuld. Alleen niet alles.'

Ze liet haar hoofd opzijzakken. 'Dat weet ik.' Ze knikte verschillende keren. 'Ik weet het. Welbeschouwd is het iets grandioos. Mijn eigen geheime, kleine psychische lijden.'

'Het is niet zo geheim. En ook niet zo klein.'

Ze glimlachte, haastig.

'Maar wie weet,' zei Rafe. 'Misschien ben ik er zelfs door geholpen – door die moeilijkheden. Hebben ze min of meer geholpen om... me goed in de rol in te voelen. Dus misschien zou ik daar ook dankbaar voor moeten zijn. Al ben ik dat niet.'

'Weet je, eigenlijk heb ik dat een beetje aangevoeld.' Een bezorgde rimpel etste zich in haar voorhoofd en verdween weer. 'Dat er iets was gebeurd waardoor jij op het toneel de dingen anders aanvoelde. Natuurlijk was dat maar een gissing van me. Maar bij de volgende voorstelling speelde je zo anders dat ik dacht dat het misschien te maken had met... wat er was gebeurd.'

'Met was er was gebeurd, ja. En met wat daarop volgde. En met alles waarover we die avond en daarvoor hadden gepraat, met wat jij over het stuk en over je leven vertelde. Het kwam zogezegd allemaal van pas.'

Een ogenblik later zei ze: 'Dat geldt voor alles, hè?'

'Voor mij wel.'

'Voor mij ook. Maar het is een rare manier om in het leven te staan, vind je niet?'

'Tja,' zei hij, 'je gebrúikt alles. Daar valt niets anders over te zeggen. Je benut zo goed als alles.'

Ze zag er treurig uit. Toen kwam haar gezicht opnieuw tot leven, en zei ze: 'De milieubewuste richting in de menselijke interactie. Geen afval, geen rotzooi.'

'Hoe het met de rotzooi zit, weet ik niet.'

Ze lachte.

Opeens was Edmund bij hen, die bij hen allebei een arm om de schouders sloeg en hen beurtelings aankeek. 'Nog iets drinken, liefjes van me?' vroeg hij. 'We gaan ergens anders naartoe, want hier is het sluitingstijd.'

Rafe schudde zijn hoofd. 'Ik moet gaan.'

Billy zei: 'Voor mij nog eentje, Eddie, als je belooft me hierna naar huis te dragen.'

'Omdat je zo groot bent als je bent, Wilhelmina, is dat afgesproken.'

Alle aanwezigen waren doende met jassen, handschoenen, mutsen en sjaals. Vier à vijf mensen zetten de bijeenkomst voort. Anderen regelden dat ze konden meerijden met Rafe, Serena of Nora Fine – een van de sponsors –, die met de auto waren.

'O, ik vind het zo jammer dat dit voorbij is,' zei Annie steeds weer, totdat Edmund ten slotte zei: 'Het leven gaat door, schat.'

'Alsmaar door,' zei Rafe.

Buiten bleven ze nog een poosje in de koude avondlucht staan, namen nog eens afscheid en bezwoeren elkaar dat ze contact zouden houden. De gebruikelijke dingen. Tegenover het uitgestrekte, lege terrein waar hun auto's geparkeerd stonden zag Rafe het verkeer in vlot tempo over het viaduct heenrijden, als speelgoedautootjes. Hij liep naar Billy toe, bukte zich en kuste haar op haar wang. Ze rook naar wijn. Net toen hij van het groepje weg wilde lopen in de richting van zijn auto, werd hij door Edmund in de armen gesloten. 'Wat heb ik hiervan genoten,' zei hij en hij klopte Rafe op de rug.

'Ik ook,' zei Rafe. 'Ik heb er ook van genoten.'

Nu zit Rafe in zijn auto voor het donkere pand, met de motor af – hij is er nog niet aan toe om naar binnen te gaan, hij is er nog niet aan toe dat het voorbij is, al is hij daar ook blij om. Hij doorleeft weer hoe hij zich avond na avond heeft gevoeld.

'Begínners!' Dat roept Ellie, de toneelmeester, in de coulissen wanneer het voor Rafe tijd is om zijn plaats op het toneel in te nemen; Rafe, de acteur met wie alles begínt. Terwijl hij in zijn kleedkamer op haar oproep wacht en in de spiegel kijkt, kan hij niet besluiten wat hij vindt van wat hij direct gaat doen. Is dit het meest cynische wat je kunt doen? Of benut hij zodoende zijn leven, Laurens leven en wat hun is overkomen, op de beste manier?

Vanuit de spiegel kijkt Gabriel hem aan, de man die hij heeft neergezet en die hij zich eigen heeft gemaakt, de man wiens verdriet uit zijn verdriet is geput, en wiens vreugde uit zijn vreugde is geput, maar die hij steeds weer gebruikt om aan zijn eigen verdriet en vreugde te ontsnappen, om ze tot handelswaar, tot iets verkoopbaars, om te vormen. Om ze, ten goede of ten kwade – dat weet hij niet – tot kunst om te vormen.

Billy

Een tijd lang had ze erg veel te doen. Het was het einde van het semester, waarvoor ze het laatste werk van haar studenten moest doornemen, en vervolgens werd het door een student geschreven stuk dat met de Dorland Prize was bekroond voor een publiek gelezen – eind november was ze bijna een hele week bezig geweest de voorgelegde stukken te lezen. Vervolgens werd er tot besluit van het semester een feest gegeven in een groot huis in Cambridge waar een van haar studenten woonde – een getrouwde vrouw van in de veertig. Na de eerste ogenblikken had Billy zich eigenlijk niet meer verbaasd over de omvang en de grandeur van het huis. Angela had iets merkbaar welgestelds over zich gehad, iets chics dat Billy al vroeg in het semester was opgevallen, al had ze er geen idee van hoe ze zo rijk was geworden. Omdat haar stuk haar zo veel tijd kostte, had ze haar studenten dit jaar niet zo goed leren kennen als doorgaans het geval was.

Het feestje was vrolijk en er werd flink gedronken, de studenten waren opgelucht dat ze klaar waren. Terwijl Billy flarden van verschillende gesprekken opving, voelde ze enige afgunst vanwege de flirterige manier waarop de studenten met elkaar omgingen. Ze probeerde rond te lopen en ervoor te zorgen dat ze met iedereen een praatje maakte, ook al betwijfelde ze of dat iemand veel kon schelen. Uiteindelijk was ze te lang in gesprek met Patrick, de man van Angela. Hij bleek aan zijn geld te zijn gekomen door de ontwikkeling van beveiligingssystemen voor bedrijven waarop hackers geen vat hadden. Billy had het idee dat mensen steeds vaker leefden en aan de kost kwamen op manieren die voor haar niet te begrijpen waren. Dat zou vast alleen nog maar erger worden, en vervolgens zou ze haar stukken moeten laten spelen in de jaren negentig, de jaren tachtig of zelfs de jaren zeventig, waarvan ze zich erg weinig herinnerde. Hoe dan ook stond ze een poosje met die Patrick aan de rand van de kamer en stelde hem stomme vragen over zijn werk.

Vervolgens werd ze opgezadeld met een studente: Maddie. Maddie van de zonder uitzondering sinistere toneelpersonages, die zonder uitzondering in een tragisch isolement verkeerden. Ze haalde voor Billy een aantal opmerkingen aan die Billy naar haar zeggen tijdens de colleges had gemaakt, opmerkingen die Billy zich volstrekt niet herinnerde.

'Weet je dat zeker?'

'Ja. Weet je nog: het was een scène van John, de eerste die hij schreef.' Ze was een knappe, nerveuze vrouw. Na elke pauze kwam ze met een walm van nicotine om zich heen naar het werkcollege terug. 'Je hebt ook gezegd dat zijn personage praatte als een "pensioengerechtigd kakmeisje".'

'Heb ik dat gezegd?' vroeg Billy.

'Ja. Je zei dat niemand van Amelia's leeftijd voortdurend "o, mijn god!" zou roepen. Je zei: "Je mag hopen dat met de jaren dan wel geen wijsheid komt" – of misschien zei je: "weliswaar geen wijsheid" –, "maar in íeder geval een wat grotere woordenschat."' Er trok een glimlachje over haar lippen terwijl ze deze woorden naar Billy terugspeelde – het deed haar kennelijk genoegen om Billy te laten zien hoe goed ze had opgelet. Hoe toegewijd ze was geweest, klaarbijkelijk.

Billy wist echter niet zeker wat haar bedoelingen waren, en hoe ze haar toon moest opvatten. Hij maakte een vijandige indruk, op een manier die ze niet kon plaatsen. Zodra ze met goed fatsoen bij Maddie weg kon komen, deed ze dat.

Ze praatte een poosje met de vrouw van een van haar studenten, een advocate die net met haar baan was gestopt om aan de theologische faculteit van Harvard te gaan studeren. Ze zei dat ze geen idee had wat ze met haar studie zou doen, maar ze voelde de behoefte om haar religie en haar religieuze opwellingen op een systematische manier te bezien.

'Maar wat prachtig, om opnieuw te beginnen,' zei Billy.

'Tja, het is heel Amerikaans, ben ik bang.'

'Niet zoals jij het doet, zou ik denken. De Amerikaanse manier houdt in dat je Jezus tot je persoonlijke verlosser uitroept, tot je beste vriend, om vervolgens net zo door te gaan als je toch al deed... in de zekerheid dat alles wat je ooit hebt gedaan door hem gezegend was.'

'Ach, nu even geen politiek,' zei de vrouw. Ze heette Louise.

Billy zette onnozele grote ogen op. 'O, ik had het niet over Bush, hoor.'

Louise lachte.

Later zocht Billy John op, tegen wie ze kennelijk die krenkende opmerkingen had gemaakt, en tot haar genoegen leek er bij hem totaal geen sprake van blijvende wrok te zijn. Misschien had ze haar woorden beter geformuleerd dan Maddie ze tegenover haar had herhaald.

Intussen waren er, nu het feest al een paar uur duurde, mensen gaan dansen in een grote ruimte naast de immense toegangshal, en wel op muziek die Billy niet herkende. Ze vatte het op als wenk om te vertrekken. Ze ging naar Angela toe en nam afscheid.

De volgende avond nam ze de opmerkingen door die ze over het werk van de studenten had gemaakt en bedacht wat voor cijfer ze hun zou geven. De volgende ochtend verstuurde ze die cijfers per e-mail, en daarmee was de kous af. Het semester was voorbij.

Twee avonden later was de laatste voorstelling van *Lake Shore Limited*. In Billy's ogen was de voorstelling wat te weinig geladen, maar het stuk kreeg een staande ovatie. Dat betekende eigenlijk niet veel, want alles kreeg tegenwoordig een staande ovatie, maar toch was ze ermee ingenomen. En na afloop werd in een restaurant een feestje voor de acteurs gegeven, waar voor de gezelligheid ook alle anderen aanwezig waren die bij de voorstelling betrokken waren.

Billy was de afgelopen weken een beetje bezorgd om Rafe geweest. Hij leek haar en de anderen te mijden – elke avond vertrok hij bijna meteen na het vallen van het doek en sloeg hij uitnodigingen af om wat te gaan drinken. Maar tegen het einde van het feestje voerden ze een ontspannen gesprek. Ze kon hem eindelijk vertellen hoe ingenomen ze met zijn ingreep in de rol was geweest.

Hij had een sterkere, robuustere indruk gemaakt, alsof hij was opgeknapt doordat de voorstellingen waren afgelopen en misschien ook doordat hij het zo goed had gedaan. Hij had schitterende recensies gekregen.

Terwijl ze samen stonden te praten, kwam Edmund naar hen toe met het voorstel om met zijn allen naar een bar in de buurt te gaan die langer open bleef. Rafe sloeg het af, hij moest weg. Het bleek dat de meeste aanwezigen op het punt stonden te vertrekken, maar omdat Billy zich zorgen maakte om Edmund, zei ze tegen hem dat ze mee zou gaan.

Toen de mensen die vertrokken en de mensen die doorgingen buiten uit elkaar gingen, kwam Rafe naar haar toe, bukte zich en kuste haar haastig op haar wang, om vervolgens te vertrekken met een klein gezelschap mensen aan wie hij een lift gaf. Een ontspannen afscheid, dus. Maar terwijl hij wegliep, dacht ze om de een of andere reden aan zijn gezichtsuitdrukking op de avond dat ze hem voorbij het restaurant had zien zwalken waar zij met Leslie, Pierce en Sam zat – hij had er toen zo eenzaam en spookachtig uitgezien.

Over straat liepen ze naar het volgende adres: het viertal dat er nog niet aan toe was om naar huis te gaan en Billy. Evenals het restaurant waar ze vandaan kwamen, lag deze bar in een van de gerenoveerde oude fabrieksgebouwen waarvan het wemelde in dit gedeelte van het South End – het laatste deel van de buurt dat nog moest worden ontwikkeld. De straten waren hier 's avonds nog onverlicht, donker, leeg en een beetje griezelig. Billy was blij in gezelschap van anderen te verkeren.

De bar was voor de helft gevuld. Faith, Edmund en zij zaten op een kruk, van de bar afgedraaid, om Larry en Annie te kunnen aankijken, die stonden. Ze keuvelden over de mensen die eerder waren vertrokken, spraken toen nog eens over de laatste voorstelling en vervolgens over wat ieder van hen hierna ging doen.

Billy praatte een poosje met Faith, die de piepkleine rol van Elizabeth had gespeeld. Het was zo'n kleine rol dat ze bij de meeste repetities niet aanwezig was geweest en dat ze pas tegen de pauze naar het theater was gekomen. Het was het eerste echte gesprek dat Billy en zij voerden. Billy mocht haar.

Ze raakte in een langer gesprek met Larry verwikkeld. Hij was kort en gedrongen: de bouw van een tengere man die welbewust had besloten zijn lichaam door middel van gewichttraining te veranderen. Ze kende hem van andere stukken – geschreven door haar en door vrienden van haar. Hij woonde samen met Karen Blackmun, een actrice op wie Billy ook gesteld was.

Hij vroeg haar hoe het was om het stuk achter de rug te hebben.

'Het is nog te vroeg om dat te kunnen zeggen,' zei Billy. 'Meestal heb ik wel een kleine postnatale depressie. Welbeschouwd overkomt me dat tijdens het hele proces een paar keer. Als ik met het schrijven klaar ben, en dan nog eens na de laatste opvoering, zoals nu. Maar in dit geval kan ik er nog niets van zeggen.'

'Waarom niet?'

'Nou, ik heb er heel lang aan gewerkt – veel te lang.'

Jarenlang, in feite.

Onmiddellijk na 11 september, na Gus' dood, was ze er zeker van dat ze er nooit over zou schrijven. Ze zou niet durven. Erover schrijven zou betekenen dat ze er een bepaalde claim op legde, en ze had niets te claimen. In feite juist het tegenovergestelde, naar haar idee. Maar een jaar na 11 september vroeg Leslie haar een kleine herdenkingsdienst in Vermont bij te wonen, en Billy vond dat ze niet kon weigeren. Er werd voornamelijk gezongen en uit de Bijbel gelezen, maar om de een of andere reden werd Billy erdoor aangegrepen, en voor de eerste keer stortte ze in Leslies aanwezigheid in. Ze huilde om Gus, om Leslie en om alle mensen die op diezelfde dag in New York voor de grote herdenkingsdienst bijeen waren gekomen. Ze huilde om alles wat er na de aanslagen met het land was gebeurd, om de vreselijke manieren waarop van dit verdriet gebruik werd gemaakt.

Door de receptie na de dienst, waarbij ze werd voorgesteld aan mensen die Gus hadden gekend, leek er geen einde aan de middag te komen. In de loop van die middag kreeg Billy in versterkte mate opnieuw het gevoel dat ze een jaar eerder had gehad: dat ze onoprecht in het leven stond. Terwijl ze met anderen praatte, had ze het idee dat haar tranen in hun perspectief haar verdriet op een bepaalde manier een verheven status hadden verleend. Voor hen was het essentieel geworden wie zij wás. In hun ogen gaf dat haar leven een zin, een bepaalde betekenis.

In haar eigen ogen werd ze daardoor een afschuwelijke oplichtster.

Na thuiskomst schreef ze, woedend op zichzelf, iets op wat

naar haar idee tot een dialoog voor een personage in haar positie zou kunnen uitgroeien: voor een man die niet werkelijk tot daden in staat was maar ook zijn overleden geliefde niet verried. Ze legde het terzijde, maar pakte het de daaropvolgende jaren steeds weer op. Ze werkte eraan naast en tussen andere teksten die ze sneller voltooide – ze piekerde erover, bracht wijzigingen aan en zocht naar het juiste conflict en de juiste manier om dat op te lossen.

Elizabeth, de echtgenote – ze had in de loop der tijd verschillende andere namen gehad – was in verschillende versies omgekomen. In een van die versies werd Gabriels besluit om bij zijn minnares Anita te blijven door hem als een soort straf opgevat. In een andere versie stuurde hij Anita weg en was hij aan het slot alleen.

Terwijl Billy met de stof worstelde, werd haar duidelijk dat er, als Elizabeth omkwam, geen happy end voor Gabriel inzat. Ze vroeg zich van tijd tot tijd af of dat enige betekenis voor haar had, voor haar leven. Ze drukte zichzelf op het hart dat wat ze schreef geen voorspellend of bespiegelend karakter had ten aanzien van wat haar kon gebeuren en was overkomen, maar toch had ze het idee dat wat voor Gabriel en zijn dilemma gold, mutatis mutandis misschien ook voor haar opging.

Ze experimenteerde met varianten waarbij Elizabeth in leven bleef. In een van die versies overleefde ze de aanslag, maar raakte ze wel gewond. Gabriel kreeg dat te horen, en aan het slot ging hij af om te ontdekken in hoeverre hij haar zou moeten verplegen.

Maar ze besloot dat dat te veel aan *Ethan Frome* deed denken, en verwierp het.

Ze had flink wat tijd nodig gehad om op het uiteindelijke slot van het stuk te komen, maar toen ze het had geschreven, toen ze dat gedeelte achter de rug had, kreeg ze een kleine inzinking. Ze ging een paar keer naar haar psychiater en kreeg medicijnen voorgeschreven. En nu was de volgende ronde achter de rug, de ronde waarin het stuk tot leven kwam, zijn eigen leven kreeg en daardoor – door Edmund, Rafe en Serena – opnieuw in een ander verhaal veranderde.

Het was dus allemaal voorbij, na al die jaren dat ze ermee had geleefd. Billy had geen idee wat dat zou betekenen.

Ze had zich... ja, hoe had ze zich gevoeld? Opgelucht misschien, toen ze het stuk op de planken zag. Door de wijze waarop Rafe Gabriels keuze had geïnterpreteerd, door wat hij in de rol had geïnvesteerd. Maar hield dat nog enig verband met haar? Konden Rafes tederheid en verdriet namens haar spreken? Ze wist het niet. Misschien zou ze er nooit toe in staat zijn – was het even onoprecht als de rol die haar om te beginnen was opgedrongen, en die ze naar haar idee omwille van Leslie moest spelen. Omwille van Gus.

Aan de bar zei ze tegen Larry: 'Op dit moment voel ik alleen opluchting dat het achter de rug is. Niet het gebruikelijke dipje.' Ze liet zich even opzij zakken. 'Ik weet het dus niet,' zei ze. 'Ik weet niet hoe het zal uitpakken.'

De zaak maakte aanstalten om te sluiten.

Edmund had gezegd dat hij haar naar huis zou dragen – schertsend had ze dat als voorwaarde gesteld om met het groepje mee naar de volgende zaak te gaan –, maar intussen was hij dronken. Uiteindelijk moesten ze hem met zijn allen in een taxi zetten. Dat viel niet mee. Hij kwam er steeds weer uit om iemand te omhelzen, brallend hoe veel hij van die persoon hield, en alsmaar informeerde hij naar degenen die al waren vertrokken. Na de derde poging om te bewerkstelligen dat hij in de taxi blééf zitten, stak Billy haar hoofd naar binnen, zei tegen de chauffeur dat hij zijn meter nú moest aanzetten en gaf hem 27 dollar – alles wat ze in haar portefeuille had. Ten slotte wisten Larry en Faith hem naast Annie de taxi in te krijgen – zij ging dezelfde kant uit als hij en zou hem thuis laten afzetten.

'Op hoop van zegen,' zei Larry terwijl de taxi Harrison Avenue opreed. 'Ik hoop dat ze hem er bij zijn huis uit krijgt.'

Billy ging alleen naar huis en begaf zich over de donkere, stille straten een paar blokken in noordelijke richting. Ze liet Reuben uit en ging in bed liggen, te opgewonden om te kunnen slapen. Ze was natuurlijk opgewonden door het stuk en de laatste opvoering ervan. Doordat er een einde was gekomen aan de bijzondere soort intimiteit die onder de medewerkers was ontstaan. Maar dat hoorde er altijd bij. Zelfs de verhouding met Rafe hoorde er enigszins bij. Vaak duurde die wat langer als de man vrij was, maar doorgaans niet. Dat maakte er dus deel van uit.

Ze dacht echter dat de opwinding voornamelijk verband hield met datgeen waar ze het met Rafe over had gehad: met de hoeveelheid tijd die het stuk haar had gekost, met de jaren dat ze ermee had geleefd en het had uitgewerkt. Met de hechte band die ze ermee had. Het had iets in zich wat ze dit keer niet wilde loslaten. Wat ze niet wilde opgeven. Dat verbaasde haar.

Toen Billy de volgende ochtend wakker werd, ging haar eerste gedachte naar Sam uit. Het was geen echte gedachte. Het was een herinnering. Ze lag op haar zij, ze keek door de geopende schuifdeuren de woonkamer in en zag hem voor zich zoals hij de kop thee voor haar had neergezet. Ze herinnerde zich hoe hij in de stoel tegenover haar had gezeten en zijn benen voor zich had uitgestrekt. Sinds ze hem met die aardige zoon had gezien, had hij niet meer gebeld. Eerder ook al niet meer. Sinds de dag van hun wandeling had hij niet meer gebeld.

Dat was goed, hield ze zichzelf voor. Het was goed dat hij eindelijk had begrepen dat ze niets met hem wilde. Ze had zich nogal koel tegen hem moeten gedragen om dat voor elkaar te krijgen, maar ze vond niet dat ze grof was geweest. Dat hij zijn zoon mee naar het theater had genomen, was zelfs

perfect geweest, een geweldige bof. Daardoor was het nood-
zakelijk geweest om beleefd te blijven. Met haar beleefde gedrag tegenover de zoon had ze Sam overgebracht dat ze geen
belangstelling voor hem had.

Dat ze nu aan hem dacht, hield ze zichzelf voor, kwam alleen doordat ze zo veel tijd voor zich had, maar daar had ze
op gewacht, ze had erop gewacht dat haar leven na het stuk
weer een normale draai zou nemen. Ze had zelfs het gevoel
van leegte voorzien dat nu over haar neerdaalde, en ze had
plannen gemaakt om het af te wenden. Vanavond ging ze naar
een concert in Jordan Hall – het Emerson Quartet speelde
werken van Mendelssohn. Later in de week ging ze eten met
een vriendin van Boston University. Vrijdag was er een kerst-
bijeenkomst voor de faculteit, en zaterdag ging ze wat drinken
met Edmund. Met Kerstmis zou ze naar haar zus in New Jer-
sey toe gaan, en vlak na de kerst ging ze in Chicago bij een
vriendin logeren en al haar oude bekenden in die stad opzoeken.

En naast dat alles wilde ze werken aan een nieuw stuk
waaraan ze was begonnen.

Ze draaide zich om in bed en keek door de slaapkamerramen naar buiten. Achter in de tuin stond een pijnboom waarvan ze vaak een opbeurende werking vond uitgaan. Gewoon
door zijn diepe donkergroen, veronderstelde ze.

Ze had haar leven terug. Ze was blij. Het gevoel dat ze het
niet meer in de hand had, dat ze bij Sam korte tijd had ervа-
ren, was voorbij. En haar huidige holle gevoel, het gevoel dat
ze rekenschap moest afleggen voor elke minuut van de dag,
voor alle komende uren en alle uren die daar nog op zouden
volgen?

Dat was tijdelijk, hield ze zichzelf voor. Het was het postnatale gevoel, waarmee ze heel goed overweg kon. 'Stap eroverheen,' zei ze hardop.

Ze ging rechtop zitten en gooide de dekens van zich af. Reuben stak vanachter het bed zijn kop omhoog om te zien wat dat te betekenen had. Ze sprak hem op scherpe toon toe: 'Kom op, Rube. Laten we gaan wandelen.'

De daaropvolgende dagen was ze steeds druk in de weer. Twee keer trainde ze uren achtereen in het fitnesscentrum, iets wat ze in november had verwaarloosd. Ze kocht cadeautjes voor haar volwassen neven, die nog thuis woonden. Ze liet haar nagels manicuren en las verschillende nummers van *The New Yorker* door die ze na ontvangst op een stapeltje op de koffietafel had gelegd. Ze las een dichtbundel van een bevriende dichter uit Chicago. Ze herlas hem. Ze ruimde haar huis op.

Terwijl ze de rekeningen en aanmaningen doornam die op haar bureau lagen opgestapeld, besloot ze dat het tijd was – waarom niet? – om al haar oude bankafschriften weg te gooien: ze had nog afschriften van vier, vijf jaar geleden. En dan al haar belastingpapieren, die deels nog ouder waren. Het zou prettig zijn om al die laden vrij te hebben voor andere bestemmingen.

Ze ging naar de keuken en haalde een grote zwarte vuilniszak uit de doos onder de gootsteen. Terwijl ze daar neergehurkt zat, werd ze even in haar vaart gestuit door de herinnering aan de gevoelens die haar op de dag dat Sam met haar was gaan wandelen, hadden verward en overweldigd. Dat had ze achter zich gelaten, hield ze zichzelf voor. Het leven gaat door. Ze kwam overeind. Ze ging naar de woonkamer, naar haar bureau. Ze trok de bovenste la open en begon er spullen uit te halen.

Toen ze bezig was met de tweede vuilniszak, halverwege de tweede la, vond ze hem: een grote manilla enveloppe, een die niet vol zat met kwitanties voor de belasting. Hij voelde plat en leeg. Hij was niet geëtiketteerd, maar ze wist meteen wat erin zat.

Ze opende hem, schoof de foto eruit, en daar waren ze: Gus en Leslie, jong, mooi en gelukkig. Nauwlettend bekeek ze alle vertrouwde details. De wazige licht- en schaduwplek die de bloementuin weergaf, Gus' knokige blote voeten in het gras, zijn vingertoppen die van achter Leslies middel tevoorschijn kwamen en zijn ogen, die licht werden beschaduwd door zijn blonde haar. Het krachtige profiel van Leslie die hem aankeek, haar lange steile haar en haar bleke huid.

Ze had deze foto in geen jaren bekeken. Zou ze hem ooit nog eens bekijken? Het leken wel vreemden, die twee mensen, wie ze ook waren, nu waren ze verdwenen. Door de dood natuurlijk: Gus' vreselijke einde. Maar ook door het leven, door de tand des tijds, de veranderende gedaante van een persoon in de loop van vele jaren. De persoon van Leslie, gereconstrueerd.

Ook de persoon van Billy was veranderd en had door de tijd een nieuwe gedaante gekregen.

Zoals dat ook met de persoon van Gus gebeurd zou zijn, als hij in leven was gebleven. Hij had niet eeuwig een vrolijke jonge jongen kunnen blijven. En als dat wel was gebeurd, was het afschuwelijk voor hem geweest.

Ze moest denken aan de regel uit de psalm die bij Gus' herdenkingsdienst was gelezen: 'En haar plaats kent haar niet mee'.

Gus was niet meer. En Billy evenmin, niet zoals ze toen waren geweest. Weggerukt – door de dood, door het leven, door het meedogenloze leven. Billy voelde achter in haar keel tranen opkomen, maar ze gaf er niet aan toe.

Ze deed de foto weer in de enveloppe en legde die in de geopende zwarte vuilniszak, boven op haar aanslagbiljet van 2002 en de overvloed aan oude rekeningen.

Het begon 's nachts te sneeuwen, en toen Billy 's ochtends Reuben uitliet en de vuiliniszakken op het trottoir zette, lag er al een laag van twaalf tot vijftien centimeter. De lucht was grijs, parelkleurig. Er reden zo weinig auto's door de straat dat ze Reubens lijn liet vieren, en van plezier sprong hij vrijuit rond en kwam vervolgens steeds weer naar haar toe – als de pup die hij vroeger was geweest.

Ze deed geen pogingen om te werken. Tijdens het ontbijt luisterde ze op de radio naar de opsomming van alle scholen die waren gesloten, naar de namen van alle schooldistricten in de nabijgelegen steden, en van de particuliere scholen, in alfabetische volgorde. Later las ze en luisterde ze naar de kwartetten die ze de vorige week had gehoord, en vervolgens naar Annie Fischer en Maurizio Pollini. Terwijl de muziek haar toezong, zat ze bij het raam toe te kijken hoe de wereld zichzelf transformeerde.

De vuilnisophalers leken vertraging te hebben opgelopen. De zakken waren volledig verdwenen. Het waren kleine witte hoopjes geworden – de alles overdekkende sneeuw was een metafoor voor de vergetelheid, bedacht ze.

Maar ik ben Gus niet vergeten. Ik heb het enige gedaan wat ik kon. Ik heb erover geschreven, ik heb er iets uit gebouwd. Ik heb geprobeerd het een goede uitkomst te geven, voor jou. Ik heb het gebruikt. Voor jou, dit keer.

Rond vijven kwam de vuilniswagen langs, de ratelende geluiden werden gedempt door de diepe poederlaag, door de verdichte lucht. Ze keek toe hoe de mannen de zakken uit de sneeuwhoop trokken en ze in de brede muil van de gele wagen gooiden. Toen ze weg waren en Billy de wagen niet meer hoorde, voelde ze een soort verslapping, een ontspanning. Ze huilde een poosje.

Toen ze uitgehuild was, ging ze naar de badkamer en bekeek zichzelf in de spiegel. Ze besprenkelde haar gezicht met water. Vervolgens droogde ze het af.

In de slaapkamerkast vond ze haar laarzen. Ze trok haar vleermuisjas en haar wanten aan, zette haar muts op en ging naar buiten, de schemerige, als herboren wereld in, met Reuben aan haar zijde.

Sam

Sam heeft de oorbel op een schaaltje op de plank van de kapstok gelegd waar hij ook zijn sleutels bewaart. Telkens wanneer hij naar binnen of naar buiten gaat, ziet hij hem daar liggen: de oorbel knipoogt naar hem en lijkt hem iets te vragen. Twee keer is de oorbel in de sleutels verstrikt geraakt toen Sam die oppakte, en heeft hij hem daar voor zijn vertrek moeizaam uit moeten peuteren.

Hij is van plan hem naar Billy terug te sturen en beseft dat hij dat behoort te doen, maar hij heeft geen adres van haar. Hij kan zich het nummer niet herinneren van het huis in Union Street waar hij haar op de dag van hun wandeling heeft afgehaald. Hij is er niet zeker van of hij het ooit heeft geweten. Misschien heeft ze wel gezegd: het achtste huis vanaf de hoek, of iets van dien aard. Het vijfde huis in de straat.

Hij zou Leslie kunnen bellen om het nummer te vragen, maar om verschillende niet nader doordachte redenen wil hij dat niet. Hij heeft wel het theater gebeld, maar de persoon die daar opnam zei, geheel terecht, dat zulke informatie niet kon worden verstrekt.

Daar ligt hij dus. Hij heeft hem drie of vier keer in zijn hand genomen, alsof die handeling hem duidelijk zal maken wat de volgende stap moet zijn. Een toversteen, had hij de laatste keer gedacht, en met een treurig lachje had hij de oorbel teruggelegd. Idioot die je bent.

En nu staat hij over de kapstoktafel heen gebogen de post

door te nemen – het is voornamelijk rommel. Sinds de komst van de e-mail schrijft niemand meer een brief. Hij heeft dit jaar een paar kerstkaarten gekregen, onder meer van Leslie en Pierce, maar zelfs die gewoonte lijkt in onbruik te raken.

Er is echter een dikke, vierkante enveloppe, die de mogelijkheid van iets persoonlijks suggereert. Er staat geen adres van een afzender op, maar als hij de enveloppe omdraait ziet hij in de driehoek van de omgevouwen klep Charleys adres in San Francisco staan. Hij opent de enveloppe.

Het is een kaart: een sobere, eenvoudige boom, net een knipsel van een kind, waar kleurige versiersels in lussen overheen gespannen zijn. Charley en Emma hebben er allebei hun naam op gezet, in hun sterk verschillende handschriften: Charley in zijn hanenpoten, Emma in een keurig schoolhandschrift. In de kaart is een getypte brief gevouwen. Het zal wel de jaarlijkse, door Emma geschreven opsomming van hun activiteiten zijn. Sam vouwt hem open terwijl hij de woonkamer in loopt en gaat zitten. Er valt een zuiver, puur licht naar binnen, als gevolg van de sneeuwstorm die buiten woedt en van de daardoor gereinigde lucht. Met de brief in zijn handen leest Sam over Charleys bedrijfje dat zonnepanelen en windturbines installeert op woningen van particulieren. Emma werkt in deeltijd mee en doet voor hem de administratie. Met allebei de kinderen – Sams kleinkinderen, van wie een foto is bijgesloten – gaat het goed, en er staat beschreven waarmee ze zich bezighouden.

Sam wordt er bijna ondraaglijk treurig van. Charley is de zoon met wie hij de slechtste band heeft, al heeft hij nooit kopzorgen en vertwijfeling bij hem veroorzaakt, zoals Jack. Charley heeft zich echter al vroeg van Sam afgekeerd en beschouwde hem duidelijk als onbetrouwbaar, als ongeschikt om alleen het ouderschap te vervullen. In Charleys ogen schoot hij tekort wanneer hij zowel Susan als zichzelf probeerde te zijn. En vervolgens trouwden Charley en Emma toen ze allebei nog heel jong waren, en waren ze ver bij Sam vandaan gaan wonen. Charley probeert nooit contact met hem te houden. Als Emma niet van tijd tot tijd een brief schreef en Sam hen niet elk jaar een kort bezoek zou brengen, zou hij niets van zijn zoon en diens gezin afweten.

Hij denkt terug aan de dag waarop Charley hem vertelde dat hij ging trouwen. Hij was met de trein uit Pennsylvania gekomen, waar hij studeerde, om persoonlijk zijn bruiloft aan te kondigen. Ze zaten in deze kamer. Sam maakte zich zorgen over de kwestie. Hij wees op de jeugdige leeftijd van Charley en Emma. Terwijl hij aan het woord was zag hij hoe Charleys gezicht dichtsloeg en zijn mond zich tot een grimmig lachje vertrok. 'Nou, dan hoef je niet te komen,' zei hij.

Sam krabbelde snel terug en zei: nee, nee, natuurlijk wilde hij erbij zijn, natuurlijk wilde hij komen, hij piekerde er niet over weg te blijven.

Te laat.

Een dag later – na Charleys aankondiging, na Sams misstap – bracht Sam zijn zoon naar station Back Bay. Vanuit de auto zag hij Charley weglopen. Hij draaide zich niet om, hij zwaaide niet, en terwijl hij in zijn dikke nylon parka verdween, had Sam het gevoel dat hij het met zijn oudste zoon had verknald – onherstelbaar verknald.

Op die dag had hij in de Starbucks op de hoek bij het station gezeten en opeens het idee gehad dat hij iets aan zijn leven moest veranderen – wat hij vertaalde in de behoefte aan Leslie. Het kwam vast door zijn diepe wanhoop omdat hij opnieuw tegenover Charley tekort was geschoten en omdat hij, zoals hij het toen ervoer, als echtgenoot en vader in alle andere opzichten tekort was geschoten. Hij denkt nu dat hij daarom de oplossing, het antwoord, in iets onmogelijks zocht.

Hij herinnert zich hoe verbazingwekkend veel regen er viel

toen hij naar Vermont reed. Verschillende keren sloeg de regen zo heftig tegen de voorruit dat hij maar een zicht van drie meter had. Eén stortbui was zo oogverblindend zwaar – een ondoordringbare zilverkleurige waterval langs het glas, ook al deden de ruitenwissers nog zo fanatiek hun werk – dat hij langs de weg stopte om de bui uit te zitten en zijn alarmlichten liet knipperen. Toen hij verder naar het noorden reed, werd het lichter, maar de regen was nu vermengd met sneeuw. Smeltende sneeuw viel er eigenlijk. Het bleef als een kanten kleedje in de met gras begroeide middenberm liggen.

Hij had de radio aanstaan. Hij had iets willen horen – muziek, een interview op NPR – als vulsel voor zijn brein, zodat hij niet hoefde na te denken. Toen de zenders begonnen te kraken en te brommen en alleen nog ruis gaven zette hij de radio af, maar voorbij Hanover op Highway 91 deed hij een nieuwe poging – hij dacht zich de golflengte van de NPR in dat gebied nog te herinneren.

Omdat hij aan de knop draaide en naar het digitale schermpje met de golflengtes keek, miste hij de aanleiding tot het ongeluk: het hert dat de weg op sprong, zodat de auto die twee wagens voor hem reed voluit remde en in een slip raakte. Toen hij opkeek zag hij zijn directe voorligger scherp naar rechts sturen om voor de slippende wagen uit te wijken, en ving hij nog een glimp op van het hert dat nu de andere kant van de snelweg had bereikt. Als een wit vlaggetje ging zijn staart op en neer terwijl het dier het donkere bos in rende en daar verdween. Sam remde precies op het moment dat zijn voorligger de macht over het stuur verloor. De wagen schoot van de weg af en reed over de met gras begroeide berm de bomen in en maakte intussen een langzame draai, zodat hij in achterwaartse positie tot stilstand kwam – zijn koplampen wierpen een spookachtig schijnsel in het bos.

Sam reed de weg af en stopte. De eerste auto, die alles in

gang had gezet – hoewel natuurlijk eigenlijk het hert alles in gang had gezet – was verdwenen en in het donker vervaagden zijn achterlichten tot gloeiende stipjes.

Sam stapte uit en liep de flauwe helling af. Het was een oude, grote auto – een slee. Aan de passagierskant was geen schade, maar de motorkap was ontwricht. De motor gierde op een gestaag toerental, een misselijk makend geluid. In de wagen zat alleen een vrouw, gekromd over het stuurwiel.

Sam opende de deur aan de passagierskant en stak zijn hoofd naar binnen. De vrouw hief traag haar hoofd op en keerde zich naar hem toe, met een verbijsterde, doodsbenauwde uitdrukking op haar gezicht. Ze was nog jong, vermoedelijk in de twintig. Een meisje nog. Op haar voorhoofd kwam al een paarse bult op, waar bloed uit sijpelde.

'Gaat het?' vroeg hij.

'Ik weet het niet,' zei ze een ogenblik later. Ze ademde ongelijkmatig. 'Ik weet het niet.'

Sam kon haar door het geloei van de motor nauwelijks verstaan. Hij stak zijn hand naar binnen en zette het contact af. Opeens was het helemaal stil. En donker.

'Kun je eruit?' vroeg hij. 'Kun je je portier openen?'

Langzaam kwam ze overeind. Ze probeerde het portier te openen. Ze kreeg er geen beweging in. Sam zag dat het tegen een boomstam aan geklemd zat.

Sam stapte vanuit de sneeuw en de regen de auto in en ging naast het meisje zitten. Het bloed stroomde nu uit haar gezwollen voorhoofd, en in zijn zak vond hij een zakdoek om het op te deppen. Ze begon geleidelijk aan tot zichzelf te komen en minder angstig te worden. Hij vroeg haar waar ze pijn had. Aan haar hoofd, zei ze, en aan haar been. Hij boog zich over haar heen en zag dat het portier in elkaar was gedrukt en dat haar been klem zat tegen het portier.

'Ik ben een beetje duizelig,' zei ze.

Hij bedacht dat hij vooral niet moest proberen haar te verplaatsen, dat ze moest blijven zitten waar ze zat totdat iemand zich over haar kon ontfermen. Hij zei dat tegen haar. Hij liep terug naar zijn auto en belde met zijn autotelefoon de politie in Hanover. Hij beschreef in grote lijnen waar hij zat en gaf het nummer van zijn auto, die ze aan de hand van de knipperende verlichting konden vinden. Hij zei dat er naar zijn idee een ambulance nodig was. Hij liep het hellinkje weer af en ging weer in de auto zitten.

Ze was ontspannen: ze was nu bijna luchthartig. Ze had krulhaar dat er droog uitzag en een rond gezicht dat nauwelijks geprononceerd was: vlak. Maar toen ze glimlachte, werd ze bijna knap. Ze vertelde wat een vreemd ongeluk het was geweest, dat ze het gevoel had gehad een vertraagde film voor zich te zien. 'Ik was bijna meer geïnteresseerd dan bang,' zei ze. 'Zodra ik het gevoel had dat ik er geen greep meer op had, was ik alleen nog nieuwsgierig, dat is denk het goede woord, naar wat er verder zou gebeuren. Begrijpt u wat ik bedoel?'

Ja, zei hij. Dat begreep hij.

Hij bleef het bloed wegvegen. De zwelling leek de bloeding te vertragen.

'Ik vraag me af of je dood zou kunnen gaan terwijl je dat denkt,' zei ze. 'Als je denkt: O, waar vlieg ik nu tegenaan, en waartegen dan? Ik bedoel als je alleen maar geïnteresseerd bent.' Ze moest opeens giechelen.

Hij zag dat ze nog jonger was dan hij had gedacht. Vermoedelijk achttien of negentien. Hij bedacht dat hij haar aan de praat moest houden. 'Waar ging je naartoe?' vroeg hij. 'Toen er zo'n abrupt einde aan je rit kwam?'

'O, ik ging mijn tante opzoeken. Mijn oudtante, eigenlijk. Ze zit in een verpleeghuis.'

Hij bette opnieuw haar hoofd en probeerde haar geen pijn

te doen. Bijna afwezig zei hij: 'Tja, een goede daad blijft nooit ongestraft.'

Dat had ze kennelijk nooit eerder gehoord. Ze glimlachte van kinderlijk plezier. Even later zei ze: 'Mijn tante is goed ver heen. Ze heeft alzheimer.'

'Wat erg.'

'Nee, zo erg is het niet. Ze denkt dat ze veel gave dingen doet. Ze zei dat ze blij was dat ik kwam, want ze was net weer thuis van een bootreisje over de Nijl.' Ze lachte en hij ook: hij reageerde omdat ze plezier had, maar ook omdat haar lach zo leuk was.

'Ik heb altijd al naar de Nijl gewild,' zei Sam een ogenblik later. 'Misschien kan ik er op die manier nog eens komen.'

'O, ú bent nog niet oud,' zei ze.

'Nog niet,' erkende hij. Het werd kouder. Hij zou weleens snel zijn jas uit zijn auto moeten halen.

Ze had een ernstige uitdrukking gekregen. 'Gelooft u in tekens?' vroeg ze hem.

'Bedoel je: in voortekenen?'

Ze keek alsof ze het woord niet begreep.

'In wat voor tekens dan?'

'Die horen bij de maand waarin je bent geboren. In díe tekens.'

'Sterrenbeelden. O, nee. Nee, daar geloof ik niet in.'

'O.' Ze klonk teleurgesteld.

'Jij wel?' vroeg hij even later.

'Ja. Min of meer.' Ze leunde achterover. Ze maakte opeens een uitgeputte indruk. Ze sloot een moment haar ogen, sperde ze vervolgens wijd open en likte langs haar lippen, alsof ze zichzelf wilde dwingen alert te blijven. 'Ik bedoel: volgens mijn horoscoop moest ik vandaag dicht bij huis blijven.'

'Alsjeblieft,' zei Sam. 'Meer bewijs heb je niet nodig.'

Ze keek hem aan. Vlak daarna zei ze: 'Ik weet dat u me

in de maling neemt. U gelooft niet... dat het echt zo is.' Ze maakte een gegeneerde en een beetje treurige indruk, en Sam had spijt van zijn woorden. Van tijd tot tijd rilde ze ook een beetje. Hij stapte weer uit en liep de helling op om zijn jas te halen. Toen hij bij de auto terug was, legde hij de jas om haar schouders en knoopte hem onder haar kin dicht. Ze protesteerde, maar liet hem begaan.

'Zo,' zei hij, toen hij klaar was met de jas. 'Is dat beter?'

'Ja,' zei ze. En een minuut later: 'U bent erg aardig. Dat u dat doet en hier bij mij blijft.'

'Iedereen zou dat doen,' zei hij.

'Nee, dat is niet waar,' zei ze. Even later vroeg ze: 'Waar ging uzelf naartoe? Komt u nu ergens te laat?'

'O.' Er kwam een geveinsd zielig lachje om Sams lippen. 'Ik was onderweg naar mijn ware liefde.'

'Eerlijk waar?' Ze was onder de indruk.

'In zekere zin. Zíj denkt er misschien anders over.' En omdat ze de tijd door moesten komen, de temperatuur in de auto gestaag daalde en de motor tikte, vertelde hij haar over Leslie. Het was een bekorte, geredigeerde versie van het verhaal – Charley en zijn gevoelens van leegte en tekortschieten verzweeg hij. Toen hij met zijn verhaal klaar was, vroeg hij: 'Nou, denk je dat ze er samen met mij vandoor gaat?' Hij glimlachte naar haar. 'Zou jij het doen?'

'Tja, het is heel romantisch,' zei ze aarzelend.

'Dank je.' Toen ze hem niet aankeek zei hij: 'Dank je, dénk ik.'

'Nou, ze is getrouwd. Met een ander.'

'Duidelijk met de verkeerde man.' Sam schertste – deels –, maar besefte plotseling wat voor indruk hij op haar moest maken. Die van een gevaarlijke figuur. Een stalker.

Ze zwegen even. De natte sneeuw die op de bomen terechtkwam maakte een zacht, ruisend geluid. Het meisje zei: 'Maar ik denk niet dat u...' Ze keek hem aan, haar vlakke gezicht stond bezorgd. 'Misschien houdt ze écht van hem, hebt u daar ooit aan gedacht?'

'Daar heb ik aan gedacht. Vaak. Maar toch denk ik dat ik dit moet doen.'

'Nou, ik hoop... ik hoop dat het allemaal goed zit.'

In die woorden klonk iets zo oprecht bezorgds door, iets zo liefs en grootmoedigs, dat hij zei: 'O, het komt wel goed. Hoe dan ook. Net zoals het met jou ook goed komt, nietwaar?' Hij bette opnieuw, maar nu traag, het nog steeds stromende bloed van haar hoofd op.

'Ja, met mij komt het prima in orde,' zei ze.

Ze praatten nog wat – het meisje studeerde voor ziekenverzorgster en woonde nog bij haar moeder, een weduwe – en vervolgens hoorden ze in de verte de sirenes. Sam stapte uit en liep weer de weg op. Er stopten twee politiewagens en een hulpverleningsvoertuig van de brandweer, en Sam liep voor de vier mannen uit de helling af. Terwijl ze haar uit de auto haalden, hield hij zich op de achtergrond – met zijn allen duwden ze de auto naar achteren, waarna ze haar portier konden openen. Ze legden haar op een brancard en droegen haar de helling op. Terwijl de hulpverleners druk in de weer waren, liep Sam naast haar en probeerde hij met haar te praten en haar gerust te stellen. Hij zei dat het nu goed met haar zou komen. Voordat de hulpverleners een deken over haar heen legden, had hij echter gezien dat er in haar been – het been dat klem had gezeten tegen het ingedeukte portier – een grote gapende wond zat. Tijdens hun gesprekje moest ze daar ook bloed hebben verloren – veel meer dan uit de snee in haar hoofd.

Terwijl ze naar het hulpverleningsvoertuig liepen, dacht hij eraan haar naam te vragen. Melanie, zei ze. Melanie Gruber. Hij vroeg de agenten waar ze naartoe werd gebracht. Hij zei haar dat hij zou bellen om te vragen hoe het met haar ging, maar dat het uitstekend met haar zou gaan nu er hulp was. Ze glimlachte hem zwakjes toe en zwaaide naar hem terwijl ze haar achter in de rode wagen tilden.

Een van de agenten bleef achter om met hem te praten over wat er was gebeurd. Sam zei dat hij het nummer van de eerste auto niet had opgeschreven, maar dat de bestuurder naar zijn idee niet had beseft wat zich achter hem afspeelde. De agent noteerde het nummer van zijn autotelefoon, 'voor het geval dat', en vertrok.

Sam stond alleen langs de kant van de weg. Hij ging terug naar Melanies auto om zijn jas op te halen, die door de hulpverleners ergens was neergegooid. Hij zag dat er bij de boord een grote, donkere bloedvlek zat.

Hij startte zijn auto en reed verder naar Gorton.

Waar hij Leslie en Pierce in hun huis zag, in het leven dat ze samen leidden. En hoewel hij niet in sterrenbeelden en zelfs niet in voortekenen geloofde, had hij het gevoel dat hij uitgerekend deze dag – een dag met uitgerekend deze gebeurtenissen – helemaal hiernaartoe was gebracht om dát tafereel te zien. En dat dit alles op de een of andere manier verband met elkaar hield: zijn verdriet om Charley, zijn gevoel in zijn eigen leven op een dood spoor te zijn geraakt en de moeilijke rit hiernaartoe. Het ongeluk, en vervolgens Melanie Gruber... die zo lief was geweest. Op dat ogenblik had hij het verband niet onder woorden kunnen brengen, maar hij voelde het wel. Hij voelde het, en tegelijk had hij een gevoel van opluchting en bevrijding dat hij ook niet duidelijk aan iemand anders had kunnen uitleggen.

Op de terugrit naar Hanover had hij niet precies geweten wat hij wilde. Hij was opeens uitgeput. De verlichte huizen in het veld en langs de weg kwamen hem voor als een oproep om naar huis te gaan, maar in de toestand waarin hij verkeerde was het ondenkbaar dat hij door de sneeuw en de regen de lange terugrit naar Boston kon maken.

Hij reed het stadje in. Hij nam een kamer in de Hanover Inn. Nadat hij met een washandje zijn tanden had gepoetst en zijn gezicht had gewassen, liep hij naar beneden naar het restaurant en nam daar een hamburger en een biertje. Hij verkeerde nog altijd in de luchtige gemoedstoestand die zich bij Leslie van hem meester had gemaakt. Hij vond de hamburger een grootse hamburger, een buitengewone hamburger. Hij nam nog een biertje, dat hij langzaam opdronk, en onderging bij alles wat hij zag, aanraakte en proefde een gevoel van geluk, van genade. Toen hij het biertje op had, ondertekende hij de rekening en ging terug naar zijn kamer. Hij belde naar de receptie en vroeg om een tandenborstel en tandpasta. Terwijl hij afwachtte tot ze werden gebracht, belde hij het ziekenhuis waar Melanie Gruber naartoe was gebracht. Hij besefte te hopen dat hij met haar zou kunnen praten, haar zangerige stem zou kunnen horen en haar misschien zelfs zou kunnen vertellen dat hij het niet had gedaan: dat hij niet had geprobeerd Leslie op te eisen.

Ze sliep, werd hem verteld. Nadere informatie over haar kon men hem niet geven.

Sam vond dat het een goede indruk maakte dat ze sliep. Een veilige indruk.

Er verscheen een jongeman aan de deur met een tandenborstel en een kleine tube tandpasta. Sam poetste zijn tanden, stapte in bed en viel bijna onmiddellijk in slaap. Hij sliep diep en droomloos, totdat schuin invallend zonlicht over het bed heen schoof en hem wekte.

Toen hij wakker werd, dacht hij meteen weer aan het meisje. Feitelijk niet zozeer aan haar als persoon, maar aan het feit dat hij haar had ontmoet, iets wat hij op een krankzinnige manier als een wonder beschouwde, door de wijze waarop het later zijn kijk op alles had veranderd. Zij was het sterrenbeeld, het voorteken, het zínnebeeld van mogelijkheden, toeval en noodlot. De dingen gebeurden je in het leven. Ze overkwamen je. Het leek op verliefd worden, dacht Sam, maar in dit geval zonder de centrale emotie. Maar het had met verliefdheid de sfeer gemeen, het gevoel gezegend en uiterst fortuinlijk te zijn.

Hij belde het ziekenhuis weer en werd een aantal keren doorverbonden. Ten slotte kwam er iemand aan de lijn die vroeg: 'Naar wie bent u op zoek?'

Hij noemde haar naam.

'O ja,' zei de vrouw. 'Die is ontslagen. Ze is naar huis gegaan.'

Hij had hardop gelachen aan de telefoon, zo volmaakt klonken die woorden hem in de oren.

Terwijl Sam nu met de kerstbrief van Emma in zijn handen in zijn woonkamer zit en aan Melanie Gruber denkt, beseft hij dat hij zich haar mede voor de geest heeft geroepen omdat hij hetzelfde gevoel heeft gehad over Billy, over haar volkomen toevallige komst in zijn leven: juist dat verbaasde hem. Het luchtte hem op.

Het was duidelijk een fout van Leslie geweest om hen met elkaar kennis te laten maken. Het had niet behoren te klikken. Hij herinnert zich dat hij op grond van haar gezichtsuitdrukking op dat moment besefte dat ze hem in zekere zin aan Billy presenteerde. Hij herinnert zich dat hij tegelijk geërgerd en ontroerd was, zoiets aanmatigends en toch ook weer aardigs had haar gedrag over zich. Hij herinnert zich dat hij zich haastig afvroeg hoe hij het tot het einde van de avond met Billy moest volhouden, als hij met haar opgezadeld raakte.

Maar vervolgens hadden ze hun niet-gezochte contact gelegd en had hij bij haar het gevoel gekregen dat er mogelijkheden waren. Ook was ze duidelijk ontvankelijk voor hem geweest – al was het tevens duidelijk dat ze daar om de een of andere reden mee worstelde. Ze hebben, denkt hij nu, nooit de kans gehad om daarover te praten. Terwijl ze erover hadden moeten praten.

Hij moet met haar praten, denkt Sam. Volgens hem kunnen ze, wanneer ze net zo'n gesprek kunnen voeren als in haar salon of in de wachtkamer van het gezondheidscentrum, de dingen oplossen en haar aarzelingen en angsten – van welke aard dan ook – overwinnen.

Hij denkt aan wat hij tegen Jerry heeft gezegd: dat hij in de ban van de liefde was geraakt. Dat is in zijn ogen precies de juiste formulering, die suggereert dat je iets is overkomen, dat zich een of andere kracht van je meester heeft gemaakt, of je dat nu leuk vindt of niet. In de ban: hij is in de ban van zijn gevoelens voor haar. Pats! Iets noodlottigs. Een soort gelukkig ongeluk. Iets waarbij je verwonderd toekijkt hoe het jou overkomt.

Al die tijd heeft Sam door het raam naar de vallende sneeuw gekeken. De sneeuw is vroeg, dit jaar. Ongetwijfeld een gevolg van het broeikaseffect. Dit keer is het 's nachts gaan sneeuwen en nu ligt er een enorm pak. Waarschijnlijk een laag van meer dan dertig centimeter. Vlak voor de lunch reed Sam de auto naar het begin van de oprijlaan, zodat hij zichzelf niet zou hoeven uit te graven.

Hij bedenkt dat hij het volgende gaat doen: hij gaat de oorbel terugsturen. Hij zal er een begeleidend briefje bij schrijven en haar overreden om hem nog eens te zien. Het vervult hem niet echt met hoop – hij herinnert zich haar gezicht toen ze hem in het theater zag, hoe dat gezicht dichtsloeg –, maar met opwinding. De opwinding om te handelen, om iets te doen.

Hij zal nu gaan, hij zal langs het pand lopen om te zien wat het huisnummer is – hij weet zeker dat hij het zal herkennen: haar bureau achter de hoge erkerramen, de lamp op het bureau. In het kleine voortuintje stond een kaal boompje, dat herinnert hij zich ook. Een kornoelje, misschien.

Hij loopt de hal in, haalt zijn jas van de kapstok en pakt zijn sleutels. Het is koud buiten, maar de lucht voelt zacht aan, zoals wel vaker als het onder windstille omstandigheden sneeuwt.

De rit ernaartoe verloopt traag. Aan het einde van de dag is er veel verkeer op de weg, en omdat het zo glad is rijdt iedereen voorzichtig en met de lichten aan. Ook Sam rijdt langzaam. Desondanks begint de auto verschillende keren te slingeren wanneer hij remt, en hij is er geen moment helemaal zeker van dat hij volledig tot stilstand zal komen als dat nodig is. Nog nergens in de stad is sneeuw geruimd. Waarschijnlijk proberen alle strooiwagens de snelwegen sneeuwvrij te maken voor de forensen.

Bij Symphony Hall gaat hij Massachusetts Avenue op, in zuidelijke richting. Op Huntington Avenue regelt een dik ingepakte agent met een oranje veiligheidshesje en dikke wanten aan het verkeer. Als hij Sam gebaart dat hij door mag rijden, heeft die het gevoel dat hem persoonlijk een teken wordt gegeven, dat hij een cadeau heeft gekregen. Hij steekt Columbus Avenue over en slaat vervolgens linksaf, Tremont Street in. Het verkeer rijdt hier meteen vlotter door. Hij rijdt over het South End, heel langzaam als hij eenmaal halverwege is, en let op de verkeersaanduidingen. Hij weet niet precies hoe ver Union Park nog is.

En dan rijdt hij er voorbij en is het te laat om nog af te slaan – maar dat kon toch niet vanwege het eenrichtingsverkeer. Ongeveer anderhalf blok verder is een parkeerplaats bij een parkeermeter. Hij parkeert er. Wanneer hij de sleutels uit het contact trekt, ziet hij dat Billy's oorbel is vastgeraakt in een van de kleinere ringen die aan de grote hoofdsleutelhanger bungelen. Hij maakt hem los en steekt hem in een van zijn jaszakken. Hij steekt de sleutels in de andere zak en stapt uit.

Hij loopt terug in de richting van Union Park. Hij komt langs het restaurant waar hij weken geleden met Pierce en Leslie op Billy heeft gewacht. Het zit stampvol mensen die schuilen voor de sneeuw. Ze hebben ongetwijfeld een knus, veilig en feestelijk gevoel terwijl ze door het raam naar de vallende sneeuw kijken. Hij komt langs een makelaarskantoor en langs een café dat minder vol is.

Zodra hij Union Park in loopt, komt hij in een andere eeuw terecht. Het is er rustig en stil, en de oude bakstenen victoriaanse herenhuizen maken een serene, afstandelijke indruk. De sneeuw valt langzaam en gelijkmatig en is bijna onzichtbaar door de lucht, niet meer dan het waas waardoor Sam alles waarneemt. Het kwijnende licht is iriserend. De trottoirs zijn met een witte deken bedekt, de auto's zijn in vormloze hopen veranderd. Het zwarte ijzeren hek dat het ovale park in het centrum van het blok omgeeft, heeft witte contouren gekregen. Alle fonteinen hebben een rond, zwierig hoedje gekregen.

Hij loopt aan de linkerkant het park in. In sommige huizen brandt licht. Vanuit zijn perspectief als voetganger ziet hij de barokke plafonds en de zware gordijnen naast de ramen – en nu eens een stoelleuning en dan weer de geopende klep van een vleugel. Soms een kroonluchter. Ergens is een eenzame sneeuwschuiver overhaast in de weer. Het metaal raakt het bakstenen trottoir met een geluid dat in de windstille lucht ver draagt.

Sam hoort het geluid van zijn ademhaling hard in zijn oren. Hij herinnert zich dat Billy ergens halverwege het blok woonde. Hij heeft zijn handen in zijn zakken, hij houdt de oorbel vast. Hij meent de boom een paar huizen verderop te herkennen: de grijze bast, de gekromde, welgevormde takken.

Vervolgens ziet hij bijna aan het einde van het blok ogenschijnlijk een kind in een zwarte jas, dat naast een groot dier staat – naast een zwarte hond. De hond is ook tot stilstand gekomen en heeft zijn neus in de sneeuw gestoken. Hij probeert iets op te graven wat onder de sneeuw ligt. Voor de zekerheid doet Sam enkele stappen in haar richting. Hij kan nu de vorm van haar gezicht onderscheiden en de wijde snit van de jas die hij zich herinnert.

Hij loopt in haar richting, sneller nu. Hij roept haar naam. Zijn stem wordt gedempt in de lucht van het park.

Ze draait haar hoofd in zijn richting. Ze ziet hem.

Haar mond gaat open, en vervolgens beweegt hij, alsof ze spreekt. Nu komen haar handen in de bovenmaatse donkere wanten langzaam omhoog en bedekken haar gezicht. De hond ziet Sam ook. Hij kijkt op naar Billy, hij wil weten wat hij moet doen.

Sam is stil blijven staan. Hij wacht op haar.

Een ogenblik later gaan haar handen omlaag, ze zakken langs haar zij, en hij kan nu haar gezicht duidelijk zien, zelfs door het sneeuwgordijn heen – hij ziet het verdriet en de opluchting die erin gegrift staan.

Een van hen doet als eerste een stap naar voren, maar later kunnen ze zich geen van beiden herinneren wie het was.

DANKWOORD

Ik wil de Corporation of Yaddo danken voor de beurs die het schrijven van dit boek op gang heeft gebracht, en Smith College voor het Elizabeth Drew Professorship, dat me de tijd heeft verschaft om eraan te werken terwijl ik mijn docentschap vervulde. Ik ben tevens dank verschuldigd aan Joy Carlin omdat ik haar mocht volgen in haar werk als regisseur in het Aurora Theater in Berkeley, aan de toneelschrijver David Auburn, die geduldig en uitvoerig een lijst met saaie vragen beantwoordde, en aan Barbara Gaines, artistiek directeur van het Chicago Shakespeare Theater, voor haar hulp en haar zeer gewaardeerde vriendschap.